福祉
教科書

保育士

出る!出る!

一問一答

2025年版

保育士試験対策委員会 著

JN101986

EXAMPRESS

SE
SHOEISHA

本書の使い方

　本書は、効率よく学習できるように「要点チェックポイント」「よく
出る基本問題」「合否を分ける一問に挑戦！」の3部構成となっています。

1 要点チェックポイント

出題頻度が高い重要知識をまとめています。一問一答に挑戦する前に、こち
らを読んで自分の理解度を確認しておくと学習がスムーズになります。

1 保育の心理学

出る！出る！

要点チェックポイント

ポイント①　さまざまな発達段階説

❶ エリクソンの発達理論

ライフサイクルのそれぞれの段階に発達課題があ
発達の理論である。発達に関して社会的な側面を
ところに特徴がある。

1. 乳児期 （0〜1歳）	【基本的信頼】　対　【不信】➡母親 いた養育により他人への信頼感をも が、不適切な養育をされると、不信感 なる
2. 幼児期前期 （1〜3歳）	【自律性】　対　【恥・疑惑】➡心身 より、自身の身の回りのことを自分で つようになるが、過度の批判や制限に 分の適正さに対する疑惑の感覚をもつ
3. 幼児期後期 （3〜6歳）	【自発性】　対　【罪悪感】➡自発 運動活動により自由や自発性の感覚 周囲が不適切に対応した場合は罪悪感
4. 学童期 （6〜12歳）	【勤勉】　対　【劣等感】➡規則の遂 持などによる勤勉性が生まれるが、 ないと劣等感をもつこともある
5. 青年期 （12〜20歳頃）	【同一性】　対　【同一性拡散】➡ 貫した自分自身の同一性（アイデン 立と受容がなされる。同一性を発達さ きないと、自分は何者なのか混乱し 受容されない役割を作り上げる
6. 成人前期 （20〜30歳頃）	【親密】　対　【孤立】➡家族以外の 性的、情緒的、道徳的親密感を確立す されない場合は、人間関係から孤独感 がある

2

保育の心理学

1 保育の心理学—発達を捉える視点

Q1 ☑ ☑	ゴールトン（Galton, F.）は、個人差の大部分が遺伝によるものであるとして、遺伝的に優れた人同士が数世代にわたって子孫を残すことで、人類は高い才能をつくり出しうると考えた。
Q2 ☑ ☑	シュテルン（Stern, W.）は、輻輳説を提唱し、遺伝も環境も発達に関係し、それらは相互に依存しつつ影響し合うと考えた。
Q3 ☑ ☑	ある行動や能力の発現には、その特質がもつ遺伝的なものと環境の最適さが関係するという考え方が輻輳説である。
Q4 ☑ ☑	ゲゼル（Gesell, A.L.）は、一卵性双生児の階段登りの実験の結果から、発達は基本的に神経系の成熟によって規定されるとした。
Q5 ☑ ☑	環境閾値説は、遺伝的可能性が顕在化するのに必要な環境要因の質や量は、それぞれの特性によって違いがあると主張している。
Q6 ☑ ☑	ワトソン（Watson, J.B.）は、発達は生まれた後の環境、経験、学習で決まるとする学習優位説を提唱した。

8

【おすすめの使い方】
① 「要点チェックポイント」を読んで理解度チェック
② 「よく出る基本問題」を全問正解できるようになるまで繰り返し挑戦
③ 「合否を分ける一問に挑戦！」でどんな問題が出題されても合格ラインを突破する力を身につける

2 よく出る基本問題

過去10回以上の試験問題（主に平成31年～令和6年前期試験）を徹底分析し、複数回出題された「よく出る問題」を中心に掲載しています。
この問題を全問正解できるようになることが合格の近道です。

■「チェックボックス」で自分の苦手問題を把握
正解できた問題には、チェックを入れておきましょう。
まずは、全問2回正解を目指しましょう。

■ 保育の心理学ー発達を捉える視点

1 保育の心理学

| A1 | ○ | ゴールトンは、遺伝論の行動遺伝学の提唱者である。[家系研究法] によって [遺伝] の影響を重視した。 |

| A2 | × | [シュテルン] の輻輳説は [遺伝] と [環境] の単純加算説であり、相互依存の観点は含まれていない。設問文の内容は、[ジェンセン] の[環境閾値説] などが当てはまる。 |

| A3 | × | [ジェンセン] は、個々の特性が現れるのに必要な環境的要因には、特性ごとに固有な最低限度（閾値）があるとした [環境閾値説] を唱えた。なお、[輻輳説] とは、遺伝要因と環境要因が加算的に影響するという考え方で、[シュテルン] が有名である。 |

| A4 | ○ | [ゲゼル] は、遺伝的な要因が時間の経過とともに自律的に発現していくとする [成熟優位説] を提唱した。また、一卵性双生児の階段登りの実験では、準備（レディネス）ができた状態から訓練を始めた方が短期間で習得できることを明らかにした。 |

| A5 | ○ | たとえば背の高さなどは環境の優劣にかかわらず発現しやすいが、絶対音感などはそれが発現するには豊かな [環境] が必要である。 |

| A6 | ○ | 発達において、後天的な学習を強調する立場は [学習優位説] と呼ばれており、他にも [環境優位説、経験説] などとも呼ばれる。この立場の代表的な提唱者であるワトソンは環境要因を操作することにより、発達を制御することが可能であるとした。 |

■「赤シート」で重要箇所を暗記
付属の赤シートで、解答（○×）を隠して自分なりの答えを思い浮かべた上で、解説を確認しましょう。
また、解説中の重要箇所が赤字になっているので、「穴埋め問題集」としても活用できます。

■ 不明な箇所は必ず確認
「要点チェックポイント」で不明な箇所が多い場合や「よく出る基本問題」の解説内容が難しく感じる場合には、姉妹書の『保育士完全合格テキスト』などで知識を再確認しましょう。

❸ 合否を分ける一問に挑戦！

過去の試験問題の中から、合否の分かれ目となるような少し難易度の高い問題を選び、各科目の最後に掲載しています。

> 保育士試験の合格率は約20％であり、難易度の高い試験といえます。「あの問題が一問解けていたら…」と涙をのんだ先輩受験者も少なくありません。そうしたことにならないように本書では、「合否を分ける一問」を用意しました。難しい問題にあたっても合格できる力を養いましょう。

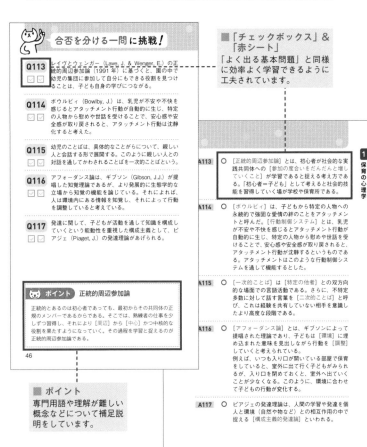

■「チェックボックス」＆「赤シート」
「よく出る基本問題」と同様に効率よく学習できるように工夫されています。

■ ポイント
専門用語や理解が難しい概念などについて補足説明をしています。

目 次

本書内容に関するお問い合わせについて

このたびは翔泳社の書籍をお買い上げいただき、誠にありがとうございます。弊社では、読者の皆様からのお問い合わせに適切に対応させていただくため、以下のガイドラインへのご協力をお願い致しております。下記項目をお読みいただき、手順に従ってお問い合わせください。

●ご質問される前に

弊社Webサイトの「正誤表」をご参照ください。これまでに判明した正誤や追加情報を掲載しています。

正誤表　https://www.shoeisha.co.jp/book/errata/

●ご質問方法

弊社Webサイトの「書籍に関するお問い合わせ」をご利用ください。

書籍に関するお問い合わせ　https://www.shoeisha.co.jp/book/qa/

インターネットをご利用でない場合は、FAXまたは郵便にて、下記"翔泳社　愛読者サービスセンター"までお問い合わせください。
電話でのご質問は、お受けしておりません。

●回答について

回答は、ご質問いただいた手段によってご返事申し上げます。ご質問の内容によっては、回答に数日ないしはそれ以上の期間を要する場合があります。

●ご質問に際してのご注意

本書の対象を超えるもの、記述個所を特定されないもの、また読者固有の環境に起因するご質問等にはお答えできませんので、予めご了承ください。

●郵便物送付先およびFAX番号

送付先住所　〒160-0006　東京都新宿区舟町5
FAX番号　　03-5362-3818
宛先　　　　（株）翔泳社 愛読者サービスセンター

科目別問題

ポイント ① さまざまな発達段階説

❶ エリクソンの発達理論

ライフサイクルのそれぞれの段階に発達課題があるとする生涯発達の理論である。発達に関して社会的な側面を重視しているところに特徴がある。

1. 乳児期 （0〜1歳）	【[基本的信頼]　対　[不信]】➡母親の愛情に基づいた養育により他人への信頼感をもつようになるが、不適切な養育をされると、不信感をもつようになる
2. 幼児期前期 （1〜3歳）	【[自律性]　対　[恥・疑惑]】➡心身の機能の発達により、自身の身の回りのことを自分で行う自律心をもつようになるが、過度の批判や制限により羞恥心や自分の適正さに対する疑惑の感覚をもつこともある
3. 幼児期後期 （3〜6歳）	【[自発性]　対　[罪悪感]】➡自発的な知的活動・運動活動により自由や自発性の感覚が生まれるが、周囲が不適切に対応した場合は罪悪感が生まれる
4. 学童期 （6〜12歳）	【[勤勉]　対　[劣等感]】➡規則の遵守、秩序の維持などによる勤勉性が生まれるが、結果につながらないと劣等感をもつこともある
5. 青年期 （12〜20歳頃）	【[同一性]　対　[同一性拡散]】➡他者と異なる一貫した自分自身の同一性（アイデンティティ）の確立と受容がなされる。同一性を発達させることができないと、自分は何者なのか混乱したり、社会的に受容されない役割を作り上げる
6. 成人前期 （20〜30歳頃）	【[親密]　対　[孤立]】➡家族以外の他者に対する性的、情緒的、道徳的親密感を確立する。それがなされない場合は、人間関係から孤独感が生じることがある

7. 成人期 （30〜65歳頃）	【［生殖性］　対　［停滞］】➡個人的なことから、家族や社会、次世代へと関心が広がっていく。こうした社会的なものへの志向が発達しないと、自分の物的所有物や身体的健康だけに関心をもつようになり停滞に陥る
8. 老年期 （65歳頃〜）	【［自我の統合］　対　［絶望］】➡生涯最後の段階で今までを振り返り、完全性の感覚で自我が統合され、その人生の成就を楽しむが、それに不満足であると絶望に直面する

❷ ピアジェの発達理論

認知や思考といったものに注目した発達段階の理論である。

1. 感覚運動期 （0〜2歳頃）	生後0〜2歳まで、子どもは外界にあるものを見たり触ったりし、それを自分の感覚を通して受け止め、運動的な働きかけをすることで認識する。認知発達の第一段階で、［自己と物、自己と他者が未分化］な状態
2. 前操作期 （2〜7歳頃）	2歳以降になると、幼児は急速に言語を獲得し始め、それに伴い、イメージや表象を用いて考えたり行動したりできるようになる。しかし、まだ論理的な思考ができないため、この時期には、［見かけ］へのとらわれやすさ（保存の概念の未確立）、［自己中心性］、［アニミズム的思考］などがみられる
3. 具体的操作期 （7〜12歳頃）	［保存］の概念を獲得し、見かけに左右されない思考が可能になる時期で、自己中心性にとらわれず、実際にものを動かしたり、指で数えるといった具体的な行動・操作によって論理的な思考ができる。ただし、抽象的概念を用いた推論を行うのはまだ不得意
4. 形式的操作期 （12歳頃〜）	具体的な現実に縛られることなく、［抽象的・形式的］に考えることができるようになり、抽象的な問題解決や推論も行うことができる。すなわち、言語によって表された命題について、内容が現実かどうかにかかわらず、［論理的・形式的］に考えることができる

各期の特徴・問題点

❶ 原始反射

新生児に生まれつき備わっている反射のことで、生命維持などの機能を担っているものもあり、またかつてその機能を果たしていた働きの名残のものもある。代表的なものを以下に示す。

1. モロー反射 （抱きつき反射）	驚いた時や落下しそうになった時などに、両腕を広げて上げたあと、[抱え込む]ような動作をする
2. 吸啜反射	唇に触れたものに[吸い付こう]とする反応
3. 把握反射	指で手のひらなどに触れると、[握り締める]反応
4. バビンスキー （足裏）反射	足の裏の外縁をゆっくりかかとからつま先に向かってこすると、[母趾が反り他の４つの指が開く]現象

❷ ボウルビィの愛着理論（アタッチメント理論）

第１段階 （誕生から ３か月頃まで）	**人物を特定しない働きかけ** この時期の乳児は、[定位行動]（じっと見つめる、動く姿を目で追うなど）を周囲の不特定の人々に向け、特定の人物（母親とそれ以外の他者）との識別がともなっていない段階
第２段階 （３か月から ６か月頃まで）	**差別的な社会的反応** 特定の人物（特に母親など）に対して関心を示すようになる段階。人見知りが見られるようになるのは、６か月以降になってからである
第３段階 （６か月から ２、３歳頃まで）	**真のアタッチメント形成** 特定の人物に対しての愛着が強まり、逆に見知らぬ人に対しては警戒したり不安を感じたりするようになる、いわゆる[人見知り]が見られるようになる段階。特定の人物（特に母親など）をよりどころ、すなわち[安全基地]として外界に興味を持ち、一定の範囲で探索行動を行い、不安があれば安全基地に戻ってくる

第4段階 （3歳頃から）	**目標修正的協調性の形成** 特定の人物（特に母親など）がいなくても、情緒的な安定を保てるようになる段階。特定の人物を独立した対象として認識し、その行動や目的も予測できるようになるため、その場にいなくても安心できる

❸ 遊びの発達

パーテン（Parten, M.）によると、遊びは次のように分類できる。発達に伴い大まかに1から5へと段階的に変化していくが、必ずしも発達段階を表すものではない。

1. 一人遊び	近くにほかの子どもが遊んでいても、互いに関わりをもたずに、[自分だけ] の遊びを続けている
2. 傍観行動	ほかの子どもの遊びを [そばで見て]、ほかの子どもに関心を示し声をかけたりするが、遊びそのものには参加しない
3. 平行遊び	近くで遊んでいるほかの子どもと [同じような] 遊びをするが、互いに関わりをもたない
4. 連合遊び	複数の子どもで、同じ内容の遊びを行い、[会話などのかかわり] は生ずるが、遊びそのものでの役割分担など組織化された遊びはない
5. 協同遊び	なんらかの目的のもとに組織されたグループで、相互のかかわりだけでなく、[役割分担] があり、[協力関係のある] 遊び集団を作って遊ぶ

❹ 青年期のアイデンティティ

1. ［アイデンティティ］	自分が他の何者でもない安定した自分であるという感覚と、過去・現在・未来にわたって時間的連続性をもっているという感覚。および、その斉一性と連続性をもっている主観的な自分自身が、周囲からもそのように見られているという帰属性の感覚
2. ［心理的離乳］	青年期になり、それまでの両親への依存から離脱し、一人前の人間としての自我を確立しようとする心の動きのこと。これが親との葛藤・親への反抗といった形で現れる場合を第二反抗期と呼ぶ

❺ マーシアが示したアイデンティティ・ステイタス（自我同一性地位）（「自我同一性地位面接」の検討と大学生の自我同一性、教育心理学研究、37巻、178-187）

自我同一性地位	危機	関与	概略
［同一性達成］	経験した	している	幼児期からの在り方について確信がなくなり、いくつかの可能性について本気で考えた末、自分自身の解決に達して、それに基づいて行動している
［モラトリアム］	その最中	しようとしている	いくつかの選択肢について迷っているところで、その不確かさを克服しようと一生懸命努力している
［早期完了］（権威受容）	経験していない	している	自分の目標と親の目標の間に不協和がない。どんな体験も、幼児期以来の信念を補強するだけになっている。硬さ（融通のきかなさ）が特徴的
［同一性拡散］	経験していない	していない	危機前：今まで本当に何者かであった経験がないので、何者かである自分を想像することが不可能
	経験した	していない	危機後：全てのことが可能だし可能なままにしておかなければならない

❻ 成人期以降の課題

1. [燃え尽き症候群]	それまで意欲を持ってひとつのことに没頭していた人が、あたかも燃え尽きたかのように意欲をなくし、社会的に適応できなくなってしまう状態のこと。極度のストレスや急性的なうつ病の症状を示す
2. [中年期の危機]	40代から50代にかけて、体力の衰えや仕事に対する限界の意識から、将来に対する不安を感じ始めること。これまでやってきたことへの疑問から、アイデンティティがゆらぐ場合もある
3. [空の巣症候群]	子育てのみに生きがいを感じてきた養育者が、子どもの親離れによって生きがいを失い、孤独を感じたりうつ状態に陥ること
4. [バルテスの生涯発達理論]	バルテスは高齢期のQOLを向上させるための方略を構築した。具体的には、失われていく身体的機能や認知的機能という現実的な制約の中で、目標を達成するために「選択（Selction）」「最適化（Optimization）」「補償（Compensation）」を行うという考え方である
5. [ソーシャル・コンボイ]	個人が有する社会的ネットワークのことで、身近で日頃から頼りにしている人との関係をどのように維持するのかという観点でモデル化されたものである。コンボイ・モデルでは、同心円の内側ほど身近で頼りにできる重要な他者を、外側ほど社会的な役割による人物を示す。加齢に伴って、配偶者や友人の死などにより、高齢者のコンボイの構成は大きく変化する
6. [結晶性知能と流動性知能]	結晶性知能は、生涯を通しての経験の積み重ねにより獲得される能力であり、かなりの高齢になるまで伸び続ける。それに対して、流動性知能は、情報処理の速さを表す能力であり、神経系の機能と関連するために成人に達する前後にピークに達する

1 保育の心理学ー発達を捉える視点

Q1 ☑ ☑ ゴールトン（Galton, F.）は、個人差の大部分が遺伝によるものであるとし、遺伝的に優れた人同士が数世代にわたって子孫を残すことで、人類は高い才能をつくり出しうると考えた。

Q2 ☑ ☑ シュテルン（Stern, W.）は、輻輳説を提唱し、遺伝も環境も発達に関係し、それらは相互に依存しつつ影響し合うと考えた。

Q3 ☑ ☑ ある行動や能力の発現には、その特質がもつ遺伝的なものと環境の最適さが関係するという考え方は輻輳説である。

Q4 ☑ ☑ ゲゼル（Gesell, A.L.）は、一卵性双生児の階段登りの実験の結果から、発達は基本的に神経系の成熟によって規定されるとした。

Q5 ☑ ☑ 環境閾値説は、遺伝的可能性が顕在化するのに必要な環境要因の質や量は、それぞれの特性によって違いがあると主張している。

Q6 ☑ ☑ ワトソン（Watson, J.B.）は、発達は生まれた後の環境、経験、学習で決まるとする学習優位説を提唱した。

A1 〇 ゴールトンは、遺伝論の行動遺伝学の提唱者である。[家系研究法]によって[遺伝]の影響を重視した。

......

A2 × [シュテルン]の輻輳説は[遺伝]と[環境]の単純加算説であり、相互依存の観点は含まれていない。設問文の内容は、[ジェンセン]の[環境閾値説]などが当てはまる。

......

A3 × [ジェンセン]は、個々の特性が現れるのに必要な環境的要因には、特性ごとに固有な最低限度(閾値)があるとした[環境閾値説]を唱えた。なお、[輻輳説]とは、遺伝要因と環境要因が加算的に影響するという考え方で、[シュテルン]が有名である。

......

A4 〇 [ゲゼル]は、遺伝的要因が時間の経過とともに自律的に発現していくとする[成熟優位説]を提唱した。また、一卵性双生児の階段登りの実験では、準備(レディネス)ができた状態から訓練を始めた方が短期間で習得できることを明らかにした。

......

A5 〇 たとえば背の高さなどは環境の優劣にかかわらず発現しやすいが、絶対音感などはそれが発現するには豊かな[環境]が必要である。

......

A6 〇 発達において、後天的な学習を強調する立場は[学習優位説]と呼ばれており、他にも[環境優位説、経験説]などとも呼ばれる。この立場の代表的な提唱者であるワトソンは環境要因を操作することにより、発達を制御することが可能であるとした。

Q7 ☑ ☑ アフォーダンス理論では、情報が環境の中に存在し、人がその情報を環境の中から得て行動していると考える。この理論を踏まえると、保育環境は、子どもが関わるものというだけにとどまらず、環境が子どもに働きかけていると考えられる。

Q8 ☑ ☑ 成熟主義理論では、子どもの生得的能力が自然に展開するので、保育者はできる限り関わりを控えるべきであるとしている。

Q9 ☑ ☑ 遊びのなかで、母親が普段よくしている仕草や話し方をすることを延滞(遅延)模倣という。

Q10 ☑ ☑ ブロンフェンブレンナー(Bronfenbrenner, U.)は、子どもを取り巻く社会的環境のうち、父親と母親との関係(夫婦関係)や親と学校の先生との関係など、相互の影響関係をエクソシステムとした。

2 保育の心理学―子どもの発達過程

Q11 ☑ ☑ バルテス(Baltes, P.B.)は、ヒトの発達は、多次元的、多方向的に進みうる。また高い可塑性を有し、獲得と喪失の両方を伴う過程であると仮定した。

A7 ○ アフォーダンス理論とは、[ギブソン]によって提唱された理論である。ギブソンは、子どもが環境を捉える時には、行動を促進したり制御したりするような環境の特徴を、子どもが読み取っていると考えた。

A8 × [成熟主義理論]において、発達は[遺伝的に規定]されたプログラムが展開していく過程として捉えられている。ただし、その場合でも成熟を待って適切なタイミングで教育をすることが求められており、保育者の関わりや支援は必要である。

A9 ○ 目の前で母親や保育者等のモデルがする動作をその場で模倣するのが[即時模倣]と呼ばれるのに対して、相当の時間が経過した後に現れる模倣を[延滞（遅延）模倣]と呼ぶ。おままごとなどの遊びの場で母親が普段しているとおりの動作をするのは後者である。

A10 × [ブロンフェンブレンナー]は、生態学的システムの中で、父親と母親との関係や親と学校の先生との関係など、複数の要素間の関係を[メゾシステム]と呼んだ。[エクソシステム]とは、保護者の職場や友達の家庭環境など子どもには直接関係しないが影響を与えるもののことである。

A11 ○ [バルテス]は、ヒトの一生における発達を選択、最適、補償という３つのものの集合体であるとする[生涯発達理論]を唱えた。

11

Q12 ☑ ☑ 新生児は母語にない音でも識別できるが、しだいに育てられた言語環境の影響を受け、母語にない音の識別能力は低下し、母語に含まれる音への識別力が高まっていく。

Q13 ☑ ☑ ピアジェ（Piaget, J.）は、子どもの道徳判断は、8〜9歳頃を境に、行為の結果による判断から行為の動機による判断へと移行すると定義した。

Q14 ☑ ☑ エリクソン（Erikson, E.H.）は、心理・社会的発達段階説の中で、乳児期の心理社会的危機は「自律 対 恥・疑念」であると考えた。

Q15 ☑ ☑ ピアジェ（Piaget, J.）の前操作的段階は、時間の経過やみかけの変化にまどわされやすいという特徴がある。

Q16 ☑ ☑ ナラティブとは読み書き能力、識字力のことである。

Q17 ☑ ☑ 子どもが早期に獲得する語彙 50 語の中では、人や物のような目に見える具体物を表す名詞よりも、動きを表す動詞の方が獲得しやすい。

🐱 **ポイント** 保存性の概念

Q15 の解説にあるように、「保存性」の概念が未発達の場合、高さだけに注目して B の方が量が多いと答えてしまうようなことが起こる。

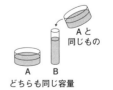

A と同じもの

A B
どちらも同じ容量

A12 ○ 母語に特化した［識別能力］が高まり、母語の学習の効率が上がり、ひいてはそれが情緒の安定と自己の形成にもつながる。反面、後年の外国語習得の障害ともなり得る。

A13 ○ ［ピアジェ］は、道徳性の発達を調べるため2人の子どもがコップを割ったという課題を用いて、どちらの子どもがより悪いかを尋ねた。その結果、子どもが8～9歳頃を境に、割れたコップの個数という結果よりもなぜ割れたかという動機を重視して善悪を判断するようになることを明らかにした。

A14 × ［エリクソン］は、フロイトの理論に基づきながら人生を8つの階層で捉えた。乳児期の心理社会的危機は、［信頼 対 不信］であり、［自律 対 恥・疑念］は幼児期前期（1～3歳頃）の心理社会的危機である。

A15 ○ 前操作的段階では［時間の経過］や［みかけの変化］にまどわされやすい。たとえば、コップからお皿に水を移し替えると、水の量が変化したと判断してしまう。

A16 × 設問文は［リテラシー］のことである。［リテラシー］とは読み書き能力、識字力のことであり、萌芽的［リテラシー］とは実際に読み書きができるようになる前の子どもが遊びの中で示す、あたかも読み書きができるように振る舞う様々な活動をさす。なお、［ナラティブ］とは「物語」「語り」などの意味である。

A17 × 子どもが早期に獲得する語彙50語の中では、人や物のような目に見える具体物を示す［名詞］の方が動きを示す［動詞］よりも獲得しやすい。

Q18

☑ ☑

心の理論とは、相手の行動を観察し、その人の意図、期待、信念、願望などを理解するようになると、相手の行動を説明したり、予測したりするようになることである。

Q19

☑ ☑

「積み木」を「ご飯」などとみなしてごっこ遊びをするなど、ごっこ遊びで見立てができることは、ものと見立てのイメージを区別することであるので、「心の理論」への発達の始まりである。

Q20

☑ ☑

2～3か月頃の乳児は機嫌がよいときに、泣き声とは異なる「アー」「ウー」のような、規準喃語を発声する。

Q21

☑ ☑

生後6か月頃から、子音と母音の構造をもつ規準喃語が現れる。

Q22

☑ ☑

生後6か月未満児の発達の特徴として、眠っている時と、目覚めている時とがはっきりと分かれ、目覚めている時には、音のする方向に向く、見つめる、追視する、一語文や二語文を発するなどの行動が活発になることなどがある。

Q23

☑ ☑

幼児のひとりごとを、ヴィゴツキー（Vygotsky, L.S.）は自己中心性の現れであるとし、ピアジェ（Piaget, J.）は、外言が内言として内在化する過程で出現するとした。

A18 ○ ［心の理論］とは、他者の心の動きを類推したり、他者が自分とは違う信念をもっていることを理解したりする機能のことである。心の理論が確立しているかどうかを調べるものとして［誤信念課題］（サリーとアン課題）が有名である。

A19 ○ ［見立て］は実際のものと頭の中のイメージを区別することになるので、［心の理論］の始まりとみなせる。

A20 × ２〜３か月頃の乳児は機嫌がよいときに、泣き声とは異なる「アー」「ウー」「クー」など鳩の鳴き声に似ている［クーイング］を発声する。［喃語］は５〜６か月頃に現れる。

A21 ○ 母音のみによる過渡的喃語を経て、［６〜８］か月頃から子音＋母音の［規準］喃語が現れる。これが、後の言語発達における［発声］の基礎となる。

A22 × ［音のする］方向を向く、［追視］などは［１〜２か月］で可能になるが、［睡眠と覚醒］が明確に分かれてくるのは生後［１］年くらいからである。また、［一語文］は［１］歳を過ぎた頃から、［二語文］は１歳代から始まり［２〜２歳半］くらいにかけて現れる。生後６か月未満児の特徴には当てはまらない。

A23 × 設問文とは逆に、［ピアジェ］はひとりごとを［自己中心性］の現れ、つまり言葉を社会的伝達の行為としてうまく使えない子どもの幼い状態であるとした。［ヴィゴツキー］は［外言］が［内言］として内在化する過程、すなわちコミュニケーションの道具に過ぎなかった言葉を、思考の道具として使うようになる過程とした。

Q24 ☑ ☑ 新生児が数人いる部屋で、一人が泣きだすと、他の新生児も泣きだすことがよくみられる。この現象は社会的参照と呼ばれる。

Q25 ☑ ☑ ブルーナー（Brunner, J.S.）は子どもが生得的にもつ能力を引き出すように、環境からの刺激を養育者が調整することによって、子どもは言葉を獲得すると考えた。

Q26 ☑ ☑ おもちゃを取られて泣いている他児に近づき、自分が手に持っているおもちゃを差し出すような子どもの行動は向社会的行動である。

Q27 ☑ ☑ 自分の思考、感情、動機といった内的経験をそのまま行動に移すのではなく、客観的に捉え直し、自他を正当に比較し、他者の立場を推論しようとするのは、自己統制能力の進展に基づく。

3 保育の心理学ー子どもの学びと保育

Q28 ☑ ☑ 知的リアリズムとは、内発的動機づけを構成する要素で、自分の知らないことに興味をもったり、興味をもったものを深く探究したりしようとすることである。

A24 × 乳児が他児の泣き声を聞いて、つられて泣くことを [情動伝染] (情動感染) という。社会的参照とは、生後8か月頃になる乳児が [新奇な状況] に出合ったときに、主に母親の [表情] を手掛かりにして自分の行動を決定することをいう。

A25 ○ ブルーナーは、個人の外側に [言語] 獲得を支援するシステムがあると考えた。これは、養育者は子どもに対して、[言語] 獲得の足場となるコミュニケーションの場を与えることで子どもの [言語] が獲得されていくという考え方である。

A26 ○ [向社会的行動] とは、他人あるいは他の人々の集団を助けようとしたり、こうした人々のためになることをしようとしたりする自発的な行為であると [アイゼンバーグ] らによって定義されている。

A27 ○ 仲間関係では、自分の思考や感情、動機をそのまま出すのではなく、あえてそれを抑えたり、別の形に変えたりすることも求められる。それは、その行動を起こしたときの結果を [客観的に推測し、考察する] という高度な思考が必要とされる。こういった能力が [自己統制能力] である。

A28 × [知的好奇心] とは、人が生まれつき持っている基本的欲求に含まれるもので、[新奇] な刺激を求める欲求である。[内発的動機づけ] (自律的な学習意欲) を生じるために不可欠な欲求である。それに対して、知的リアリズムとは、幼児期の子どもが絵を描く際に、見たままではなく知っているものを描く傾向があることをさす。

Q29 ☑ ☑ パブロフ（Pavlov, I.P.）が提唱した、条件反射のメカニズムによって行動の変化を説明する理論をレスポンデント条件づけと呼ぶ。日常的な例として、レモンを見ると唾液が出るといったことがあげられる。

Q30 ☑ ☑ ある行動をすると、特定の環境変化が引き続いて生じることに気付いて、その行動を繰り返し行うようになることをオペラント学習という。

Q31 ☑ ☑ バンデューラ（Bandura, A.）は、他者の行動およびその結果を観察することによって、自らの行動を変容させたり新しい行動を習得したりするとした。

Q32 ☑ ☑ ある集団に属し、自分は集団の一員であると確かに感じていることを帰属意識という。

Q33 ☑ ☑ ある行動を引き起こし、その行動を持続させ、一定の方向に導くプロセスを動機づけという。

Q34 ☑ ☑ ひとり遊びは幼児期前期に多くみられるが、5歳児でもひとり遊びをしているからといって発達が遅れているとは限らない。

A29 ○ パブロフはイヌにベルの音を聞かせて唾液分泌を調べる実験を用いて、条件反射のメカニズムによって行動の変化を説明する［レスポンデント］条件づけ（［古典的］条件づけ）を提唱した。日常的な例として、レモンを見ると唾液が出るといったことがあげられる。

A30 ○ ［オペラント学習］とは、スキナー（Skinner, B.F.）による［オペラント条件づけ］（道具的条件づけ）を用いて明らかにされた学習様式で、学習者が［自発的な行動］を学習することである。

A31 ○ 設問文のように、他者の行動を見て自らの行動を変容させ、他者と同じ行動をすることを［モデリング］、それにより新しい行動などを習得することを［観察学習］という。

A32 ○ 一般に帰属意識は［児童期］を通して発達する。小学校低学年では子ども同士の結びつきは［弱い］が、中学年の頃に少人数の結合が成立し、高学年になると学級全体が［組織化］され統合されていく。

A33 ○ 動機づけには、ごほうびがもらえるから勉強をするなど、行動の要因が外部にある［外発的動機づけ］と、好奇心や興味があるから勉強するなど、行動それ自体が目的で、行動の要因が内部にある［内発的動機づけ］がある。

A34 ○ パーテンによると、［ひとり遊び］は、文字通りほかの子どもがそばで遊んでいても無関心で一人で遊んでいる状態である。パーテンの研究では、2歳～2歳半で最も多く観察されたという研究結果が報告されているが、5歳児でも［ひとり遊び］は見られる。

Q35 2〜3歳頃では、近くで同じような遊びをしていても、互いのやりとりはみられないことが多い。

☑ ☑

Q36 お店屋さんごっこという共通の目的に向かって、お客さんと店員に分かれてそれぞれの役割を果たしながら一緒に遊ぶ子どもの姿を連合遊びという。

☑ ☑

Q37 エインズワース（Ainsworth, M.D.S.）らは、愛着の質を測定するためにストレンジ・シチュエーション法を開発した。

☑ ☑

Q38 エインズワース（Ainsworth, M.D.S.）の愛着のAタイプ（回避型）の特徴は、親との分離に際し、非常に強い不安や混乱を示し、親との再会時には、親に強く身体接触を求めるが、その一方で親に対して強い怒りを示すことである。

☑ ☑

Q39 背伸びしても届かない所に置かれた玩具を取ろうとしていた子どもが、突然ひらめいたように、箱を踏み台として使うことを思いつくといった学習は、ケーラー（Köhler, W.）のいうところの洞察によるものである。

☑ ☑

Q40 課題をスモール・ステップに分割し、学習者が自分のペースで自発的に学習する方法を発見学習という。

☑ ☑

🐱 **ポイント** ストレンジ・シチュエーション法による3つの愛着のタイプ

Aタイプ：[回避型]	母親との再会を喜ばず、愛着形成が不安定な状態
Bタイプ：[安定型]	母親との分離で混乱し再会によって落ち着く、愛着形成が安定している状態
Cタイプ：[アンビバレント型]	母親との分離に混乱し、さらに再会した後も落ちつかず攻撃的になる、愛着形成が不安定な状態

A35 ○ 設問文は[並行遊び]のことを説明している。[並行遊び]とは、子どもたちが近くで同じような遊びをしていても、目的が共有されておらず、互いの間でやり取りが見られない遊びである。

- -

A36 × 共通の目的をもって、役割の分担が決まっているなど組織化されて遊んでいる状態を[協同遊び]という。[連合遊び]とは、他の子どもと同じ遊びをしていても、お互いに関係なく遊んでおり、共通の目的がない状態をさす。

- -

A37 ○ [ストレンジ・シチュエーション法]とは、母子同室場面、見知らぬ女性の入室場面、母親の外出・見知らぬ女性との同室場面、母親との再会場面などを経験させ、その反応によって[愛着のタイプ]を見極める方法である。

- -

A38 × 設問文は、Cタイプ（アンビバレント型）の特徴を示している。[Aタイプ（回避型）]は、親との分離場面や再会場面で泣くなどの苦痛を示すことがほとんどない。このタイプの親は子どもへの働きかけに[拒否的]なことが多い。

- -

A39 ○ 洞察とは自分の置かれた状況や過去の[経験を統合]することによって[一気に認知の変化が起こり]、解答にたどりつく高度な学習の形態である。たとえば、箱に上った経験や、その時に目線が高くなった感覚などが頭の中で統合され、箱を使えば自分の背丈より高い位置にある玩具に手が届くということに気がつくということである。[ケーラー]によって体系化された学習理論である。

- -

A40 × 課題をスモール・ステップに分割して、学習者が自分のペースで自発的に、即時のフィードバックを受けて、その結果をその場で検証することによって進める学習法を[プログラム学習]という。それに対して、[発見学習]とは、学習者自らが自由に学習すべき知識を発見していく過程を重視した学習指導法である。

4 子ども家庭支援の心理学―生涯発達

Q41

☑ ☑

ほぼ成熟して誕生する早成性の鳥類が、孵化後ごく限られた時間のうちに、動く対象に追従し、強い絆を形成する現象のことをタッチケアという。

Q42

☑ ☑

産後うつ病などのメンタルヘルス上の問題を抱えると、母子相互作用が適切に行われないことで、子どもの発達に影響が及ぶことがある。

Q43

☑ ☑

ハーロー（Harlow, H.）による代理母実験は、愛着関係は飢えや渇きの充足のみでは形成されないことを示した。

Q44

☑ ☑

出生体重が1,500グラム未満の児を低出生体重児と呼び、その中でも、1,000グラム未満の児を極低出生体重児、700グラム未満の児を超低出生体重児と呼ぶ。

Q45

☑ ☑

0歳後半には、共同注意ができるようになる。養育者の視線を追って、同じものを見ることができるようになる。

Q46

☑ ☑

4歳を過ぎる頃から、「イヤ、イヤ」を連発するようになる。これは、自分の意識の高まりのあらわれであり、第一反抗期という。

Q47

☑ ☑

1歳前後の乳児は特定の対象に対して行動しようとする時、親しい者の示す表情、声色、しぐさなどから、自分の行動を決める傾向がある。これを社会的参照という。

A41 × 設問文の説明は [ローレンツ] (Lorenz, K.Z.) が唱えた [インプリンティング] (刻印づけ、刷り込み) のものである。[タッチケア] とは、養育者が子どもを見つめ、語りかけながら、素肌に触れる、といった手技を行うことである。

A42 ○ 産後うつ病などのメンタルヘルス上の問題を抱えると、[母子] 相互作用が適切に行われないことで、子どもの [発達] に影響が及ぶことがあるため、母子ともに支援が必要である。産後うつ病のスクリーニングには EPDS (エジンバラ産後うつ病質問票) が用いられる。

A43 ○ [ハーロー] のアカゲザルの実験では、[愛着] の形成には授乳といった単純な飢えの充足ではなく、むしろ [皮膚の接触] が重要であることが見出された。

A44 × 出生体重が [2,500] グラム未満の子どもを低出生体重児と呼び、その中で、[1,500] グラム未満を極低出生体重児、[1,000] グラム未満を超低出生体重児と呼ぶ。

A45 ○ 共同注意は [8〜9か月] 頃までにできるようになる。

A46 × 自己意識の高まりによる [第一反抗期] は [2] 歳頃である。

A47 ○ [1] 歳前後では行動に迷うような曖昧な状況で、大人の反応を手がかりにして承認を得た上で行動しようとする [社会的参照] がみられるようになる。

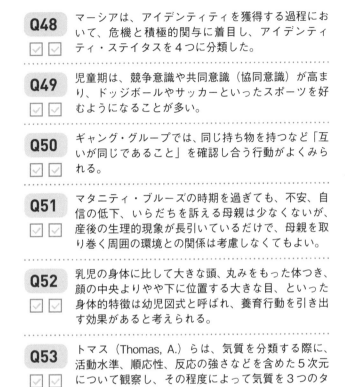

Q48 マーシアは、アイデンティティを獲得する過程において、危機と積極的関与に着目し、アイデンティティ・ステイタスを4つに分類した。

Q49 児童期は、競争意識や共同意識（協同意識）が高まり、ドッジボールやサッカーといったスポーツを好むようになることが多い。

Q50 ギャング・グループでは、同じ持ち物を持つなど「互いが同じであること」を確認し合う行動がよくみられる。

Q51 マタニティ・ブルーズの時期を過ぎても、不安、自信の低下、いらだちを訴える母親は少なくないが、産後の生理的現象が長引いているだけで、母親を取り巻く周囲の環境との関係は考慮しなくてもよい。

Q52 乳児の身体に比して大きな頭、丸みをもった体つき、顔の中央よりやや下に位置する大きな目、といった身体的特徴は幼児図式と呼ばれ、養育行動を引き出す効果があると考えられる。

Q53 トマス（Thomas, A.）らは、気質を分類する際に、活動水準、順応性、反応の強さなどを含めた5次元について観察し、その程度によって気質を3つのタイプに分類した。

Q54 人の生涯発達は、個人的に重要な意味をもつ出来事の影響を受ける。

A48 〇 マーシアの［アイデンティティ・ステイタス］の４分類は、「アイデンティティ達成」「早期完了（権威受容）」「モラトリアム」「アイデンティティ拡散」である。

A49 〇 ［児童期］は体力の増加や運動能力の発達とあわせて、［共同意識］や［競争意識］が高まり、［役割］や［ルール］のある遊びやスポーツを好むようになることが多い。

A50 ✕ 小学生の中・高学年の子どもに形成される凝集性の高い仲間集団は［ギャング・グループ］と呼ばれる。一方、小学校高学年から中学生頃の女児にみられ、同一の行動や持ち物を好み異質なものを排除する傾向のある集団を［チャム・グループ］という。

A51 ✕ ［マタニティ・ブルーズ］のピークは、２～３日目で、産後１か月くらいで自然に消失するといわれているが、［育児不安］を訴える母親もおり、母親を取り巻く環境を考慮しながら支援することが必要である。

A52 〇 人間でも動物でも、いわゆる子どもの可愛らしい顔つきは、［大人の愛情と保護欲求］を喚起し、［養育行動］を引き出すといわれる。［ローレンツ］の提唱した説である。

A53 ✕ ［トマス］と［チェス］は気質の特性を５次元ではなく９次元（９つ）に分類した。そしてそれらをさらにまとめて、気質のタイプの３類型、すなわち［扱いやすい子（easy child）］［出だしの遅い子（slow-to-warmupchild）］［扱いにくい子（difficult child）］に分類した。

A54 〇 生涯発達においては、単に遺伝的要因が展開するのみでなく、環境、特にその［個人に特有の重要な意味をもつライフイベント］、例えば、就学、結婚、災害といったものも影響する。

Q55 ルイス（Lewis, M.）は、誕生時からさまざまな人との間に質の異なる人間関係を結び、その中から愛着関係が生まれるという説を提唱した。

☑ ☑

Q56 保育者が向かい合ってボールをゆっくり転がして近づけると、ボールを押し返すような動作を繰り返し楽しむ。このような交互のやりとりをターンテイキングという。

☑ ☑

Q57 生涯発達において、青年期以降、知的能力は下降すると考えられてきたが、成人期におけるその人の経験によっては上昇する知的能力もあることが明らかにされてきた。

☑ ☑

Q58 新生児期は、周りの働きかけに対して微笑することが多い。

☑ ☑

Q59 嫉妬は、一般的に2歳頃になると現れる。

☑ ☑

5 子ども家庭支援の心理学―家族・家庭の理解

Q60 幼児期までの子どもをもつ親を対象とした研究成果として、親になることによって、自分を抑制したり、自己主張したりする自己制御ができるようになったということが明らかになった。

☑ ☑

A55 ○ ［ルイス］は「子どもの社会的な発達に持続的な影響を与えるのは、母親を含む多くの人々によって作られている［社会的環境］であり、それらの人々と異なった［人間関係］を結ぶ」とした。愛着関係はその中から生まれる。

A56 ○ ［ターンテイキング］は、他者との交流の中で、［自分からの働きかけと待ち受けを交互にこなすこと］である。コミュニケーションの基本であり、設問文のような動作的なものの他に、言葉のやり取りや、遊び等の役割交代も含む。［乳児期］にその萌芽が現れる。

A57 ○ 経験に基づいた智恵など結晶性の知能は［成人期以降も衰えず発達を続けていく］。また、能力の衰えがあっても、それにどのように適応するかという点で、発達の要素がある。

A58 × 他者の働きかけに対して微笑する［社会的微笑］が現れるのは［生後2か月頃］といわれている。新生児微笑といわれる本能的な微笑は新生児のみならず胎児の段階から確認されている。

A59 ○ 嫉妬の感情は、［怒りの感情］から分化し、だいたい［1歳半から2歳頃］に現れてくる。

A60 ○ エリクソンによれば、成人期の発達課題は［生殖性］であるとされている。これは、親自身が子育てをする経験を通して、新たな発見や［生きがい］を生じ、親自身の成長を促すポジティブな側面を指している。

Q61 ☑ ☑ 家族を理解するための理論として家族システム論があるが、家族は構成する個人がいなければ成り立たないと同時に、社会との関わりをもたない家族も存在しないという考え方である。

Q62 ☑ ☑ 養護性（ナーチュランス）とは、対人関係能力の一つとして、人との関わりの中で獲得され、大人になっても、子どもとの関わりの中で親自身の発達としてさらに発展する。

6 子ども家庭支援の心理学ー子育て家庭に関する

Q63 ☑ ☑ 1歳児は、心的外傷（トラウマ）の反応を示しはするが、心的外傷後ストレス障害（PTSD）を発症することはない。

Q64 ☑ ☑ 反応性愛着障害は、正常な環境下で育て直すことによって症状は改善する。

Q65 ☑ ☑ 幼児で被虐待を疑わせる兆候としては、「見知らぬ大人になれなれしくすること」や「常に衣服が汚れている」ことなどがあげられる。

Q66 ☑ ☑ 「令和4年版少子化社会対策白書」（内閣府）によれば、夫婦が実際にもつ予定の子どもの数が、理想的な子どもの数を下回る理由としては、「自分の仕事に差し支えるから」が最も多い。

1
保育の心理学

A61　○　［家族システム論］とは、多層的に積み重なっ
　　　　て家族は存在し、互いに影響し合うという視点
　　　　に立つ考え方であり、親子関係を理解する際に、
　　　　家族を一つのシステムとしてみている。

．．．．．．．．．．．．．．．．．．．．．．．．．．．．．．．．．．．．

A62　○　［養護性（ナーチュランス）］とは、小さくて弱
　　　　いものを見ると慈しみ育もうという気持ちにな
　　　　る心の働きをいい、性別に限らず誰もが持って
　　　　いる特性である。

現状と課題

A63　×　DSM-5 における PTSD の診断基準によると、
　　　　6 歳以下の子どもも［心的外傷後ストレス障害
　　　　（PTSD）］を発症することが記載されている。

．．．．．．．．．．．．．．．．．．．．．．．．．．．．．．．．．．．．

A64　○　［反応性愛着障害］は、［継続的］に責任を持っ
　　　　た養育が行われる正常な環境で育てられれば、
　　　　多くの場合［改善］する。

．．．．．．．．．．．．．．．．．．．．．．．．．．．．．．．．．．．．

A65　○　幼児期の被虐待を疑わせる兆候としては、ほか
　　　　に「［痩せ］が目立ち、［給食］を大量に食べる
　　　　こと」や「［外傷］として不自然な部位にあざ
　　　　があること」などもあげられる。普段から子ど
　　　　もの様子をよく観察し、虐待の［早期発見］に
　　　　努めることが必要である。

．．．．．．．．．．．．．．．．．．．．．．．．．．．．．．．．．．．．

A66　×　「令和 4 年版少子化社会対策白書」（内閣府）に
　　　　よれば、夫婦が実際にもつ予定の子どもの数が、
　　　　理想的な子どもの数を下回る理由としては、
　　　　「［子育て］や［教育］にお金がかかりすぎるか
　　　　ら」が最も多い。

Q67 ☑ ☑ 親が離婚した子どもは、していない子どもに比べて、行動の問題、学業不振、仲間関係の問題などを含むさまざまな否定的影響を経験するが、それらが成人まで持続することはまれである。

Q68 ☑ ☑ 発達障害は、虐待を受ける危険因子の一つである。

Q69 ☑ ☑ 不適切な養育を表すマルトリートメントは、過保護や過干渉、年齢不相応な厳しい教育など、子どもの健全な成長を阻害するような養育態度や環境を広く含むものである。

Q70 ☑ ☑ 人の発達が、ある社会・文化・時代において、おおよそ決まった規則的な一生の推移を示すことをライフサイクルという。

Q71 ☑ ☑ 心理的環境要因が主な原因と考えられるものとして、反応性アタッチメント（愛着）障害があげられる。

Q72 ☑ ☑ 生存に必要な食料や衣服、衛生、住居など、人間としての最低限の生存条件を欠くような貧困を相対的貧困という。

A67　×　親が離婚した子どもは、離婚していない子ども
に比べて、[行動] の問題、[学業不振]、[仲間
関係] の問題などを含むさまざまな [否定的]
影響を経験するが、それらが [成人] まで持続
する場合もあるため、注意深くサポートしてい
く必要がある。

A68　○　児童虐待の原因として、保護者の性格や資質、
生育歴、育児環境だけでなく、子ども自身が [発
達障害] であるなどの育てにくさも影響してい
ることがわかっている。また、被虐待体験は、
社会・情緒的問題を生み、脳に [器質] 的・[機
能] 的な影響を与えたり、[心的外傷] になり
得たりする。

A69　○　不適切な養育とは [マルトリートメント] とも
いい、子どもへの不適切な関わり方によって子
どもが苦痛を感じたり、子どもの健全な成長を
阻害したりするような養育態度や環境を含む。

A70　○　[ライフサイクル] とは、いつの時代もどのよ
うな人も、同じような人生をたどれるという前
提のもと、人の発達は、ある社会・文化・時代
においては、おおよそ決まった規則的な一生の
推移を示すことをさす。

A71　○　長期にわたる虐待や育児放棄など、不適切な環
境で育った子どもが、他人を極度に警戒したり、
無表情であったりするなどの行動を示す場合を
[反応性愛着障害] という。

A72　×　これは [絶対] 的貧困に関する記述である。子
どもの [相対] 的貧困とは、その国の文化水準、
生活水準と比較して困窮した状態を指し、世帯
所得がその国の等価可処分所得の中央値の半分
に満たない状態にあることをいう。この場合、
学習環境や塾などの学校外での子どもの学習の
機会を奪い、ひいては学業達成に影響を及ぼす。

Q73 乳幼児期に虐待をうけ、トラウマ反応がある場合、それは心理的、行動上の反応であるが、脳の機能的、器質的問題がその時点で進行している可能性はない。

☑ ☑

Q74 児童虐待の通告義務は、守秘義務より優先される。

☑ ☑

Q75 全ての虐待に対して親子の分離を行い、里親あるいは施設養育をすることが適切である。

☑ ☑

7 子ども家庭支援の心理学—子どもの精神保健と

Q76 限局性学習症の症状の一つに、思考障害がある。

☑ ☑

Q77 ソーシャルサポートとは、一般的には対人関係において他者から得られる種々の援助をさす。

☑ ☑

Q78 選択性緘黙症(かんもく)の子どもの多くは、学業上の問題や対人コミュニケーション上の問題を持っていない。

☑ ☑

| A73 | × | 乳幼児期に虐待をうけ、トラウマ反応がある場合、それは脳の機能的、器質的問題がその時点で進行している可能性がある。被虐待体験により、脳の特定の部位が萎縮ないし拡大し（器質的変化）、これが［情報処理能力や認知能力、感情の制御などに影響］すると考えられる。 |

| A74 | ○ | 虐待は子どもの生命に危険が及び、子どもの人権を著しく侵害するものであるので、児童虐待の通告義務は［守秘義務に優先する］と考えられる。 |

| A75 | × | ［全ての虐待において分離が適切な対応とはいえない］。場合によっては、一時保護の後に家庭復帰させて経過を観察したり、ペアレント・トレーニングに参加させたりするケースもある。 |

その課題

| A76 | × | ［思考障害］とは思考の過程や体験様式、内容の異常であり、主に［精神病］の障害として現れる。限局性学習症（SLD）の症状の一つとして位置づけるのは不適切である。 |

| A77 | ○ | ［ソーシャルサポート］とは、社会的支持ともいい、［情緒的］サポートや［情報的］サポートがあり、精神的・身体的健康に良い影響を与える効果と緩衝効果があるとされている。 |

| A78 | × | ［選択性緘黙症］の子どもの多くは、学業上の問題や対人コミュニケーション上の問題を持っていないというのは間違いで、家庭環境やストレス、性格などが原因となり［学業］や［対人関係］に問題を生じることがある。 |

Q79
☑ ☑
起立性調節障害は、起立に伴う循環動態の変化に対応できず、低血圧や頻脈を起こし、症状が強いと失神することがある。小学校入学前頃に発症し、1年以上持続する。

Q80
☑ ☑
DSM-5 において、自閉スペクトラム症は「神経発達症群／神経発達障害群」に含まれる。

Q81
☑ ☑
不登校において、直接のきっかけとなるような事柄がみあたらないものは、不登校とは呼ばない。

Q82
☑ ☑
摂食障害の発症率は男性よりも女性の方が高い。

Q83
☑ ☑
親がうつ病の子どもは、そうでない子どもに比べて、気分障害やその他の精神的な問題や機能障害が少なくとも3倍以上生じやすくなる。

Q84
☑ ☑
感覚統合療法とは、学習スキルや運動スキルの獲得よりも発達障害児の末梢神経系の機能を改善することを目的として考案されたものである。

🐱 **ポイント**　限局性学習症（SLD）

読み、書き、計算の能力のうち、特定のものの習得と使用に著しい困難を生じるものとされている。なお、基本的には全般的な知的発達に遅れはない。
具体的な症状については、書く時に鏡文字になる［書字障害］、「ツ」と「シ」など似ている文字の区別がつかないなどの［読字障害］、計算の繰り上がりがわからない［算数障害］などがある。

A79 ✕ ［起立性調節障害］は、自律神経失調症の一種で、起立に伴う循環動態の変化に対応できず、低血圧や頻脈を起こし、めまいや立ちくらみなどの症状が見られる。また、小学校入学前ではなく、小学生高学年から中学生にかけて発症することが多い。

A80 ○ ［自閉スペクトラム症］とは、社会性や他者とのコミュニケーション能力に困難が生じる発達障害の一種である。DSM-5 では神経発達症群／神経発達障害群に分類される。

A81 ✕ 年間［30］日以上欠席した者のうち、病気や経済的な理由による者を除いたものが［不登校］と定義される。原因は、［地域］、［家庭］、［教師］との関係、［友人］関係など多岐にわたっており、必ずしも学校に対する嫌悪感が主たる要因ではない。原因が特定できないものもある。

A82 ○ ［摂食障害］は一般に男性よりも［女性］に多くみられる。過度の摂食である［過食］と、［嘔吐］を繰り返すことがある。

A83 ○ 親が［うつ病］の子どもは、そうでない子どもに比べて、気分障害やその他の精神的な問題や機能障害が少なくとも３倍以上生じやすくなる。そのため、親がうつ病の場合は［育児や家事］に負担感を感じるため［乳児家庭全戸訪問事業］などにより［ハイリスク］家庭を早期発見し支援していくことが必要になる。

A84 ✕ ［感覚統合療法］とは、学習スキルや［運動］スキルの獲得よりも発達障害児の［中枢］神経系の機能を改善することを目的として考案されたものなので間違いである。この療法は、子どもに対して［個別的］な計画を立て、子どもの［能動的］取り組みを重視し、スイングやボールプール、平均台などの器具を用いて行うものである。

35

Q85 ☑ ☑ 限局性学習症は、勉強ができない子ども一般をさすものであり、子どもの読み書きや計算における二つ以上の能力の低さを必ず併発するものである。

Q86 ☑ ☑ 注意欠如・多動症への対応として、気が散るものを周りに置かない、座席の位置を工夫するなどの環境整備が考えられる。

Q87 ☑ ☑ 自閉スペクトラム症については、心の理論説、実行機能説、中枢性統合説などによって説明されてきたが、どれか一つの理論のみで説明することは難しいとされている。

Q88 ☑ ☑ 自閉スペクトラム症は、他者の思考や感情を直感的に推測することが苦手である。

Q89 ☑ ☑ 分離不安障害は症状の一つとして、分離に関する悪夢を繰り返すことがある。

A85　×　[限局性学習症]は、基本的には全般的な知的発達の遅れはなく、子どもの聞く、話す、読む、書く、計算または推論する能力のうち特定のものの習得と使用に著しい困難を示す状態を指すものである。

. . . .

A86　○　注意欠如・多動症への対応として、掲示物や時計などが[視界]に入らないようにする、本棚などはカーテンをつけて中が見えないようにするなどして、[視覚的]な刺激を少なくする。また、窓外や廊下の物音などが聞こえにくいように座席を配置する、などの工夫も考えられる。

. . . .

A87　○　[自閉スペクトラム症]については、[心の理論]説、実行機能説、中枢性統合説などによって説明されてきた。特に、相手の心の中を推察することができる能力である[心の理論]が原因の一つではないかと考えられてきたが、どれか一つの理論のみで説明することは難しいとされている。

. . . .

A88　○　自閉スペクトラム症においては、[他者の思考や感情]を理解することが不得意である。

. . . .

A89　○　分離を主題とした悪夢を繰り返し見ることは、[分離不安障害]の診断基準の一つである。

8 子どもの理解と援助

Q90
☑ ☑
ヴィゴツキー（Vygotsky, L.S.）は現在の発達レベルと潜在的な発達レベルの間にある領域を「発達の最近接領域」とした。

Q91
☑ ☑
発達には、一時的にトラブルを起こしていても、長期的にみれば豊かな経験としてはたらくものがある。保育者はそのはたらきを心得て、保育に生かしていく必要がある。

Q92
☑ ☑
幼児期のいざこざには、たまたま相手の身体が触れて、自分の作っていた積み木が崩れてしまうなど、偶発的な理由から生じるものはない。

Q93
☑ ☑
観察対象がありのままに生活や遊びをしている状況で観察を行う方法を、自然観察法という。

Q94
☑ ☑
観察したい行動の目録を作成し、その行動が生起すればチェックするやり方を時間見本法という。

🐱 **ポイント** 発達の最近接領域

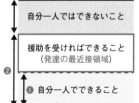

自分一人ではできないこと

援助を受ければできること
（発達の最近接領域）

❷

❶ 自分一人でできること

この図のように「自分一人でできること」（矢印❶）と援助を受ければできること（矢印❷）との間にある部分が、発達の最近接領域である。

赤枠の部分に対して適切な援助を行い、発達を引き上げる（一人でできることを増やす）ことが教育において重要である。

A90　○　現在の発達レベルとは他者の助力なしに自力で
遂行可能な能力を示す。潜在的な発達レベルと
は大人や仲間の援助を受け入れて問題解決が可
能となる能力を示す。この間にある［発達の最
近接領域］にうまく介入し、子どもの能力を引
き上げることが教育の重要な目的である。

A91　○　発達は［順調に進むばかりではない］が、後に
なって意味があると思えるものもある。たとえ
ば、いざこざなどのトラブルは、自分とは違う
他者の存在を自覚し、［自己主張］のあり方を
学ぶ契機ともなる。

A92　×　幼児期の子どもは、相手の思いや［意図］を理
解したり、同じ［イメージ］やルールの理解を
共有したり、自分の［情動］をコントロールす
るといったことがまだ十分には身についていな
いため、［いざこざ］が生じることが多い。ま
た、たまたま相手の身体が触れて、自分の作っ
ていた積み木が崩れてしまうなど、［偶発的な
理由］から生じることもよくある。

A93　○　観察法は自然な状況の中で観察を行う［自然観
察法］と、条件や状況を操作・統制して観察を
行う［実験観察法］に分類できる。

A94　×　観察したい行動の目録を作成し、その行動が生
起すればチェックするやり方は［行動見本法］
という。［時間見本法］とは、一定の区分され
た時間の中で、対象とする行動が生起するかど
うかを観察する方法である。

Q95
☑ ☑
レジリエンス（resilience）とは、困難な状況であっても、柔軟に対応しそれを乗り越えていく力のことで、これらを育むことが保育者に求められる。

Q96
☑ ☑
調査したい事柄や目標はあるものの、具体的な質問は「○○について」というきっかけの質問に始まり、対象者の自由な語りを引き出すような面接を、非構造化面接という。

Q97
☑ ☑
友だちとの関係など集団の中でのつまずきに、子どもたちが共に対応する経験をできているかどうか見極めることが大切である。

Q98
☑ ☑
保育所児童保育要録は、小学校における基礎学力の資料として、一人一人の子どもが育ってきた過程を振り返り、指導の経過をまとめたものである。

Q99
☑ ☑
母親が自分の子どもが近所の子どもとひどいケンカをした時にすべきことは、まず、自分の子どもが悪かったと相手の子どもと母親に謝り、同時に自分の子どもをきつく叱ることである。

Q100
☑ ☑
コンサルテーションとは、異なる専門性をもつ複数の者が、支援対象である問題状況について検討し、よりよい支援のあり方について話し合う取り組みである。

A95 ○ [レジリエンス] は「[精神] 的回復力」「抵抗力」「復元力」「耐久力」などとも訳される。いわゆる [折れない心] のことである。

....

A96 ○ 面接法は、非構造化面接のほかに、あらかじめ質問内容や順序が決められている [構造化面接]、一定の質問にしたがい面接を進めながら、被面接者の状況や回答に応じて質問等を臨機応変に変える半構造化面接がある。

....

A97 ○ [集団の中でのつまずき] には、他の子どもとの [経験の共有] が大切である。

....

A98 × [保育所児童保育要録] は、小学校における基礎学力の資料ではなく、子どもの育ちを支えるために保育所から小学校に送付する資料である。保育所での一人一人の子どもが育ってきた過程を振り返って指導の経過をまとめたものであり、保育所と小学校の連携を行う上で重要である。

....

A99 × まず、トラブルが起こった時の状況をよく把握した上で、その場面における子どもの [心情] をよくくみ取り、[冷静に必要な対応] をすべきである。よく調べもせずに、一方的に当事者のどちらかに荷担したり、非難したりすることは避けるべきである。

....

A100 ○ [コンサルテーション] とは、異なる専門性をもつ複数の者が、支援対象である問題状況について検討し、よりよい支援のあり方について話し合う取り組みである。支援対象に対して、直接支援をする人を [コンサルティ] といい、間接支援をする人を [コンサルタント] という。

Q101 ☑ ☑ 小学校との連携では、遊びを主導的活動として展開する幼児期の生活と、学習を主導的活動として展開する児童期の教育とを、双方で内容的・方法的に工夫することによって接続を図ることが大切である。

Q102 ☑ ☑ 保育士は、課題達成を確実にするために、発達支援の一つとしてスモール・ステップに分けることもある。

Q103 ☑ ☑ 巡回相談は、アウトリーチ型支援として、保育や教育現場において重要で効果的なものである。

Q104 ☑ ☑ 子ども同士のトラブルへの保育士の対応として、どのような場合も見守る・待つ姿勢が大切である。

Q105 ☑ ☑ 子どもが登園してきた際、保護者に家庭での様子を聞くようにしている。

Q106 ☑ ☑ 固定遊具のある園庭は、全園児が使用する共有スペースである。そのため、使い方や遊び方については、幼児と保育士が相互に話し合うことも必要である。

A101 ○ 保育所と小学校との連携では、保育所の生活の中で［協同遊び］の経験を積み重ねておくことが小学校における［協同的な学び］につながっていくと考えられる。また、保育所保育を小学校教育への［準備段階］として捉えるのではなく、幼児期の教育と小学校の教育を相互に理解し、［生かし合う視点］をもつことも大切である。

A102 ○ 課題の達成が困難な場合には、いきなり課題に取り組ませるのではなく、それを比較的容易な［いくつかの段階（スモール・ステップ）］に分けて、子どもの達成を容易にするような工夫も考えられる。

A103 ○ ［巡回相談］は、支援者である専門家が情報や支援を積極的に保育現場に届ける［アウトリーチ］型支援として、保育や教育現場において重要で効果的なものである。保育における巡回相談では、知識の提供、精神的支え、新しい視点の提示、ネットワーキングの促進などが行われる。

A104 × 基本的に保育士は子どもの自発性や主体性を尊重すべきであるが、全てのトラブルについて［見守る・待つ姿勢］をとるべきとまではいえない。たとえば、［身体的に危険が及びそうな状況や、深刻な感情的軋轢］が発生しそうな場合などは介入すべきである。

A105 ○ 保育所での様子を注意深く観察することはもちろん、［登園時などの機会を積極的に利用］して、家庭での様子などを聞き取り、情報収集すべきである。

A106 ○ 固定遊具は一度に多人数では使用できない場合もある。そのため、幼児と保育士が話し合い、使用についての［心構えを示したり、簡単なルールを決めたり、遊ぶ範囲を限定したりする］ことも必要である。

Q107 ☑ ☑ 固定遊具は他の遊具や用具と組み合わせて使ったり、ごっこ遊びなどのイメージを取り込むことで遊びを広げていくことができる。その一方で、黙々と逆上がりに取り組んでいる幼児もおり、固定遊具での遊びの楽しさは一人一人異なる。

Q108 ☑ ☑ 1歳以上3歳未満児では、排泄の自立のための身体的機能も整うので、便器での排泄に慣れ、自分で排泄ができるようになることをめざす。

Q109 ☑ ☑ 排泄の習慣を形成する時期については、社会や文化、そして時代の影響を受ける。

Q110 ☑ ☑ 少し難しいと感じても「自分にはきっとできる」という見通しがもてるように幼児の思いに寄り添って見守ることが重要である。

Q111 ☑ ☑ 養育者のもつ子どもについての認知、イメージ、表象は、子どもの親に対する行動のパターンには、ほとんど影響を与えない。

Q112 ☑ ☑ 保育士と乳幼児との関係性は、小学校、中学校での社会・情緒的発達に影響を与えない。

A107 ○ 固定遊具での遊びは［多面的に発展させることが可能］であり、たとえば、すべり台でTV番組のヒーローごっこ遊びで飛行する感覚を味わったりすることができる。もちろん、単純な繰り返しや黙々とした努力の感覚を味わうこともでき、その［遊びの形態はさまざま］である。

A108 ○ 個人差もあるが、トイレット・トレーニングの時期は［1歳から3歳くらい］といわれている。この頃になると、身体機能の他に、排泄をしたいという気持ちをコントロールして少しのあいだ我慢ができるようになる。この時期をねらって便器での排泄に慣れさせ、いわゆる「おむつ外し」のトレーニングをするのが普通である。

A109 ○ トイレット・トレーニングの開始時期は、当然［個人差］もあり、［家庭や園の方針］にもよる。さらに［文化や時代］によっても異なる。

A110 ○ 少し難しい課題に取り組み、それを達成しようとする態度は、まさに個の成長発達の最前線である。保育士はここに注目し、子どもにそれを促し、それを通じて［達成感と自己効力感］をもてるようにすることが求められる。

A111 × 養育者のもつ子どもについての認知、イメージ、表象は子どもへの養育態度に影響するので、それを通じて、子どものもつ親についての認知、イメージ、表象、ひいてはそれに基づく行動のパターンに［影響を及ぼす可能性がある］。

A112 × 乳幼児期における愛着の形成など、初期の養育者と子どもとの関係性は、小学校、中学校など、かなり時間が経過しても、その社会・情緒的発達に［影響を及ぼす可能性がある］。

Q113 レイヴとウェンガー（Lave, J. & Wenger, E.）の正統的周辺参加論（1991年）に基づくと、園の中で幼児の集団に参加して自分にもできる役割を見つけることは、子ども自身の学びにつながる。

Q114 ボウルビィ（Bowlby, J.）は、乳児が不安や不快を感じるとアタッチメント行動が自動的に生じ、特定の人物から慰めや世話を受けることで、安心感や安全感が取り戻されると、アタッチメント行動は沈静化すると考えた。

Q115 幼児のことばは、具体的なことがらについて、親しい人と会話する形で展開する。このように親しい人との対話を通してかわされることばを一次的ことばという。

Q116 アフォーダンス論は、ギブソン（Gibson, J.J.）が提唱した知覚理論であるが、より発展的に生態学的な立場から知覚の機能を論じている。それによれば、人は環境内にある情報を知覚し、それによって行動を調整していると考えている。

Q117 発達に関して、子どもが活動を通して知識を構成していくという能動性を重視した構成主義として、ピアジェ（Piaget, J.）の発達理論があげられる。

ポイント 正統的周辺参加論

正統的とあるのは初心者であっても、最初からその共同体の正規のメンバーであるからである。そこでは、熟練者の仕事を少しずつ習得し、それにより［周辺］から［中心］かつ中核的な役割を果たすようになっていく。その過程を学習と捉えるのが正統的周辺参加論である。

A113 〇 ［正統的周辺参加論］とは、初心者が社会的な実践共同体への［参加の度合いをだんだんと増していくこと］が学習であると捉える考え方である。「初心者＝子ども」として考えると社会的技能を習得していく場が学校や保育所である。

....

A114 〇 ［ボウルビィ］は、子どもから特定の人物への永続的で強固な愛情の絆のことをアタッチメントと呼んだ。［行動制御システム］とは、乳児が不安や不快を感じるとアタッチメント行動が自動的に生じ、特定の人物から慰めや世話を受けることで、安心感や安全感が取り戻されると、アタッチメント行動が沈静するというものである。アタッチメントはこのような行動制御システムを通して機能するとした。

....

A115 〇 ［一次的ことば］は［特定の他者］との双方向的な場面での言語活動である。さらに、不特定多数に対して話す言葉を［二次的ことば］と呼び、これは経験を共有していない相手を意識したより高度な段階である。

....

A116 〇 ［アフォーダンス論］とは、ギブソンによって提唱された理論であり、子どもは［環境］に埋め込まれた意味を見出しながら行動を［調整］していくと考えられている。
例えば、いつも入り口が開いている部屋で保育をしていると、室外に出て行く子どもがみられるが、入り口を閉めておくと、室外へ出ていくことが少なくなる。このように、環境に合わせて子どもの行動が変化する。

....

A117 〇 ピアジェの発達理論は、人間の学習や発達を個人と環境（自然や物など）との相互作用の中で捉える［構成主義的発達論］といわれる。

Q118 外国籍家庭に対しては、状況に応じて個別の支援を行うよう努めることが、保育所保育指針に明記されている。

☑ ☑

Q119 トレヴァーセン（Trevarthen, C.）は、情動的な一体関係が成り立つ一次的間主観性と、相手の意図を把握する二次的間主観性を区別した。

☑ ☑

Q120 スクリプトとは、日常的なできごとに関する知識構造の一種である。

☑ ☑

Q121 ボウルビィ（Bowlby, J.W.）による愛着の発達段階は4つに区分され、最終段階には特定の人物への接近の維持を掲げている。

☑ ☑

Q122 受胎から死に至る過程の行動の一貫性と変化を捉え、生涯発達の一般的原理や発達の可塑性と限界を明らかにしたのはエリクソン（Erikson, E.H.）である。

☑ ☑

> 🐱 **ポイント** 循環反応
>
> ［循環反応］はピアジェの発達理論の［感覚運動期］に現れる反応であり、「吸う」「たたく」「引っ張る」といった［感覚運動的活動の反復］のことである。それによってある種の学習が行われているとされる。［第1次循環反応］は、生後3～4か月までで、「ハンドサッキング（指吸い）」のように自分の身体に限定されたものである。［第2次循環反応］は、ひもを引っ張ったり手に持った物を振り動かすなどの反応で、物との関係において自分や手との協応が成立するようになる。［第3次循環反応］はさらに高度な段階で、試行錯誤的に音の響きの違いを楽しんだり、転がっていく方向を見定めたりと、能動的・実験的なかかわりを見せるようになる。

A118 ○ 保育所保育指針第4章「子育て支援」の2（2）「保護者の状況に配慮した個別の支援」ウに「［外国籍］家庭など、特別な配慮を必要とする家庭の場合には、状況等に応じて［個別］の支援を行うよう努めること」とある。保育士が子どもの［国籍］や文化の違いを理解するためには、保育士自らの感性や［価値観］を振り返ることが必要とされる。

. . . .

A119 ○ ［トレヴァーセン］は、乳児と養育者が情動の交流をもとに相互にわかり合う関係を［間主観性］として論じた。一次的間主観性は［相互に敏感に相手の気持ちを察し一体関係が成り立っていること］であり、二次的間主観性は［相手の意図を把握しようとする］ことである。

. . . .

A120 ○ ［スクリプト］は、日常的なできごとに関する［知識構造］である。「レストランでの食事」「入浴」「自動車の運転」といった行動は単一の知識ではなく、たとえば、レストランの食事であれば注文（メニューの選び方や店員との接し方）、食事（テーブルマナー）など［複数の知識］が［構造化］されたものとして頭に入っている。

. . . .

A121 × ［ボウルビィ］は愛着の発達段階を、第1段階：［誰に対しても］反応する、第2段階：［特定の人］に対して反応する、第3段階：［分離に対して抵抗する］、第4段階：相手の要求をふまえて［目標を持った］反応をするに分けている。設問文の内容は、最終の第4段階の内容ではない。

. . . .

A122 × エリクソンではなく［バルテス（Baltes, P.B.）］が正しい。年齢の段階に応じた一般的な発達変化と、［個人的経験あるいは時代背景］など、個々により変化しうる発達変化の関係を考えた。また、能力の獲得（成長）と能力の喪失（衰退）のダイナミックな相互作用から発達を考察する［獲得・喪失モデル］などでも知られる。

Q123 トレーナーの後ろ前が分からないので、着る時には保育者が、そのまま頭と手を入れたら着られるような向きにトレーナーを床に置くことを繰り返すと、じきにトレーナーの前後が分かり、一人で着ることができるようになった。このような保育者の働きかけを足場づくりという。

☑ ☑

Q124 メタ認知とは、目標達成のために現在の自己の状態を監視・調整するモニタリングや、それに伴う感情体験なども含まれる。幼児期後半から徐々に発達し、出来事を順序立てて話したり、園では当番活動ができたり、忘れ物をせずに帰り支度ができるなど、プランに添った行動を可能にする。

☑ ☑

Q125 さまざまな種類の原始反射は生後1週間でほとんど消失していく。

☑ ☑

Q126 心的外傷後ストレス障害では、解離性症状は認められない。

☑ ☑

Q127 マーシア（Marcia, J.E.）のアイデンティティ・ステイタスによると、親や年長者などの価値観を吟味することなく無批判に自分のものとして受け入れている状態を早期完了という。

☑ ☑

Q128 高齢期に、健康、生存、生活満足感の3つが結合した状態をサクセスフルエイジングという。

☑ ☑

🐱 **ポイント** 感情体験

自分が行う行為について、その行為を行った時の相手の感情や自分の感情を想像すること。

A123 ○ ［足場づくり（足場かけ）］はヴィゴツキーの［発達の最近接領域］の理論に基づいており、保育者の支援により、一人では達成できない複雑な課題を達成させるために行う、援助者の［支援や方向づけ］のことである。

A124 ○ ［幼児期後半］になり、メタ認知ができるようになると、将来起こることを予測しながら順序立てて話や行動ができるようになる。

A125 × 原始反射には、［モロー反射］や［バビンスキー反射］のように生後［数か月］まで残るものもある。なお、生後1週間で消失する原始反射には、自動歩行などがある。

A126 × 心的外傷後ストレス障害では、ぼーっとしたり、何かに取り憑かれたようになっていたり、狂乱状態になったりするといった［解離性症状］が認められることがある。

A127 ○ マーシアは、アイデンティティの状態には、「アイデンティティ達成」「早期完了（権威受容）」「モラトリアム」「アイデンティティ拡散」の4つの種類があるとした。これを［アイデンティティ・ステイタス］という。

A128 ○ 老年期（高齢期）には、老いを自覚し、受容し、適応する過程が必要になるが、具体的には、健康、生存、生活満足感の3つが結合した状態を［サクセスフルエイジング］という。

Q129

☑ ☑

カウフマン（Kaufman, S.）は、高齢者が新たに生み出し、維持するアイデンティティをエイジレス・セルフと呼んでいる。

Q130

☑ ☑

生後1か月頃には、単色の単純な刺激と、同心円模様、新聞の一部、顔の絵といった複雑な刺激を対にして見せられると、より複雑な刺激、特に顔図形を好んで注視する。

Q131

☑ ☑

コンボイ・モデルでは、同心円の外側ほど身近で頼りにできる重要な他者を、内側ほど社会的な役割による人物を示す。加齢に伴って、配偶者や友人の死などにより、高齢者のコンボイの構成は大きく変化する。

Q132

☑ ☑

自閉スペクトラム症の中には、こだわり行動がないケースがある。

Q133

☑ ☑

自閉スペクトラム症の診断基準となる「コミュニケーションの質的異常」の一つとして、相手から言われた内容をそのまま言い返す「エコラリア（反響言語）」がある。

Q134

☑ ☑

ガードナー（Gardner, H.）は、さまざまな文化的領域で発揮される才能についての考察などから、複数の独立した領域からなる知能の構成体を考え、多重知能理論を提唱した。

Q135

☑ ☑

文化が発達に影響することを示そうとしたヴィゴツキー（Vygotsky, L.S.）は、思考の普遍的な発達段階を構築した。

A129 ○ ［カウフマン］によれば、［エイジレス・セルフ］とは老いに伴う身体的・社会的変化に関わらず維持される［アイデンティティ］を意味する。

．．．．．．．．．．．．．．．．．．．．．．．．．．．．．．．．．．．

A130 × 顔や複雑な図形、あるいは濃い色彩への選好はかなり初期から現れるが、それが特に目立ってくるのは［生後2〜3か月頃］からである。

．．．．．．．．．．．．．．．．．．．．．．．．．．．．．．．．．．．

A131 × ［コンボイ・モデル］は、個人のネットワーク構造を表す用語として用いられている。同心円の［内側］ほど親友や配偶者など身近で頼りにできる重要な他者を、［外側］ほど同僚や隣人など社会的な役割による人物を示す。加齢に伴って、配偶者や友人の死などにより、高齢者の［コンボイ］の構成は大きく変化する。

．．．．．．．．．．．．．．．．．．．．．．．．．．．．．．．．．．．

A132 × こだわり行動は自閉スペクトラム症の診断基準の中に含まれている。なお、自閉スペクトラム症の中には、［言語］あるいは［認知発達］において遅延や遅滞がみられないケースがあり、むしろ、特定の分野の中では［高度な能力］を発揮したり、［豊かな知識］を持っていたりすることがある。

．．．．．．．．．．．．．．．．．．．．．．．．．．．．．．．．．．．

A133 ○ ［エコラリア（反響言語）］とは、いわゆる［オウム返し］である。他に、一方的に自分の言いたいことをしゃべり、相手からのメッセージには［耳を傾けない］、本人なりの［独特な言いまわし］をする、などがみられることもある。

．．．．．．．．．．．．．．．．．．．．．．．．．．．．．．．．．．．

A134 ○ ［ガードナー］によれば、［言語］的知能や［論理］的知能、［数学］的知能のほか、音楽的知能、空間的知能などがあるとされる。

．．．．．．．．．．．．．．．．．．．．．．．．．．．．．．．．．．．

A135 × ［ヴィゴツキー］は［価値観］や［習慣］などの、［文化］が発達に与える独自の影響を考えた人物。思考の普遍的な発達段階の理論を構築したのは［ピアジェ］である。

Q136 選択性緘黙症（かんもく）は、特定の話題になると黙ってしまうのが特徴である。

☑ ☑

Q137 保育所外部の専門家を交えたカンファレンスを行うことは大切である。同じ保育場面でもその捉え方は様々であり、自分の保育が同僚や他の専門家にどう映るのか、自分と異なる子どもの理解や保育の視座に出会うことは、保育士等が保育の視野を広げ、自らの子ども観や保育観を見つめ直す機会となる。

☑ ☑

Q138 新版Ｋ式発達検査は、子どもの発達の水準や偏りを「姿勢・運動」、「認知・適応」、「言語・社会」の３領域から評価する。

☑ ☑

Q139 計数の原理の中で、「数える対象のそれぞれに、ただ一つの数詞を割り当てる」ことは基数の原則という。

☑ ☑

Q140 巡回相談は、外部機関の子どもの発達に関する専門家である相談員が保育所等を訪問し、保育を支援するための相談活動である。園を訪れた相談員が支援を必要とする子どもと取り巻く保育状況についてアセスメントを行い、そのあとに保育士とケースカンファレンスを行う形式が多い。

☑ ☑

Q141 保育所では、子どもへの援助に関する計画や記録を個別に作成して進め、一方、保護者支援は外部専門機関に託するなど、分けて考えるのが基本である。

☑ ☑

A136　×　選択性緘黙症は、以前は場面緘黙症ともいわれ、特定の話題でなく、［特定の場面（状況）で黙ること］が特徴である。例えば、家庭内では普通に話しているが、学校では言葉が出ない等である。

A137　○　保育所保育指針の第5章「職員の資質向上」3（2）には保育士等の［専門性］の向上を図るためには、必要に応じて、［外部研修］への参加機会が確保されるよう努めなければならないことが明記されている。

A138　○　［新版K式発達検査］は、代表的な発達検査であり、遠城寺式乳幼児発達検査などとともに、発達指数を計ることができる。年齢に応じた課題が設定されており、その［通過状況］に応じて判定し、［現在の発達状況］を測定する。

A139　×　「数える対象のそれぞれに、ただ一つの数詞を割り当てる」ことは［一対一対応の原則］という。［基数の原則］とは、「付与された最後の数詞が対象の集合の数を示す」ことをいう。

A140　○　巡回相談の相談員は［医師、児童指導員、保育士、臨床心理士］などで発達障害に関する知識を有する者が担当する場合が多い。その一つの機能が［アセスメント］である。具体的には支援を必要とする子どもの障害や問題の種類、程度、内容などを判定し、必要な援助や資源などについての評価を行う。

A141　×　保育所では、［子ども］への援助に関する計画や記録を［個別］に作成して進めるとともに、［保護者］に対する［個別］の支援を行うように努めることも子育て支援の重要な役割であるため、間違いである。

2 保育原理

出る！出る！

要点チェックポイント

ポイント❶ **暗記をしておきたい人物**

オーベルラン	**フランス**、［幼児保護所］
オーエン	**イギリス**、［性格形成新学院］
フレーベル	［世界最初の幼稚園］、**恩物**、『**人間の教育**』
モンテッソーリ	**イタリア**、［子どもの家］、**モンテッソーリ教具**
ペスタロッチ	**スイス、生活を陶冶する**、［幼児教育書簡］
赤沢鍾美・仲子 （あかざわあつとみ・なかこ）	［守孤扶独幼稚児保護会］、子守学校・子守学級
筧 雄平 （かけひゆうへい）	［農繁期託児所］
野口幽香 （のぐちゆか）	［二葉幼稚園］
倉橋惣三 （くらはしそうぞう）	［生活を生活で生活へ］、**誘導保育論**、保育要領
東基吉	［恩物主義保育の批判］、『幼稚園保育法』
和田実	［幼児教育法］
城戸幡太郎	社会中心主義、［保育問題研究会］

ポイント❷ **児童憲章**

児童憲章

・昭和二十六年五月五日

われらは、<u>日本国憲法の精神にしたがい</u>、児童に対する正しい観念を確立し、すべての児童の幸福をはかるために、この憲章を定める。

児童は、［人］として尊ばれる。
児童は、［社会の一員］として重んぜられる。
児童は、よい［環境］の中で育てられる。

ポイント③ 保育所と幼稚園、幼保連携型認定こども園の違い

	保育所	幼稚園	幼保連携型認定こども園
管轄	[こども家庭庁]※	[文部科学省]	[こども家庭庁]※
資格	[保育士] 資格	[幼稚園] 教諭免許	[保育教諭]（幼稚園教諭免許＋保育士資格）
施設等の種別	児童福祉施設	学校	学校・児童福祉施設
対象	[保育を必要とする乳幼児]	原則として [満3歳以上就学前まで] の幼児	満3歳以上の子ども及び満3歳未満の保育を必要とする子ども
保育内容	[保育所保育指針]	[幼稚園教育要領]	[幼保連携型認定こども園教育・保育要領]
保育時間	原則として [8時間]	[4時間] を基準	保育標準時間（最長11時間）保育短時間（最長8時間）

ポイント④ 保育所保育指針の変遷

❶ 1965（昭和40）年	保育七原則に基づき、保育所の理念、保育内容、保育方法などを示し、保育所における保育の充実を図るためにガイドラインとして作成された。3歳児以上については [幼稚園教育要領] に準じて [6つの領域] からなる保育の内容が定められている。
❷ 1990（平成2）年	子どもをめぐる環境や、乳児保育、障害児保育、延長保育など、保育ニーズの多様化に対応できるよう改定された。[養護] を保育内容として明確に位置づけ、子どもの主体性を大切にした環境による総合的な保育への転換が示された。また、[5領域] の保育内容が示された。

つづく

❸ 2000 （平成12）年	前改定の保育の基本を継承しながら、以下の新しい点が加わった。 ・［乳幼児の最善の利益］を考慮する ・子育て相談など［地域の子育て支援］を行う ・延長保育、障害児保育、一時保育など多様な［保育ニーズ］へ対応する ・研修により保育士の［専門性］を高めること ・倫理観に裏づけられた保育士の基本姿勢と［守秘義務］ ・アトピー性皮膚炎への対策などの［保健内容］の充実
❹ 2008 （平成20）年	これまでのガイドラインといった位置づけから、［法的拘束力］を持った指針として改定され、13章立てから7章立てへ内容の大綱化が図られた。
❺ 2017 （平成29）年	前回改定時よりさらに内容が整理され、5章構成となった。保育内容について［幼稚園教育要領や認定こども園教育・保育要領］との統一が図られたほか、［新しく育みたい資質・能力］として3つの柱と、［幼児期の終わりまでに育ってほしい姿（10の姿）］が示された。

保育所保育指針における「保育のねらい」

●乳児保育

体の育ちを中心に	① ［身体感覚］が育ち、快適な環境に心地よさを感じる。 ② 伸び伸びと体を動かし、［はう、歩く］などの運動をしようとする。 ③ 食事、睡眠等の［生活のリズム］の感覚が芽生える。
人とのかかわりを中心に	① 安心できる関係の下で、［身近な人］と共に過ごす喜びを感じる。 ② 体の動きや表情、発声等により、［保育士等］と［気持ち］を通わせようとする。 ③ 身近な人と親しみ、関わりを深め、［愛情や信頼感］が芽生える。
物とのかかわりを中心に	① 身の回りのものに親しみ、様々なものに［興味や関心］をもつ。 ② ［見る、触れる、探索］するなど、身近な環境に自分から関わろうとする。 ③ 身体の諸感覚による認識が豊かになり、［表情や手足、体の動き等］で表現する。

● 1歳以上3歳未満児の保育

体の育ちを 中心に	① 明るく伸び伸びと生活し、[自分から体] を動かすことを楽しむ。 ② 自分の体を十分に動かし、[様々な動き] をしようとする。 ③ [健康、安全な生活に必要な習慣] に気付き、自分でしてみようとする気持ちが育つ。
人とのかかわり を中心に	① 保育所での [生活] を楽しみ、身近な人と関わる心地よさを感じる。 ② [周囲の子ども] 等への興味や関心が高まり、関わりをもとうとする。 ③ 保育所の生活の仕方に慣れ、[きまりの大切さ] に気付く。
物とのかかわり を中心に	① 身近な環境に親しみ、触れ合う中で、様々なものに興味や関心をもつ。 ② 様々なものに関わる中で、[発見] を楽しんだり、考えたりしようとする。 ③ [見る、聞く、触る] などの経験を通して、感覚の働きを豊かにする。

● 3歳以上児の保育

体の育ちを 中心に	① 明るく伸び伸びと行動し、[充実感] を味わう。 ② 自分の体を十分に動かし、[進んで運動] しようとする。 ③ 健康、安全な生活に必要な習慣や態度を [身に付け]、[見通し] をもって行動する。
人とのかかわり を中心に	① 保育所の生活を楽しみ、[自分の力] で行動することの充実感を味わう。 ② 身近な人と親しみ、関わりを深め、工夫したり、[協力] したりして [一緒に活動] する楽しさを味わい、[愛情や信頼感] をもつ。 ③ 社会生活における望ましい [習慣や態度] を身に付ける。
物とのかかわり を中心に	① 身近な環境に親しみ、自然と触れ合う中で様々な事象に興味や関心をもつ。 ② 身近な環境に [自分から関わり]、発見を楽しんだり、考えたりし、それを生活に取り入れようとする。 ③ 身近な事象を見たり、考えたり、扱ったりする中で、[物の性質や数量、文字] などに対する感覚を豊かにする。

1 保育の意義及び目的

Q142
☑ ☑
次の文は「保育所保育指針」第1章「総則」の一文である。「保育所は、子どもの個性に十分配慮するとともに、子ども一人一人の人格を尊重して保育を行わなければならない」

Q143
☑ ☑
日本は1994（平成6）年に「児童の権利に関する条約」に批准したが、この条約には「子どもの最善の利益」について触れられている。

2 保育に関する法令及び制度

Q144
☑ ☑
保育所は、入所する子ども等の個人情報を適切に取り扱うとともに、保護者の苦情などに対し、その解決を図るよう努めなければならない。

Q145
☑ ☑
保育所における苦情解決としては、施設長の責任の下で、保育所内で解決することが望ましいため、中立、公正な立場となる職員で構成される評価委員会を設置することが必要である。

Q146
☑ ☑
「保育所保育指針」第1章1の（2）の「保育の目標」では、「保育所の保育は、子どもが現在を最も良く生き、人格形成の基礎を培うために、（中略）行われなければならない」とされる。

Q147
☑ ☑
2017（平成29）年の「保育所保育指針」改定で、教育に関わる側面のねらい及び内容に関して、「幼稚園教育要領」「幼保連携型認定こども園教育・保育要領」との整合を図った。

A142　×　個性ではなく、[人権] が正しい。1959（昭和34）年の児童権利宣言、1989（平成元）年の児童の権利に関する条約と、日本独自の1951（昭和26）年の [児童憲章] についても押さえておきたい。

A143　○　同条約の中で、保育の基底をなす [子どもの最善の利益] については覚えておきたい。

A144　○　[社会福祉法] で定められており、保育所は、苦情解決責任者である施設長の下に、[苦情解決担当者] を決め、苦情受付から解決までの手続きを明確化し、書面に残すなどの対応をするための体制を整える必要がある。

A145　×　保育所内に留めず、保育所の職員ではなく、中立・公正な立場である [第三者委員] を設置し、解決に努めることが必要である。

A146　×　保育所保育は [望ましい未来をつくり出す力の基礎] を培うことを目標に行われる。ちなみに幼稚園教育要領、及び幼保連携型認定こども園教育・保育要領では [人格形成の基礎を培う] とされる。

A147　○　[現行の指針・要領] の保育の内容については「保育士」「保育教諭」「幼稚園教諭」などの文言をのぞけば [統一] されている。

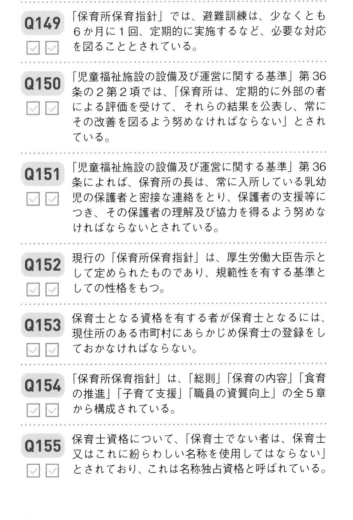

Q148 ☑ ☑ 子ども・子育て支援新制度（以下、新制度）に関して、新制度とは、2015（平成27）年に施行した「児童福祉法」「こども基本法」「子ども・子育て支援法」の子ども・子育て関連3法に基づく制度のことをいう。

Q149 ☑ ☑ 「保育所保育指針」では、避難訓練は、少なくとも6か月に1回、定期的に実施するなど、必要な対応を図ることとされている。

Q150 ☑ ☑ 「児童福祉施設の設備及び運営に関する基準」第36条の2第2項では、「保育所は、定期的に外部の者による評価を受けて、それらの結果を公表し、常にその改善を図るよう努めなければならない」とされている。

Q151 ☑ ☑ 「児童福祉施設の設備及び運営に関する基準」第36条によれば、保育所の長は、常に入所している乳幼児の保護者と密接な連絡をとり、保護者の支援等につき、その保護者の理解及び協力を得るよう努めなければならないとされている。

Q152 ☑ ☑ 現行の「保育所保育指針」は、厚生労働大臣告示として定められたものであり、規範性を有する基準としての性格をもつ。

Q153 ☑ ☑ 保育士となる資格を有する者が保育士となるには、現住所のある市町村にあらかじめ保育士の登録をしておかなければならない。

Q154 ☑ ☑ 「保育所保育指針」は、「総則」「保育の内容」「食育の推進」「子育て支援」「職員の資質向上」の全5章から構成されている。

Q155 ☑ ☑ 保育士資格について、「保育士でない者は、保育士又はこれに紛らわしい名称を使用してはならない」とされており、これは名称独占資格と呼ばれている。

A148 ✕ 平成27年の子ども・子育て支援新制度のいわゆる関連3法は、「子ども・子育て支援法」「就学前の子どもに関する教育、保育等の総合的な提供の推進に関する法律の一部を改正する法律」（認定こども園法の改正）「子ども・子育て支援法及び就学前の子どもに関する教育、保育等の総合的な提供の推進に関する法律を一部改正する法律の施行に伴う関係法律の整備等に関する法律」のことである。

A149 ✕ 避難訓練は［毎月1回］は行われなければならないが、これは［児童福祉施設の設備及び運営に関する基準］に定められている。

A150 ◯ 保育所には外部評価について［努力義務］が課されている。

A151 ✕ 「保護者の支援」ではなく［保育の内容］である。保育所は［保育の内容についても保護者の理解を得る］ように努めることとされ、また地域にも保育の内容を知らせる努力義務がある。

A152 ◯ 保育所保育指針は、2008（平成20）年の改定以降、告示化されており、現行のものは守るべきものとしての［規範性］を有している。

A153 ✕ 保育士の登録先は、［都道府県］である。保育士は［児童福祉法］において登録することが求められる。

A154 ✕ 保育所保育指針の構成は、第3章が「食育の推進」ではなく、「健康と安全」である。ほかは正しい。

A155 ◯ 保育士は［名称独占資格］であり、保育士でないものが保育士を名乗ることは許されない。また医師など、その資格がなければ業務に携わることができない［業務独占資格］もある。

Q156 ☑ ☑
「児童福祉施設の設備及び運営に関する基準」（昭和23年厚生省令第63号）では、保育所の保育士の数は乳児おおむね3人につき1人以上、満1歳以上満3歳未満の幼児おおむね6人につき1人以上、満3歳以上満4歳未満の幼児おおむね20人につき1人以上、満4歳以上の幼児おおむね30人につき1人以上とされている。

- -

Q157 ☑ ☑
2019（令和元）年10月1日から日本において実施された「幼児教育・保育の無償化」の対象となる子どもは、「3歳から5歳児クラスの子どもであり、原則、満3歳になった後の4月1日から小学校入学前までの3年間である」という内容は正しい。

- -

Q158 ☑ ☑
「障害を理由とする差別の解消の推進に関する法律」は、障害がある者にとって日常生活又は社会生活を営む上で障壁となるような段差などの建築物における障害物のみを社会的障壁と定義し、その除去のための合理的配慮について規定している。

- -

Q159 ☑ ☑
「乳児又は幼児の保護者は、みずからすすんで、育児についての正しい理解を深め、乳児又は幼児の健康の保持及び増進に努めなければならない」と定めているのは、母子保健法である。

3 保育所保育指針における保育の基本

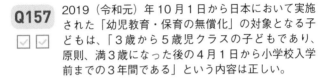

Q160 ☑ ☑
保育における養護とは、そのための一定の時間を設けて、そこで行う援助や関わりである。

- -

Q161 ☑ ☑
1歳以上3歳未満児は、特に感染症にかかりやすい時期であるので、体の状態、機嫌、食欲などの日常の状態の観察を十分に行うとともに、適切な判断に基づく保健的な対応を心がけること。

A156　×　「児童福祉施設の設備及び運営に関する基準」が令和6年4月1日より改正施行されており、満3歳以上満4歳未満では幼児おおむね [15人につき1人] 以上、満4歳以上の幼児おおむね [25人につき1人] 以上となっている。

A157　〇　記載内容は [正しい] が、原則であり、例外的に幼稚園では [3歳] になって入園した時点から無償化の対象となる。

A158　×　建築物における障害物のみならず「日常生活又は社会生活を営む上で障壁となるような社会における [事物]、[制度]、[慣行]、[観念その他一切のもの]」が社会的障壁である。

A159　〇　母子保健法ではまた「母性は、みずからすすんで、[妊娠、出産又は育児] についての [正しい理解] を深め、その健康の保持及び増進に努めなければならない」とも定められている。

A160　×　保育所における養護と教育は [一体的] に展開されるものであり、個別に取り出して、時間を区切って行われるようなものではない。

A161　〇　3歳未満児では、3歳以上児に比べて保健的な対応が重視される。

Q162 ☑ ☑ 保育士は、小学校教育が円滑に行われるよう、「幼児期の終わりまでに育ってほしい姿」を小学校教師と共有するなど連携を図るよう努めることとされる。

Q163 ☑ ☑ 保育室は「温かな親しみとくつろぎの場となるとともに、生き生きと活動できる場となるように配慮すること」が求められている。

Q164 ☑ ☑ 保育所では子どもの気持ちを大切にし、健康、安全で情緒の安定した生活ができる環境や、自己を十分に発揮できる環境を整えることとある。

Q165 ☑ ☑ 子どもの入所時の保育に当たっては、できるだけどの子どもにも同じ対応をし、子どもが安定感を得て、次第に保育所の生活になじんでいくようにするとともに、既に入所している子どもに不安や動揺を与えないようにすること。

Q166 ☑ ☑ 「幼児教育を行う施設として共有すべき事項」(1)「育みたい資質・能力」のうち、「学びに向かう力、人間性等」に関する記述として「してよいことや悪いことが分かり、自分の行動を振り返ったり、よりよい生活を営もうとする」は正しい。

Q167 ☑ ☑ 「幼児期の終わりまでに育ってほしい姿」は到達すべき目標ではなく、個別に取り出されて指導されるものではないので、指導において考慮する必要はない。

A162 ○ 「保育所保育指針」第1章「総則」の最終部分に掲載されている「幼児期の終わりまでに育ってほしい姿」を手掛かりに、一人ひとりの子どもの姿を保育士と［小学校教師］の間で共有し、円滑な接続を図っていくことが必要である。

・・

A163 ○ 保育室は子どもの活動の場であり、また生活する場ともなる。長時間子どもが過ごす場であることを考え、［くつろぎ］の場となり、［情緒の安定］が図られることにも留意する。

・・

A164 × 設問文は第1章1（3）「保育の方法」イの文章であり、「気持ち」ではなく［生活のリズム］が正しい。

・・

A165 × 「どの子どもにも同じ」ではなく、「個別的に」が正解である。「保育所保育指針」第2章保育の内容4保育の実施に関して留意すべき事項のエに記載されている。

・・

A166 × ここでは「してよいことや悪いこと」という道徳的な規範は入っていない。正しくは「［心情、意欲、態度］が育つ中で、［よりよい生活］を営もうとする「学びに向かう力、人間性等」」である。

・・

A167 × 「幼児期の終わりまでに育ってほしい姿」は到達目標ではなく、方向目標だが、「保育士等が［指導を行う際に考慮するもの］である」とされる。

（🐱 ポイント） **到達目標と方向目標**

保育におけるねらいは、具体的に何かができる力をつけたり、何かを理解するという到達目標ではなく、より柔軟に方向性を示した方向目標である。また、資質・能力を「姿から捉える」という視点としても機能している。

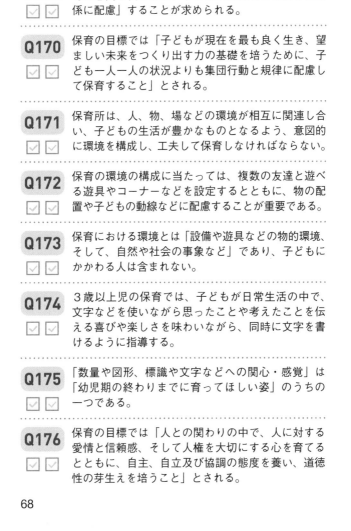

Q168 保育内容のねらいとは「子どもが保育所において、安定した生活を送り、充実した活動ができるように、保育を通じて育みたい資質・能力を、子どもの生活する姿から捉えたもの」である。

Q169 保育の目標では「入所する子どもの保護者に対し、その意向を受け止め、子どもと保護者の安定した関係に配慮」することが求められる。

Q170 保育の目標では「子どもが現在を最も良く生き、望ましい未来をつくり出す力の基礎を培うために、子ども一人一人の状況よりも集団行動と規律に配慮して保育すること」とされる。

Q171 保育所は、人、物、場などの環境が相互に関連し合い、子どもの生活が豊かなものとなるよう、意図的に環境を構成し、工夫して保育しなければならない。

Q172 保育の環境の構成に当たっては、複数の友達と遊べる遊具やコーナーなどを設定するとともに、物の配置や子どもの動線などに配慮することが重要である。

Q173 保育における環境とは「設備や遊具などの物的環境、そして、自然や社会の事象など」であり、子どもにかかわる人は含まれない。

Q174 3歳以上児の保育では、子どもが日常生活の中で、文字などを使いながら思ったことや考えたことを伝える喜びや楽しさを味わいながら、同時に文字を書けるように指導する。

Q175 「数量や図形、標識や文字などへの関心・感覚」は「幼児期の終わりまでに育ってほしい姿」のうちの一つである。

Q176 保育の目標では「人との関わりの中で、人に対する愛情と信頼感、そして人権を大切にする心を育てるとともに、自主、自立及び協調の態度を養い、道徳性の芽生えを培うこと」とされる。

A168 〇 保育におけるねらいとは到達目標ではなく［方向目標］であるといわれている。

A169 〇 保育所保育では保護者の［意向を受け止める］ことが求められることにも留意しておこう。

A170 × 保育では「集団行動と規律」よりも「一人ひとりの［子どもの状況］や［発達過程］を踏まえた適切なかかわりを持つこと」が求められる。

A171 × 「意図的」ではなく［計画的］が正しい。計画を立て、それに基づいて環境構成をしていくことは保育士の重要な職務である。ただし全てが計画通りに行われることのみを重視するのではなく、柔軟な対応が求められる。

A172 〇 第1章総則（4）保育の環境では「［子どもが自ら周囲の子どもや大人と関わっていく］ことができる環境を整えること」とされており、設問文の表記はそのための環境構成の具体的な内容である。

A173 × 子どもにかかわる人間も［人的環境］として、保育の環境に挙げられる。

A174 × ［文字への興味・関心］が3歳以上児でみられるが、保育の中で文字を書けるように指導することは求められていない。

A175 〇 「数量や図形、標識や文字など」も幼児教育では含まれているが、あくまで［関心・感覚］であり、計算や読み書きができるように指導することは目指されていない。

A176 〇 幼児期にある［道徳性の芽生え］を、子どもは他者とのかかわりの中でより確かなものにしていく。3歳以上児の領域「人間関係」の内容の取扱い④も確認しておくこと。

Q177 保育所においては、保育所保育が、小学校以降の生活や学習の基盤の育成につながることに配慮し、幼児期に育ってほしい姿を通じて、創造的な思考や主体的な生活態度などの基礎を培うようにすることとされる。

Q178 「保育所保育指針」第2章「保育の内容」では、主に教育に関わる側面からの視点が示されているが、実際の保育においては、養護と教育が一体となって展開されることに留意する必要がある。

Q179 保育においては、国籍や文化の違いを認め、互いの文化を理解し、それぞれの持つ文化の多様性を尊重する多文化共生の視点が求められる。

Q180 異年齢で構成される組やグループでの保育においては、一人一人の子どもの生活に配慮できない状況が多くみられるため、集団で一律に食事や午睡ができるよう指導計画を作成する必要がある。

Q181 「保育所保育指針」第1章「総則」(2)「保育の目標」の記述において、対話の中で、言葉への興味や関心を育て、話したり、聞いたり、相手の話を理解しようとするなど、言葉の豊かさを養うこと、は正しい。

Q182 保育所における教育とは、子どもが健やかに成長し、集団的活動がより豊かに展開されるための発達の指導である。

Q183 保育所における3歳以上児の戸外での活動として、園庭ばかりではなく、近隣の公園や広場などの保育所の外に出かけることも考えながら、子どもが戸外で過ごすことの心地よさや楽しさを十分に味わうことができるようにすることが大切である。

Q184 「自然に触れて生活し、その大きさ、美しさ、不思議さなどに気付く」は、「3歳以上児の保育に関するねらい及び内容」ウ「環境」に関する記述として正しい。

| A177 | × | ここでは「幼児期に育ってほしい姿」ではなく、[幼児期にふさわしい生活] が正しい。 |

| A178 | O | [養護と教育の一体性] は保育所保育の基本的な内容であり、それぞれが切り離されて指導されるものではない。また第２章 [「保育の内容」のねらい] も、個別に達成されるものではなく、[総合的に達成] されるものとされる。 |

| A179 | O | 外国籍の子どもを保育することや、子どもの [文化的背景] が多様であることを踏まえた保育が必要である。 |

| A180 | × | 保育所保育指針では、「異年齢で構成される組やグループでの保育においては、一人一人の子どもの生活や経験、発達過程などを把握し、適切な [援助] や [環境構成] ができるよう配慮すること」とされており、異年齢でも一人ひとりの子どもへの対応という基本的な原則は守られる。 |

| A181 | × | 対話ではなく [生活] が正しい。言葉に関する内容なので、対話と考えやすいところではあるが、保育所保育が「乳幼児期にふさわしい生活」において行われるものであることを覚えておくと、生活の中での言葉が養われていくことも想像しやすい。 |

| A182 | × | 保育所における「教育」とは、子どもが健やかに成長し、[その活動が] より豊かに展開されるための発達の [援助] である。 |

| A183 | O | 領域「健康」の内容③に関する保育所保育指針解説における文言である。ここでは「近隣の公園や広場、野原、川原」などが具体例として挙げられている。 |

| A184 | O | 「３歳以上児の保育に関するねらい及び内容」ウ「環境」の内容①が設問の文章である。 |

Q185 ☑ ☑ 保育内容において「身体の諸感覚による認識が豊かになり、表情や手足、体の動き等で表現する」は、乳児の保育内容である。

Q186 ☑ ☑ ９月から３歳児クラスに入所し、保育所での生活は４日目であるＬ君の午睡について、Ｌ君はなかなか寝付かないが、Ｌ君にとって新しい環境で眠れるようになるには、もう少し時間がかかると考えられるため、しばらく様子を見ていくことは適切である。

Q187 ☑ ☑ 「気付いたことや、できるようになったことなどを使い、考えたり、試したり、工夫したり、表現したりする」は、「育みたい資質・能力」として記載されている。

Q188 ☑ ☑ 「保育所の生活の仕方に慣れ、きまりの大切さに気付く」は、１歳以上３歳未満児の領域「環境」のねらいである。

Q189 ☑ ☑ 「保育所における生活の仕方を知り、自分たちで生活の場を整えながら見通しをもって行動する」ことは、３歳以上児のねらいである。

Q190 ☑ ☑ 保育所では「保育所の生活における子どもの発達過程を見通し、生活の連続性、季節の変化などを考慮」することが求められる。

Q191 ☑ ☑ 養護のねらいでは「一人一人の子どもが、周囲から個人として受け止められ、個人として育ち、自分を肯定する気持ちが育まれていくようにする」ことが求められる。

Q192 ☑ ☑ 育みたい資質・能力は、保育のねらい及び内容に基づいた個別の活動によって育むものである。

A185　○　「保育所保育指針解説」によれば、乳児期においては、[身体の諸感覚]を十分に働かせながら遊び込む経験を重ねて、子どもの認識する世界は豊かさを増していく、のである。

A186　○　入所からまだ4日目であることから、保育所での生活にまだ慣れていない時期であると考えられる。また午睡は強制的にさせるものではなく、L君の保育所での生活が安定することを待てばよい。

A187　○　第1章の総則の最後にある「幼児教育を行う施設として共有すべき事項」のうち[育みたい資質・能力]、[思考力、判断力、表現力等の基礎]にある記載内容である。

A188　×　設問文は[人間関係]のねらい及び内容である。内容⑤に「保育所の生活の仕方に慣れ、きまりがあることや、その大切さに気付く」がある。

A189　○　「見通しをもって行動する」ことができるのは、[3歳以上児]のねらいである。

A190　○　子どもが長い時間過ごす保育所では、様々な面で[生活の連続性]を考慮することが求められる。

A191　×　「個人」ではなく[主体]が正しい。

A192　×　個別の活動によって育むものではなく、[保育活動全体を通して]育むものである。

Q193 ☑ ☑ 「当番は保育士と一緒にカレンダーを見ながら、日付や曜日を確認します。カレンダーの見方がわかっていない子どもは、家で練習するように保護者にお願いしています」という保育士の対応は、保育の内容に照らして正しい。

Q194 ☑ ☑ 1歳以上3歳未満児の保育では、基本的な生活習慣の形成にあたっては、家庭での生活経験に配慮し、家庭からの要望を第一に優先して進めるようにする。

Q195 ☑ ☑ 3歳以上児の保育内容において「保育所の生活を楽しみ、自分の力で行動することの充実感を味わう」は健康のねらいである。

Q196 ☑ ☑ 3歳以上児の保育内容において「明るく伸び伸びと行動し、充実感を味わう」は人間関係のねらいである。

Q197 ☑ ☑ 保育の方法では「子ども相互の関係づくりや互いに尊重する心を大切にし、集団における活動を効果あるものにするよう援助すること」が求められる。

Q198 ☑ ☑ 保育所は災害に備えて「市町村の支援の下に、地域の関係機関との日常的な連携を図り、必要な協力が得られるよう努めること」とされている。

Q199 ☑ ☑ 乳児保育においては、子どもの発達や成長の援助をねらいとした活動の時間については、意識的に保育の計画等において位置付けて実施することが重要である。

Q200 ☑ ☑ 保育の方法では「子どもが自発的・意欲的に関われるような環境を構成し、子どもの主体的な活動や子ども相互の関わりを大切にすること。特に、小学校との連携を考慮し総合的に保育すること」とされる。

A193　×　カレンダーにある日付（数）や曜日（文字）については、3歳以上児の「環境」のねらいにおいても、「[感覚] を豊かにする」こととされており、正確な知識の獲得だけを目指すものではなく、環境の中でのそれぞれの [働きを実感] することが大切とされている。

A194　×　1歳以上3歳未満児の「健康」領域の「内容の取扱い」④の記述に関する内容であるが、家庭からの要望を最優先するのではなく「家庭との [適切な連携] の下で行うようにすること」とされている。

A195　×　「自分の力で」とあることから、[人間関係] のねらいであることがわかる。

A196　×　設問文の内容が記載されているのは [健康] のねらいである。

A197　○　「個と集団の育ちは相反するものではなく、[個の成長] が集団の成長に関わり、[集団における活動] が個の成長を促す」という観点から、集団での活動も重要である。

A198　○　災害発生時には、「消防、警察、医療機関、自治会等」、さらには「近隣の商店街や企業、集合住宅管理者等との連携」も考えられる。また保育所では限られた数の職員で子どもたち全員の安全を確保しなければならず、[近隣の企業や住民] の協力は大きな力となる。

A199　×　本文は3歳以上児の「保育の実施に関わる配慮事項」にみられる文章である。乳児保育では [欲求を適切に] 満たすことが重要とされる。

A200　×　「小学校との連携」ではなく、「乳幼児期にふさわしい体験が得られるように、生活や遊びを通して [総合的] に保育すること」となる。小学校との連携も重要だが、まずは子どもの「今」が考慮される。

Q201
☑ ☑
各保育所では、「保育所保育指針」を日常の保育に活用し、社会的責任を果たしていくとともに、保育の内容の充実や職員の資質・専門性の向上を図ることが求められる。

Q202
☑ ☑
保育所は、保育の質の向上を図るため、保育の計画の展開や保育士等の自己評価を踏まえ、当該保育所の保育の内容等について、自ら評価を行い、その結果を公表しなければならない。

Q203
☑ ☑
保育所の自己評価では、地域の実情や保育所の実態に即して、適切に評価の観点や項目等を設定し、全職員による共通理解をもって取り組むよう留意すること。

Q204
☑ ☑
3歳未満児の指導計画では「緩やかな担当制の中で、特定の保育士等が子どもとゆったりとした関わりをもちながら、情緒的な絆を深められるようにする」ため個別的な計画を作成することとされている。

Q205
☑ ☑
保育士等は「子どもの実態や子どもを取り巻く状況の変化などに即して保育の過程を記録する」ことが求められる。

Q206
☑ ☑
担当保育士だけでなく、全職員による適切な役割分担と協力体制を整え、必要に応じて指導計画に職員相互の連携についての事項を盛り込むことが求められる。

Q207
☑ ☑
保育士等は「自らの保育実践の振り返りや職員相互の話し合い等を通じて、専門性の向上及び保育の質の向上のための課題を明確にする」ことが求められる。

Q208
☑ ☑
子どもの最善の利益を考慮し、人権に配慮した保育を行うためには、職員一人一人の倫理観、人間性並びに保育所職員としての職務及び責任の理解と自覚が基盤となる。

A201　○　保育所保育指針の第5章は職員の資質向上について記述されており、保育を行うだけではなく、保育を行う職員がその[資質]や[専門性]を向上させることが求められている。

A202　×　「公表しなければならない」という[義務]ではなく、「公表するよう努めなければならない」という[努力義務]である。

A203　○　保育所の自己評価においては、[全職員による共通理解]が必要である。

A204　○　3歳未満児の指導計画においては、「[緩やかな担当制]の中で、特定の保育士等が子どもとゆったりとした関わりをもち、[情緒的な絆]を深められるよう指導計画を作成すること」とされている。

A205　○　保育の評価を行うためにも、[保育の過程]を記録することが求められる。

A206　○　保育においては、保育所の[職員全体の連携や協働]は欠かせない。担当の交代や職員の専門性の違いなどを踏まえ、職員[一人一人の力や個性]が十分に発揮されることが大切である。

A207　○　個人で振り返りを行うだけではなく、職員間で[意見を出し合い]、相互に改善していくことが求められる。

A208　○　保育士は子どもと直接接し、子どもに大きな影響を与える存在であることから、[人間観、子ども観、高い倫理観]が求められる存在である。

Q209 ☑ ☑ 保育所保育において育まれた生きる力を踏まえ、小学校教育が円滑に行われるよう、小学校教師との意見交換や合同の研究の機会などを設け、(中略) 連携を図り、保育所保育と小学校教育との円滑な接続を図るよう努めること。

4 乳児保育・障害児保育

Q210 ☑ ☑ 「保育所保育指針」の乳児の保育内容において、「体の動きや表情、発声等により、保育士等と気持ちを通わせようとする」ことは社会的発達に関する視点の一部である。

Q211 ☑ ☑ 乳児の保育において、指導計画は、一人一人の子どもの生育歴、心身の発達、活動の実態等に即して作成されるが、個別的な計画は必要に応じて作成する。

Q212 ☑ ☑ 子どもの発語はその都度保育士が言い直し、正しい言葉をくり返すことで、言葉が獲得されていくようにすることが大切である。

Q213 ☑ ☑ 乳児保育の「社会的発達に関する視点」においては、「受容的・連続的な関りの下で、何かを伝えようとする意欲や身近な大人との信頼関係を育て、人と関わる力の基盤を培う」とされる。

Q214 ☑ ☑ 障害や発達上の課題のある子どもとその保護者に関しては、プライバシーの保護が何よりも大切であるため、他の子どもの保護者に対しては、障害等についての個人情報を一切提供してはいけない。

A209　✕　「生きる力」ではなく、[資質・能力] が正しい。

A210　○　乳児の社会的発達に関する視点は [身近な人と
気持ちが通じ合う] と表されており、設問文は
そのねらいの一部である。

・・・・・・・・・・

A211　✕　「保育所保育指針」第1章「総則」3「保育の
計画及び評価」に記載があるように、3歳未満
児においては、[個別的な計画が一人一人に作
成] されなければならない。

・・・・・・・・・・

A212　✕　乳児保育の3つの視点イの内容の取扱いでは
「[楽しい雰囲気] の中での保育士等との関わり
合いを大切にし、[ゆっくりと優しく] 話しか
けるなど、積極的に [言葉のやり取り] を楽し
むことができるようにすること」とされている。

・・・・・・・・・・

A213　✕　「受容的・連続的」ではなく、[受容的・応答的]
な関りが正しい。乳児期は受容的・応答的な関
りを通して、「相手との間に [愛着関係を形成]」
し、「人に対する [基本的信頼感を培っていく]」
時期である。

・・・・・・・・・・

A214　✕　プライバシーの保護には十分留意する必要があ
るが、「他の子どもの保護者に対しても、子ど
もが互いに育ち合う姿を通して、障害等につい
ての [理解] が深まるようにするとともに、[地
域] で共に生きる意識をもつことができるよう
に配慮すること」とされている。

Q215 保育所では、障害のある子どもに対して一人一人ていねいな保育を行うために、クラス等の指導計画とは切り離して、個別の指導計画を作成する方がよい。

☑ ☑

Q216 乳児は疾病への抵抗力が弱く、心身の機能の未熟さに伴う疾病の発生が多いことから、一人一人の発育及び発達状態や健康状態についての適切な判断に基づく医療的な対応を行う。

☑ ☑

Q217 「発達障害者支援法」において、発達障害とは、「知的障害、アスペルガー症候群、学習障害、注意欠陥多動性障害、過敏性障害その他これに類する脳機能の障害である」と定められている。

☑ ☑

Q218 保育所の指導計画の作成については、障害や発達上の課題のある子どもが、他の子どもと共に成功する体験を重ね、子ども同士が落ち着いた雰囲気の中で育ち合えるようにするための工夫が必要である。

☑ ☑

Q219 保育所では、障害のある子どもを含め、全ての子どもが自己を十分に発揮できるよう見通しをもって保育することが重要であり、障害のある子どもの指導計画はクラス等の指導計画に含めて作成するため、個別の計画を作成する必要はない。

☑ ☑

5 保育の思想と歴史的変遷

Q220 大正時代は海外の思想も含めて様々な保育が紹介され、たとえば、河野清丸らによってシュタイナーの教育法や教具が紹介された。

☑ ☑

A215　×　個別の指導計画などを作成して［適切に対応］することは求められているが、クラスと切り離して行うものではなく、「障害のある子供が［他の子どもとの生活を通して］共に成長できるよう」指導計画に位置づけることが求められている。

. . . .

A216　×　保育所では医療業務に携われる職員が常駐していることは前提とされておらず（嘱託医は必要だが多くの場合、常駐していない）、医療的対応は難しい。ここでは「医療的な対応」ではなく［保健的な対応］が正しい記載となる。

. . . .

A217　×　発達障害者支援法の第2条では、発達障害とは「自閉症、アスペルガー症候群その他の広汎性発達障害、学習障害、注意欠陥多動性障害その他これに類する脳機能の障害であってその症状が通常低年齢において発現するものとして政令で定めるもの」である。

. . . .

A218　○　障害のある子どもの保育は「適切な環境の下で、障害のある子どもが他の子どもとの生活を通して共に成長できるよう」指導計画の中に位置づけることが求められている。

. . . .

A219　×　ほぼ正しい内容であるが、最後の「個別の計画を作成する必要はない」が誤り。［支援のための計画を個別に作成するなど適切な対応］をとることが求められる。

A220　×　河野清丸、倉橋惣三らによって広められたのは、［モンテッソーリ］の教育法である。

Q221 大正期には、大阪で橋詰良一が「家なき幼稚園」と称する園舎を持たない形態で野外保育を始めた。

☑ ☑

Q222 大正期には、スイスのダルクローズが生み出したリトミック運動を、小林宗作が日本に取り入れた。

☑ ☑

Q223 ロックは『エミール』において、子どもは未成熟な大人であるとする18世紀当時の子ども観に一石を投じた。

☑ ☑

Q224 イギリスのマクミラン姉妹は姉のレイチェルが保健指導員、妹のマーガレットが教育委員であったことから、医療と保育の連携のもと、保育を行った。

☑ ☑

Q225 コメニウス（Comenius, J.A.）は、『大教授学』や『世界図絵』等を著した。『世界図絵』は最初の絵入り教科書といわれ、その後の絵本や教科書に影響を与えた。

☑ ☑

Q226 イギリスの工場経営者であるフレーベルは、1816年に彼の紡績工場内に「性格形成学院」と呼ばれる幼児学校を設立した。

☑ ☑

Q227 デューイ（Dewey, J.）は、1907年「子どもの家」の指導の任に就き、国立特殊児童学校で開発した障害児の教育方法を幼児に適用した。

☑ ☑

Q228 赤沢鍾美は1890（明治23）年に小学校を辞して、自らの私塾を「新潟静修学校」に改名し、子守学校として発展させた。

☑ ☑

Q229 豊田芙雄と森島峰によって1900（明治33）年に開設された二葉幼稚園は、貧民家庭の幼児を対象として保育を行い、1916（大正5）年に二葉保育園と改称した。

☑ ☑

Q230 明治末期には、東基吉、和田実などがフレーベルの恩物中心の保育を批判し、フレーベルとは異なる遊びを重視する保育を提唱した。

☑ ☑

A221 〇 橋詰良一は、1922（大正11）年、大阪市郊外の池田に［家なき幼稚園］を作り、露天保育を実践した。

A222 〇 小林はダルクローズ本人から［リトミック］を学び、日本の保育に取り入れた。

A223 × 『エミール』は、ルソーの著作である。その序文では「人は子どもというものを知らない。…（中略）…子どもには何が学べるかを考えない」と述べ、教育史においてルソーは［子どもの発見者］と呼ばれることもある。

A224 〇 マクミラン姉妹は、［最も恵まれない子どもを豊かに育む］方法こそ、すべての子どもにとって最良の方法であるとする信条のもと、保育学校を創設し医療機関とも連携を図って保育を進めた。

A225 〇 いずれもコメニウスの著作である。他に［母親学校の指針］も覚えておきたい。

A226 × ［ロバート・オーエン］に関する内容である。フレーベルはドイツに［幼稚園］を創設した。

A227 × ［モンテッソーリ］に関する内容である。もともと医師であったモンテッソーリは、障害児の治療から教育へと転向した。

A228 〇 子守学校とは、学齢期の児童がより小さな子どもを子守しながら通える、［託児所付きの学校］のようなものであった。

A229 × 豊田芙雄ではなく、［野口幽香］が正しい。豊田は東京女子師範学校附属幼稚園の最初の保姆の一人。

A230 × 東、和田らは［恩物中心の保育］は批判したが、フレーベルの遊び論については受け入れていた。

Q231 ☑ ☑ 「保育要領」とは、1948（昭和23）年に文部省から出された幼児教育の手引書で、幼稚園のみならず保育所や子どもを育てる母親を対象とする幅広い手引書となったものである。

Q232 ☑ ☑ 1899（明治32）年に、文部省は「幼稚園保育及設備規程」を公布し、幼稚園の保育目的、編制、組織、保育内容、施設設備に関して、国として最初の基準を定め、入園対象の年齢、保育時間、保姆1人あたりの幼児数等を規定した。

Q233 ☑ ☑ 「幼稚園令」は、わが国の幼稚園に関する最初の勅令として、1926（大正15）年に公布された。そこでは、幼稚園の目的を「家庭教育を補う」とし、入園児は5歳児に限定されていた。

Q234 ☑ ☑ 1991（平成3）年、「幼稚園と保育所との関係について」という通知が文部省、厚生省の局長の連名で出された。その中で、保育所のもつ機能のうち、教育に関するものは、幼稚園教育要領に準ずることが望ましいことなどが示された。

Q235 ☑ ☑ 1947（昭和22）年、「児童福祉法」が制定され、それまでの託児所は「保育所」に転換した。

Q236 ☑ ☑ 「子ども・子育て支援新制度」では、地域型保育として、家庭的保育、小規模保育、企業主導型保育、居宅訪問型保育が創設された。

Q237 ☑ ☑ ルソーは「自然の教育」「事物の教育」「人間の教育」を説き、無用な教えや干渉を排した「消極的教育」にもとづく教育を唱えた。

Q238 ☑ ☑ 18世紀スイスの教育家で、合自然、直感教授などの「メトーデ」という教育方法を唱えたのは、ヘルバルトである。

A231 ○ 戦後まもなく出された「保育要領」は、[幼稚園、保育所、そして家庭での子育て]の手引きとして出された。作成には[倉橋惣三]もかかわっている。

A232 ○ 実質的に幼稚園独自の法令として初めてのものとなる[幼稚園保育及設備規程]では、幼稚園についての様々な事柄を規定した。

A233 × 入園対象は5歳以上ではなく、原則として[3歳以上]であり、2歳児の受け入れも可能であった。

A234 × 1991（平成3）年ではなく、[1963（昭和38）]年が正しい。内容については設問文の通りである。

A235 ○ 児童福祉法に保育所（管轄：厚生省〔現［厚生労働］省〕）が位置付けられたことで、学校教育法に位置付けられる幼稚園（管轄：文部省〔現［文部科学］省〕）とは、戦後も管轄が異なることとなった。

A236 × 地域型保育は、[小規模保育]、[家庭的保育]、[居宅訪問型保育]、[事業所内保育]のことを指す。

A237 ○ ルソーは[自然の教育]（能力や身体器官の内部発展）、[事物の教育]（実物による経験教育）、[人間の教育]（「自然の教育」を基礎にした教育）を唱えた。

A238 × [隠者の夕暮れ]という著作や、「メトーデ」という教育方法は、[ペスタロッチ]のものである。

Q239 フレーベルは恩物（Gabe）を考案したが、これは、明治時代になって中村正直の編集した『幼稚園法二十遊嬉』等によってわが国に紹介された。

☑ ☑

Q240 倉橋惣三は、子どもの生活の中に保育者が教育目的を持ちながら近づき、その生活が充実するように導く「生活を生活で生活へ」という説を提唱した。

☑ ☑

Q241 ペスタロッチはスイスの心理学者で、子どもと大人の思考構造の違いを研究し、子どもの思考の特徴として、自己中心性に基づく見方や考え方をあげた。

☑ ☑

Q242 日本において最も早く設立された公立の幼稚園は、東京女子師範学校附属幼稚園であった。そこでは設立当初から、子どもの自由で自主的な活動が保育の中心であった。

☑ ☑

---

6 保育の現状と課題

Q243 モンテッソーリ・メソッドは、子ども自身が深く集中し継続するように考案された「日常生活の訓練」を用い、教師は仲介者に徹する教育法である。

☑ ☑

Q244 「児童の権利に関する条約」は、ポーランドの提案を元に 1989（平成元）年に国際連合で採択され、アメリカや日本も批准している。

☑ ☑

Q245 プロジェクトと呼ばれるテーマ発展型の保育を行い、教師、親、行政関係者、教育学の専門家等が支え合って子どもの活動を援助する実践を行っているイタリア北部にある都市とは、レッジョ・エミリア市である。

☑ ☑

Q246 「子ども・子育て支援新制度」では、従業員が働きながら子育てしやすいように環境を整えて、就労の継続、女性の活躍等を推進する企業を支援する仕事・子育て両立支援事業が創設された。

☑ ☑

A239　×　『幼稚園法二十遊嬉』を編纂したのは［関信三］である。

A240　○　倉橋惣三の言葉として［生活を生活で生活へ］は覚えておきたい。

A241　×　設問文は、［ピアジェ］に関する内容である。

A242　×　設立当初の東京女子師範学校附属幼稚園は、［課業］と呼ばれる知育が行われており、また時間割で区切られた教育が実施されていた。

A243　○　モンテッソーリ・メソッドの説明として［正しい］。なお、このメソッドを開発したモンテッソーリは、1907年には［子どもの家］の指導の任に就き、障害児の教育方法を貧しい子どもの教育に応用した。

A244　×　同条約に［アメリカ］は批准していない。

A245　○　レッジョ・エミリア市の幼児教育は［ローリス・マラグッツィ］の理論的指導のもと、プロジェクト保育とそれを記録する［ドキュメンテーション］、教育を担当する教師の他に［アトリエリスタ］という芸術教師を配置した実践で知られている。

A246　○　設問文は仕事・子育て両立支援事業の［企業主導型保育］の説明である。なお、地域型保育事業の事業所内保育事業とは別のものである。

Q247 ☑ ☑ アメリカのヘッド・スタート・プログラムの目標には、子どもの健やかな成長のみならず、保護者を支援し、家庭の教育機能を高めることも含まれている。

Q248 ☑ ☑ 保育所における保育時間は、1日につき8時間が原則となっているが、フルタイムで働く保護者を想定した利用可能な保育標準時間は最長11時間である。

Q249 ☑ ☑ 1996年にニュージーランドで作成された、保育の原理と目標の方向性を定めた共通の保育プログラムは、テ・ファリキと呼ばれ多民族国家である同国のあり方を反映している。

Q250 ☑ ☑ 外国籍家庭など、特別な配慮を必要とする家庭の場合には、状況等に応じて個別の支援を行うことが求められる。

Q251 ☑ ☑ 「事業所内保育事業」とは、事業主がその雇用する労働者の監護する乳児・幼児及びその他の乳児・幼児の保育を、自ら設置する施設または事業主が委託した施設において行う事業である。

Q252 ☑ ☑ 家庭的保育事業者等は、定期的に外部の者による評価を受けて、それらの結果を公表し、常にその改善を図らなければならない。

Q253 ☑ ☑ 小規模保育や家庭的保育等の地域型保育事業においても、「保育所保育指針」の内容に準じて保育を行うこととされている。

Q254 ☑ ☑ UNICEF（国連児童基金）は、2001（平成13）年より継続的に"Starting Strong"を刊行し、経済効果や将来投資の実証を踏まえながら、就学前の教育・保育のあり方について提言を行っている。

2
保育原理

A247　○　［ヘッド・スタート・プログラム］は、1960年代のアメリカに始まり、現在も継続されている。教育・［福祉］・医療が一体となった、子どもの生活背景から支えていくプログラムである。

. . . .

A248　○　「児童福祉施設の設備及び運営に関する基準」においては、保育時間は原則8時間だが、「子ども・子育て支援新制度」下の［保育標準時間］は最長11時間利用可能である。［保育短時間］では最長8時間が利用可能時間である。

. . . .

A249　○　テ・ファリキは欧米系の国民や先住民族であるマオリ族との共生を目指す［ニュージーランド］の思想が反映された保育プログラムとなっている。

. . . .

A250　○　保育所保育指針第4章「子育て支援」では、［外国籍家庭］や［外国にルーツをもつ家庭］、［ひとり親家庭］、［貧困家庭］等、特別な配慮を必要とする家庭では、［社会的困難］を抱えている場合も多い、として、個別の支援の対象としている。

. . . .

A251　○　［事業所内保育事業］は児童福祉法第6条の3の第12項に規定がある。ただし事業所内保育は［事業主］による他［事業主団体］や［共済組合等］によっても行われる。

. . . .

A252　×　家庭的保育事業者等は、［外部の評価］とそれによる改善が求められているが、それらは「努めなければならない」とする［努力義務］である。

. . . .

A253　○　［家庭的保育事業等の設備及び運営に関する基準］及び［認可外保育施設に対する指導監督の実施について］において、小規模保育や家庭的保育でも保育所保育指針の内容に準じて保育を行うこととされている。

. . . .

A254　×　Starting Strong を刊行し、設問文の活動を行っているのは［OECD（経済協力開発機構）］である。

7 子育て支援

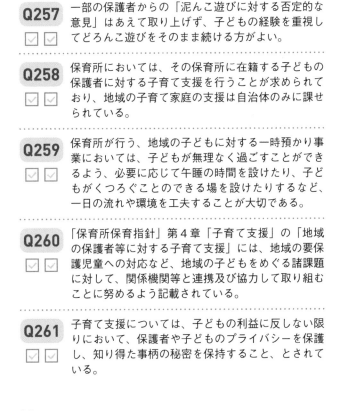

Q255 保育所保育指針においては、保育の活動に対する保護者の積極的な参加を促すこと、とされている。

Q256 保育所における子育て支援として、なんでも嫌がる2歳児の子育てに疲れ気味の保護者に対しては、子どものわがままを受け入れずに頑張るようにアドバイスする。

Q257 一部の保護者からの「泥んこ遊びに対する否定的な意見」はあえて取り上げず、子どもの経験を重視してどろんこ遊びをそのまま続ける方がよい。

Q258 保育所においては、その保育所に在籍する子どもの保護者に対する子育て支援を行うことが求められており、地域の子育て家庭の支援は自治体のみに課せられている。

Q259 保育所が行う、地域の子どもに対する一時預かり事業においては、子どもが無理なく過ごすことができるよう、必要に応じて午睡の時間を設けたり、子どもがくつろぐことのできる場を設けたりするなど、一日の流れや環境を工夫することが大切である。

Q260 「保育所保育指針」第4章「子育て支援」の「地域の保護者等に対する子育て支援」には、地域の要保護児童への対応など、地域の子どもをめぐる諸課題に対して、関係機関等と連携及び協力して取り組むことに努めるよう記載されている。

Q261 子育て支援については、子どもの利益に反しない限りにおいて、保護者や子どものプライバシーを保護し、知り得た事柄の秘密を保持すること、とされている。

A255　○　保護者の子育てを自ら実践する力の向上に寄与することから、[保護者の参加]を促している。子育て支援とは、保育所が子育てにかかわるだけではなく、保護者の、[養育力の向上]にも焦点があてられたものである。

･･････････････

A256　×　このような保育者の対応は、[保護者を追い込む]ことになりかねない。

･･････････････

A257　×　一部の保護者の意見であれ、また、泥んこ遊びが子どもの育ちに重要な役割を果たしていたとしても、[保護者の意向]を踏まえることは重要であり、無視することは適切ではない。

･･････････････

A258　×　保育所は「入所する子どもの保護者に対する支援及び[地域の子育て家庭]に対する支援」を行うことが求められる。

･･････････････

A259　○　地域の子どもに対する子育て支援では、子どもが普段の生活とは異なる環境、人々の中で生活することを考慮し、子どもが[くつろいで過ごせる]ようにすることが必要である。

･･････････････

A260　○　「保育所保育指針」第4章「3地域の保護者等に対する子育て支援」(2)イに記載がある内容。具体的には「[要保護児童対策地域協議会での情報共有]や関係機関との連携及び協力して取り組む」こととなっている。

･･････････････

A261　○　「子どもが虐待を受けている状況など、秘密を保持することが子どもの福祉を侵害するような場合」は[児童相談所等への通告]が義務であり、守秘義務違反にはあたらない。このような場合に過度に子どもの情報を保護すると、[子どもの利益]に反することになる。

Q262

☑ ☑

「児童福祉施設の設備及び運営に関する基準」の第34条では、「保育所における保育時間は、一日につき8時間を原則とし、その地方における乳幼児の保護者の労働時間その他家庭の状況等を考慮して、自治体の長がこれを定める」とされている。

Q263

☑ ☑

施設長は、保育所の保育課程や、各職員の職位等を踏まえて、体系的・計画的な研修機会を確保するとともに、職員の勤務体制の工夫等により、職員が計画的に外部研修に参加し、その専門性の向上が図られるよう努めなければならない。

Q264

☑ ☑

1歳以上3歳未満児においては「探索活動が十分できるように、事故防止に努めながら活動しやすい環境を整え、主に指先を使う細かな遊びを取り入れること」とされている。

Q265

☑ ☑

「児童の権利に関する条約」第27条において、父母又は児童について責任を有する他の者は、自己の能力及び資力の範囲内で、児童の発達に必要な生活条件を確保することについての第一義的責任を有する。

Q266

☑ ☑

次の文は「保育所保育指針」の一部である。「一人一人の子どもの状況や家庭及び地域社会での生活の実態を把握するとともに、子どもが生き生きと活動できるよう、子どもの主体としての思いや願いを受け止めること」

Q267

☑ ☑

保育所保育指針における「教育」とは、子どもが健やかに成長し、その活動がより豊かに展開されるための発達の援助である。

Q268

☑ ☑

保育所は、地域社会との交流や連携を図り、保護者や地域社会に、当該保育所が行う保育の内容を適切に説明しなければならない。

| A262 | × | 自治体の長ではなく、[保育所の長]が定める。 |

| A263 | × | 誤りは3か所あり「保育課程」ではなく[全体的な計画]、「職位等」ではなく[研修の必要性等]また「外部研修」ではなく「研修等」である。 |

| A264 | × | 「主に指先を使う」という部分が誤り。3歳未満児は、例えば「健康」の内容③や、「表現」の内容④にあるように、[全身を使う遊び]を楽しむ時期である、とされる。 |

| A265 | ○ | 父母等、保護者が子育てについて[第一義的責任]を有するとの内容は、この条約のほか、教育基本法などでも見られる。この条文では、生活条件の確保についての第一義的責任について言及している。 |

| A266 | × | 「生き生きと活動できるよう」という部分が誤りで、正しい文章は「子どもが[安心感と信頼感]をもって活動できるよう」となる。 |

| A267 | ○ | 「教育」の定義は様々だが、「保育所保育指針」では、設問文のように定義されている。 |

| A268 | × | 設問文の内容は、[努力義務]であり「するよう努めなければならない」事項である。 |

😺 ポイント 全国保育士会倫理綱領

過去に出題実績があり、WEB で全文が見られるので目を通しておくとよい。ここでは、「子どもの最善の利益の尊重」のみを掲載する。

1. 子どもの最善の利益の尊重

私たちは、一人ひとりの子どもの最善の利益を第一に考え、保育を通してその福祉を積極的に増進するよう努めます。

Q269 「乳児及び幼児は、心身ともに健全な人として成長してゆくために、その健康が保持され、かつ、増進されなければならない」とは、児童福祉法の内容である。

☑ ☑

Q270 全体的な計画は「保育所保育の全体像を包括的に示すものとし、これに基づく指導計画、保健計画、食育計画等を通じて、各自治体が創意工夫して保育できるよう、作成されなければならない」とされている。

☑ ☑

Q271 子ども・子育て支援新制度（以下、新制度）に関して、新制度では、地域の実情に応じた子ども・子育て支援として、利用者支援、地域子育て支援拠点、放課後児童クラブなどの「地域子ども・子育て支援事業」の充実がはかられた。

☑ ☑

Q272 フレーベルの考案した「恩物（Gabe）」については、その後の各国に幼稚園が広まる中で、その使用法についての議論（恩物批判）を巻き起こした。

☑ ☑

Q273 保育所においては、当該保育所における保育の課題や各職員のキャリアパス等も見据えて、初任者から管理職員までの職位や職務内容等を踏まえた体系的な研修計画を作成しなければならない。

☑ ☑

Q274 1876（明治9）年、幼稚園が創設されると同時に保姆資格が法律で規定された。

☑ ☑

Q275 倉橋惣三は、1934（昭和9）年発刊の『幼稚園保育法真諦』において、子どもの興味に即した主題を持たせながらその生活や活動をさらに発展させるような保育方法として「誘導」の考え方を提唱した。

☑ ☑

Q276 脳性まひの障害がある3歳児の保育所への入所の相談において、母親に「研修を受けた保育士は、たんの吸引などの医療的ケアができること」を伝え、この保育所での対応に関する情報提供を行うことは適切な対応である。

☑ ☑

A269 ✕ 正しくは、[母子保健法] にある記述である。

A270 ✕ 「各自治体」ではなく、[各保育所] である。「全体的な計画」は、各保育所が [その特性に応じて創意工夫] して作成されるものである。

A271 ◯ 正しい。なお「地域子ども・子育て支援事業」は、令和6年の児童福祉法改正で、子育て世帯訪問支援事業、児童育成支援拠点事業、親子関係形成支援事業が新設され、こども家庭センターが設置されている。

A272 ◯ フレーベルの意図と異なり、[知育の手段] として恩物が用いられたことについて、アメリカや日本などでその方法に対する批判が起きた。

A273 ◯ それぞれの保育士が [ライフステージ] に合わせて研修を受け、かつ [保育所全体の質の向上] のために、職員自身の [学ぶ意欲] が高まるように職員とともに研修計画を [組織的] に作る必要がある。

A274 ✕ 幼稚園教諭資格としての保母資格は、戦前から規定はされていたが、幼稚園の創設（ここでは1876（明治9）年の東京女子師範学校附属幼稚園をそれとする）よりは後のことである。

A275 ◯ 倉橋惣三が提唱した保育方法として [誘導保育] を覚えておきたい。

A276 ◯ 「保育所での医療的ケア児受け入れに関するガイドライン」（保育所における医療的ケア児への支援に関する研究会）では、研修を受けた保育士等が対応できる医療的ケアとして、①口腔内の喀痰吸引、②鼻腔内の喀痰吸引、③気管カニューレ内の喀痰吸引、④胃ろうまたは腸ろうによる経管栄養、⑤経鼻経管栄養、の5つを認めている。

2
保育原理

出る！出る！

要点チェックポイント

 児童の保護と養育の歴史

奈良・平安時代 ［日本］	推古天皇時代　［聖徳太子］（6世紀末〜7世紀前半）［悲田院］（孤児を収容した救護施設）
1800年代 ［イギリス］	バーナード　孤児の施設（バーナードホーム）の設置・里親委託
1885（明治18）年 ［日本］	［高瀬真卿］　私立予備感化院（のちの東京感化院錦華学院）創設（現在の児童自立支援施設）
1887（明治20）年 ［日本］	［石井十次］　［岡山孤児院］　創設（現在の児童養護施設）
1890（明治23）年 ［日本］	［赤沢鍾美］　［託児所］　創設（現在の保育所）
1891（明治24）年 ［日本］	［石井亮一］　［滝乃川学園］の前身といわれる［孤女学院］開設（知的障害児施設）（現在の福祉型障害児入所施設）
1899（明治32）年 ［日本］	［留岡幸助］　［家庭学校］　創設（現在の児童自立支援施設）
1900（明治33）年 ［日本］	［野口幽香］・［森島峰］　二葉幼稚園　開設
1909（明治42）年 ［アメリカ］	セオドア・ルーズベルト大統領　［第一回ホワイトハウス会議］　家庭生活の重要性と保護が必要な子どもの里親家庭への委託についての主張
1942（昭和17）年 ［日本］	［高木憲次］　整肢療護園　設立（［肢体不自由児施設］）（現在の医療型障害児入所施設）
1946（昭和21）年 ［日本］	［糸賀一雄］　［近江学園］　創設（知的障害児施設）（現在の福祉型障害児入所施設）

ポイント② 人権擁護に関する動向

世界における人権擁護に関する対策の整備

1922（大正11）年	世界児童憲章
1924（大正13）年	児童の権利に関するジュネーブ宣言
1948（昭和23）年	世界人権宣言
1959（昭和34）年	［児童の権利に関する宣言］
1979（昭和54）年	国際児童年
1989（平成元）年	［児童の権利に関する条約］

日本における人権擁護に関する対策の整備

1946（昭和21）年	日本国憲法
1947（昭和22）年	［児童福祉法］
1951（昭和26）年	児童憲章
1994（平成6）年	［児童の権利に関する条約］の批准
1999（平成11）年	児童買春、児童ポルノに係る行為等の処罰及び児童の保護等に関する法律
2000（平成12）年	［児童虐待の防止等に関する法律］
2022（令和4）年	［こども基本法］公布 2023（令和5）年4月施行

ポイント③ 児童福祉法（第1章 総則）

第1条 全て児童は、［児童の権利に関する条約］の精神にのつとり、適切に養育されること、その生活を保障されること、［愛され、保護］されること、その［心身］の健やかな成長及び発達並びにその［自立］が図られることその他の福祉を等しく保障される権利を有する。

第2条 ［全て国民］は、児童が［良好な環境］において生まれ、かつ、社会のあらゆる分野において、児童の年齢及び［発達の程度］に応じて、その［意見］が尊重され、その［最善の利益］が優先して考慮され、心身ともに健やかに育成されるよう努めなければならない。
　○2　［児童の保護者］は、児童を心身ともに健やかに育成することについて［第一義的責任］を負う。
　○3　［国及び地方公共団体］は、児童の保護者とともに、児童を心身ともに健やかに育成する［責任］を負う。

児童福祉法の児童の定義

児童福祉法での児童の定義は以下の通りである。

児童	［満18歳］に満たない者
乳児	［満1歳］に満たない者
幼児	［満1歳］から、［小学校就学の始期］に達するまでの者
少年	［小学校就学の始期］から、［満18歳］に達するまでの者

 少子化対策に関する動向

わが国の少子化対策／子育て支援策は、「1.57ショック」を契機に約30年かけて見直しが繰り返し展開されてきた。その取り組みを年代順に確認すると以下のようになる。

1989（平成元）年	［1.57ショック］
1994（平成6）年	［エンゼルプラン］
1999（平成11）年	新エンゼルプラン
2002（平成14）年	少子化対策プラスワン
2003（平成15）年	少子化社会対策基本法
2003（平成15）年	［次世代育成支援対策推進法］
2004（平成16）年	［子ども・子育て応援プラン］
2007（平成19）年	「子どもと家族を応援する日本」重点戦略
2010（平成22）年	［子ども・子育てビジョン］
2012（平成24）年	［子ども・子育て支援法］
2015（平成27）年	［少子化社会対策大綱］
2016（平成28）年	［ニッポン一億総活躍プラン］
2017（平成29）年	［子育て安心プラン］
2017（平成29）年	［新しい経済政策パッケージ］
2020（令和2）年	［新子育て安心プラン］
2023（令和5）年	［こども未来戦略方針］［こども大綱］

ポイント 6 子ども・子育て支援新制度について

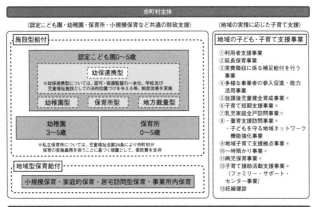

市町村主体

（認定こども園・幼稚園・保育所・小規模保育など共通の財政支援）　　（地域の実情に応じた子育て支援）

施設型給付

認定こども園0～5歳

幼保連携型

※幼保連携型については、認可・指導監督の一本化、学校及び
児童福祉施設としての法的位置づけを与える等、制度改善を実施

| 幼稚園型 | 保育所型 | 地方裁量型 |

| 幼稚園 3～5歳 | 保育所 0～5歳 |

※私立保育所については、児童福祉法第24条により市町村が
保育の実施義務を担うことに基づく措置として、委託費を支弁

地域型保育給付

小規模保育・家庭的保育・居宅訪問型保育・事業所内保育

地域の子ども・子育て支援事業

①利用者支援事業
②延長保育事業
③実費徴収に係る補足給付を行う
　事業
④多様な事業者の参入促進・能力
　活用事業
⑤放課後児童健全育成事業 *
⑥子育て短期支援事業 *
⑦乳児家庭全戸訪問事業 *
⑧・養育支援訪問事業 *
　・子どもを守る地域ネットワーク
　機能強化事業
⑨地域子育て支援拠点事業 *
⑩一時預かり事業 *
⑪病児保育事業 *
⑫子育て援助活動支援事業 *
　（ファミリー・サポート・
　センター事業）
⑬妊婦健診

国主体

（仕事と子育ての両立支援）

| 仕事・子育て両立支援事業 |

・企業主導型保育事業
⇒事業所内保育を主軸とした企業主導型の多様な就労形態に対応
した保育の拡大を支援（整備費、運営費の助成）

・企業主導型ベビーシッター利用者支援事業
⇒残業や夜勤等の多様な働き方をしている労働者等が、低廉な価格で
ベビーシッター派遣サービスを利用できるよう支援

・中小企業子ども・子育て支援環境整備事業
⇒くるみん認定を活用し、育児休業取得等に積極的に取り組む中小企
業を支援

＊は児童福祉法の子育て支援事業としても規定されています。なお、児童福祉法の子育て支援事業では、2024（令
和6）年4月から、子育て世帯訪問支援事業、児童育成支援拠点事業、親子関係形成支援事業が追加になります。

（出典：内閣府資料「子ども・子育て支援新制度について」をもとに作成）

ポイント 7 子どもに関する手当

［児童手当］	［高校生年代］まで（［18歳］に達する日以後の最初の3月31日まで）の児童を養育する保護者等に対して支給される。なお支給には［所得制限］はない（2024年10月から変更）
［児童扶養手当］	［一人親の家庭］の生活の安定と自立の促進に寄与し、子どもの福祉の増進を図ることを目的として、その家庭に支給される。［18歳］に達する日以後の最初の3月31日までの間にある児童が対象
［障害児福祉手当］	精神または身体に［重度の障害］を有するため、日常生活において常時の介護を必要とする状態にある在宅の［20歳未満の者］に支給
［特別児童扶養手当］	［20歳未満］で精神または［身体に障害］を有する児童を家庭で監護、養育している父母等に支給

1 現代社会における子ども家庭福祉の意義と歴史

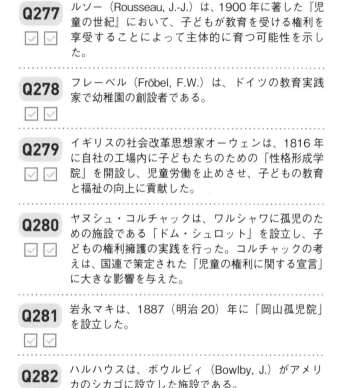

Q277 ルソー（Rousseau, J.-J.）は、1900 年に著した『児童の世紀』において、子どもが教育を受ける権利を享受することによって主体的に育つ可能性を示した。

Q278 フレーベル（Fröbel, F.W.）は、ドイツの教育実践家で幼稚園の創設者である。

Q279 イギリスの社会改革思想家オーウェンは、1816 年に自社の工場内に子どもたちのための「性格形成学院」を開設し、児童労働を止めさせ、子どもの教育と福祉の向上に貢献した。

Q280 ヤヌシュ・コルチャックは、ワルシャワに孤児のための施設である「ドム・シュロット」を設立し、子どもの権利擁護の実践を行った。コルチャックの考えは、国連で策定された「児童の権利に関する宣言」に大きな影響を与えた。

Q281 岩永マキは、1887（明治 20）年に「岡山孤児院」を設立した。

Q282 ハルハウスは、ボウルビィ（Bowlby, J.）がアメリカのシカゴに設立した施設である。

的変遷

A277　×　ルソーは、[社会契約論] や [エミール] を著したフランスの思想家である。[エミール] では知性偏重の教育を批判し、子どもの心身の発達に応じた教育の重要性を説いた。なお、設問文は [エレン・ケイ] についての文章である。

. . . .

A278　○　フレーベルは、幼稚園の創設者で、幼児用の教育的遊具である [恩物] を創案した。また、[人間の教育] の著者である。

. . . .

A279　○　オーウェンは、[環境] が性格形成に大きな影響をもつと主張して、労働者や労働者の子どもを対象にした [性格形成学院] を開設した。

. . . .

A280　×　「児童の権利に関する宣言」ではなく [児童の権利に関する条約] が正しい。コルチャックは、医師であり教育者として子どもの権利を尊重し、子どもによる自治と意見表明を重んじた。著書に [子どもの権利の尊重] がある。

. . . .

A281　×　[岩永マキ] は、潜伏キリシタンの家に生まれカトリック信者となった。多数の孤児を引き取り育て、後に [浦上養育園] と呼ばれる「子部屋（小部屋)」を開設した。

. . . .

A282　×　ハルハウスは、[J. アダムス] が設立した施設で、ここを中心に [セツルメント運動] をアメリカに広げた。ハルハウスは保育の場、集会所であり、料理・裁縫など移民に必要な技術や知識を教える学校の役割もあった。ボウルビィは [愛着理論] を提唱した人物で、精神科医である。

Q283
☑ ☑
1874（明治7）年に通達された「恤救規則（じゅっきゅうきそく）」では、公的救済の対象を、子どもを除く、家族の扶養を受けられない者とした。

Q284
☑ ☑
現在の児童養護施設である「岡山孤児院」を1887（明治20）年に設立したのは、石井亮一である。

Q285
☑ ☑
赤沢鍾美は、現在の児童自立支援施設となる「家庭学校」（私立感化院）を1899（明治32）年、東京の巣鴨に設立した。

Q286
☑ ☑
野口幽香、森島峰は、貧しい子どもたちを対象とした「二葉幼稚園」を1900（明治33）年に開設した。

Q287
☑ ☑
糸賀一雄は、「この子らに世の光を」という言葉を残し、1946（昭和21）年に知的障害児施設である「近江学園」を創設した。

2　子どもの人権擁護

Q288
☑ ☑
1959年に国際連合は、「児童の権利に関するジュネーブ宣言」を採択し、その20年後を国際児童年とし、さらにその10年後に「児童の権利に関する条約」を採択した。

Q289
☑ ☑
児童の権利に関する条約では、「締約国は、自己の意見を形成する能力のある児童がその児童に影響を及ぼすすべての事項について自由に自己の意見を表明する権利を確保する。この場合において、児童の意見は、その児童の状況及び発達に従って相応に考慮されるものとする」と記載されている。

A283 ✕ 恤救規則は日本初の [福祉の法律] であり、貧民救済制度である。対象者は家族の扶養を受けられない [70歳以上の極貧かつ病弱老衰の者]、[13歳以下の親のいない子ども] などであった。

. . . .

A284 ✕ 岡山孤児院を設立したのは、石井亮一ではなく、[石井十次] である。石井亮一は孤女学院（後の滝乃川学園で、わが国最初の [知的障害児施設]）を設立した。

. . . .

A285 ✕ 赤沢鍾美ではなく、[留岡幸助] が正しい。赤沢鍾美は、1890（明治23）年に [新潟静修学校] を設立し、塾生が一緒に連れてくる乳幼児を預かり保育を行った。この活動は、日本における [託児所] のはじまりといわれている。

. . . .

A286 ◯ 二葉幼稚園は、日本における保育所の先駆けであり、[フレーベル] の理念を基本として、子どもの自主性を尊重した保育が行われた。

. . . .

A287 ✕ 糸賀一雄は、障害が重度であっても、人間としての生命の展開を支えることが重要であるとの理念のもとに、「この子らに世の光を」ではなく [この子らを世の光に] という言葉を残した。

A288 ✕ 1959年に採択されたのは、[児童の権利に関する宣言] である。児童の権利に関するジュネーブ宣言は、[1924年] に国際連盟で採択された。

. . . .

A289 ✕ 児童の意見は「状況及び発達」ではなく [年齢及び成熟度] に従って相応に考慮されるものとされている。この条約では、子どもを「権利を守られる存在」としてだけでなく [権利を表明し行使する存在] として定義している。

3

子ども家庭福祉

Q290 ☑ ☑ 児童の権利に関する条約では、「締約国は、学校の規律が児童の人間の尊厳に適合する方法で及びこの条約に従って適用されることを確保するためのすべての適当な措置をとること」が明記されている。

Q291 ☑ ☑ 児童の親権を行う者は、児童のしつけに際して、児童の人格を尊重するとともに、その年齢及び発達の程度に配慮しなければならず、かつ、体罰その他の児童の心身の健全な発達に有害な影響を及ぼす言動をしてはならない。

Q292 ☑ ☑ 児童福祉法には、全て児童は、児童憲章の精神にのっとり、適切に養育されることその他の福祉を等しく保障される権利を有することが明記されている。

Q293 ☑ ☑ 児童福祉法には、「全て国民は、児童が（中略）その最善の利益が優先して考慮され、心身ともに健やかに育成されるよう努めなければならない」と記載されている。

Q294 ☑ ☑ 児童福祉法には、「国及び地方公共団体は、児童を心身ともに健やかに育成することについて第一義的責任を負う」と記載されている。

Q295 ☑ ☑ こども基本法には、その目的として「日本国憲法及び児童福祉法の精神にのっとり（中略）その権利の擁護が図られ、将来にわたって幸福な生活を送ることができる社会の実現」を目指すと記載されている。

Q296 ☑ ☑ 児童の権利に関する条約では、「締約国は、精神的又は身体的な障害を有する児童が、その尊厳を確保し、意見表明を促進し、社会への積極的な参加を容易にする条件の下で十分かつ相応な生活を享受すべきであることを認める」と記載されている。

Q297 ☑ ☑ 児童養護施設に入所する子ども、里親のもとで暮らす子どもたちの人権を守るために、「子どもの権利ノート」が配布される。

| A290 | ○ | 設問文は［第 28 条　教育及び文化の分野］における［児童の権利］である。 |

A291　○　［児童虐待の防止等に関する法律］の第 14 条に記載されている内容である。保護者であっても体罰が禁止されたことは覚えておきたい。

A292　×　児童憲章ではなく、［児童の権利に関する条約］が正しい。児童福祉法の第 1 条に記載されている。なお、この条文は 2016（平成 28）年の改正後のものであり、「児童の権利に関する条約」に明記されている［子どもの意見表明権］を認めたものである。

A293　○　児童福祉法第 2 条第 1 項に記載されている。対象が保護者だけではなく、［全ての国民］に対する文章であることをおさえておきたい。

A294　×　第一義的な責任が課せられているのは、国及び地方公共団体ではなく［児童の保護者］である。児童福祉法の第 2 条 2 項に記載されている。

A295　×　設問文はこども基本法第 1 条の記載である。児童福祉法ではなく［児童の権利に関する条約］が正しい。

A296　×　設問文は「児童の権利に関する条約」第 23 条の一部である。第 23 条では、障害を有する児童の「意見表明」ではなく、「自立」を促進し、とされている。「障害児の権利」に関する記載である。

A297　○　施設内の［人権侵害］を隠すことがないように、子どもが［自らの権利についての意識］を高め、助けを他者に求められるようにするために配られる。

Q298 こども大綱は、2023（令和5）年に閣議決定され、全てのこども・若者が「身体的・精神的・社会的」に幸せな状態（ウェルビーイング）で生活を送ることができる「こどもまんなか社会」の実現を目指すことを掲げた。

☑ ☑

3 子ども家庭福祉の制度と実施体系

Q299 児童福祉法では、満1歳から満3歳に満たない者を幼児と定義している。

☑ ☑

Q300 児童福祉法では、小学校就学の始期から満18歳に達するまでの者を学童と定義している。

☑ ☑

Q301 「母子及び父子並びに寡婦福祉法」では、児童は20歳に満たない者とされている。

☑ ☑

Q302 児童扶養手当は、児童を養育している者に支給され、家庭等における生活の安定に寄与するとともに、次代の社会を担う児童の健やかな成長に資することを目的としている。

☑ ☑

Q303 特別児童扶養手当は、精神または身体に障害を有する児童に支給される。

☑ ☑

A298 ○ こども大綱では、「こどもまんなか社会」の実現に向けて、こども・若者を [権利の主体] とし、こどもや若者、子育て当事者の意見を聞きながら、それぞれの [ライフステージ] に合わせた支援を切れ目なく行っていくことが挙げられている。

A299 × 満3歳に満たない者ではなく、[小学校就学の始期に達するまでの者] が正しい。なお、満1歳に満たないものについては [乳児] としている。

A300 × 学童ではなく、[少年] が正しい。

A301 ○ 母子及び父子並びに寡婦福祉法では、児童は [20歳に満たない者] であるとされている。なお、児童福祉法では、児童は [満18歳に満たない者] である。

A302 × 児童扶養手当ではなく、[児童手当] が正しい。児童扶養手当は父母の離婚などで、[父または母と生計を同じくしていない児童] を育成する家庭の生活の安定と自立の促進を目的に支給される。

A303 × 特別児童扶養手当は、精神または身体に障害を有する児童ではなく、その保護者に支給される。根拠法は特別児童扶養手当等の支給に関する法律であり、この法律では、精神または身体に重度の障害を有する児童への [障害児福祉手当] の支給、精神または身体に著しく重度の障害を有する者への [特別障害者手当] の支給についても規定している。

Q304
☑ ☑

児童福祉に関する法律を制定年の古い順に並べると、「児童福祉法」→「児童手当法」→「母子及び父子並びに寡婦福祉法」→「母子保健法」→「児童扶養手当法」となる。
※「母子及び父子並びに寡婦福祉法」の制定当時の名称は「母子福祉法」であった

Q305
☑ ☑

児童相談所が設置されているのは、都道府県と政令指定都市に限られる。

Q306
☑ ☑

児童福祉法で、市町村は「児童及び妊産婦の福祉に関し、必要な実情の把握に努めること」とされている。

Q307
☑ ☑

児童福祉法で、市町村は「児童に関する家庭その他からの相談のうち、専門的な知識及び技術を必要とするものに応ずること」とされている。

Q308
☑ ☑

児童福祉法で、市町村は児童及び妊産婦の福祉に関する業務のうち、「専門的な知識及び技術を必要とするものについては、児童相談所の技術的な援助及び助言を求めなければならない」とされている。

Q309
☑ ☑

児童福祉法で、市町村は「里親に関する普及啓発を行うこと」とされている。

Q310
☑ ☑

子どもの貧困対策の推進に関する法律では、「子どもの貧困対策は、子ども等に対する自立の支援、生活の安定に資するための支援、職業生活の安定と向上に資するための就労の支援、経済的支援等の施策を、子どもの現在及び将来がその生まれ育った環境によって左右されることのない社会を実現することを旨として、子ども等の生活及び取り巻く環境の状況に応じて包括的かつ早期に講ずることにより、推進されなければならない。」とされている。

A304 ✕ ［児童福祉法］（1947（昭和22）年）→ ［児童扶養手当法］（1961（昭和36）年）→ ［母子及び父子並びに寡婦福祉法］（1964（昭和39）年）→ ［母子保健法］（1965（昭和40）年）→ ［児童手当法］（1971（昭和46）年）の順となる。なお、これらの法律に特別児童扶養手当法（1964（昭和39）年）を加えたものは［児童福祉六法］とよばれる。

A305 ✕ 児童相談所は、［都道府県、政令指定都市］については設置義務があり、［中核市、特別区］については任意で設置可能とされている。

A306 ◯ 児童福祉法第10条第1項に記載されている。

A307 ✕ 児童福祉法第11条に、設問文の内容は［都道府県］の業務として定められている。

A308 ◯ 設問文の内容は、児童福祉法第10条第2項に記載されている。なお、専門的な知識及び技術を必要とするものについては、［都道府県］、ならびに、都道府県が設置する［児童相談所］の業務となる。

A309 ✕ 児童福祉法第11条に、里親に関する普及啓発は［都道府県］の業務として定められている。

A310 ✕ こどもの貧困対策は、子ども等に対する自立の支援ではなく、［教育］の支援、生活の安定に資するための支援、職業生活の安定と向上に資するための就労の支援、経済的支援等を推進することとされている。第2条にある。

Q311

☑ ☑

無料または低額な料金で、母子家庭に対して、各種の相談に応ずるとともに、生活指導及び生業の指導を行う等母子家庭の福祉のための便宜を総合的に供与することを目的とする施設は、「母子生活支援施設」である。

Q312

☑ ☑

児童館の館長は保育士、児童指導員、社会福祉士のうち、いずれかの資格を有していなければならない。

Q313

☑ ☑

父子家庭は母子生活支援施設を利用できない。

Q314

☑ ☑

児童館は子どもの学びの拠点と居場所である。

Q315

☑ ☑

児童養護施設の目的には、退所した者に対する相談やその他の自立のための援助が含まれる。

Q316

☑ ☑

児童発達支援センターとは、障害者支援施設、児童福祉施設等への入所が必要な障害者等を短期間入所させ、入浴、排せつ及び食事の介護その他の必要な支援を行う場である。

Q317

☑ ☑

児童心理治療施設は、不良行為をなし、又はなすおそれのある児童及び家庭環境その他の環境上の理由により生活指導等を要する児童を対象とする。

Q318

☑ ☑

児童家庭支援センターは、地域の児童の福祉に関する各般の問題につき、児童に関する家庭その他からの相談のうち、専門的な知識及び技術を必要とするものに応じ、必要な助言を行うとともに、市町村の求めに応じ、技術的助言その他必要な援助等を行うことを目的とする施設である。

A311 × 母子生活支援施設ではなく、[母子・父子福祉センター]である。[母子及び父子並びに寡婦福祉法]に規定されている。

- -

A312 × 児童館の館長の資格要件はない。児童館には職員として、[児童の遊びを指導する者(児童厚生員)]を置かなければならない。

- -

A313 ○ 児童福祉法第38条に「母子生活支援施設は、[配偶者のない女子]又はこれに準ずる事情にある[女子及びその者の監護すべき児童]を入所」と規定がある。

- -

A314 × 児童館は、子どもの[遊び]の拠点と居場所であり、必要に応じて家庭や地域の子育て環境の[調整]を図り、子どもの安定した日常の生活を支援することが大切である。

- -

A315 ○ 児童福祉法第41条に[退所した者]への相談・自立支援も明記されている。

- -

A316 × 児童発達支援センターは、身体、知的または精神に障害を持つ子どもに対する[訓練施設]であり、日常生活の基本的な動作や知識、技能の習得、集団生活への適応訓練、その他の必要な支援を行う場である。なお、設問文の内容は、障害者総合支援法に規定される[短期入所(ショートステイ)]サービスであり、障害児も利用できる。

- -

A317 × 設問文の内容は、[児童自立支援施設]について説明している。

- -

A318 ○ [設問文の通り]である。なお、児童家庭支援センターは2022(令和4)年時点で、全国に[167か所設置]されている。

3

子ども家庭福祉

Q319
☑ ☑
保育所等訪問支援は、児童福祉法に規定された障害児通所支援である。

Q320
☑ ☑
児童発達支援では、本人支援、家族支援、移行支援、地域支援・地域連携を提供する。

Q321
☑ ☑
「医療型障害児入所施設」においては、医療法に規定する病院として必要な職員を置かなければいけない。

Q322
☑ ☑
児童福祉司は、児童相談所に配置されている。

Q323
☑ ☑
福祉型障害児入所施設は、入所児童の保護、日常生活の指導及び独立自活に必要な知識技能の付与を目的としている。

Q324
☑ ☑
児童指導員の資格要件として、社会福祉士、精神保健福祉士、子育て支援員等の資格がある。

Q325
☑ ☑
家庭支援専門相談員はファミリーソーシャルワーカーともいい、乳児院、児童養護施設、児童心理治療施設、児童自立支援施設、児童相談所に配置されることとなっている。

A319 ○ ［設問文の通り］である。この他、［児童発達支援］、［居宅訪問型児童発達支援］、［放課後等デイサービス］がある。

A320 ○ 児童発達支援は、障害のある子どもに対して行う福祉的、心理的、教育的及び医療的な援助である。子どものニーズに応じて、［本人支援］、［家族支援］、［移行支援］、［地域支援・地域連携］を総合的に提供する。

A321 ○ ［設問文の通り］である。その他、児童指導員、保育士、［児童発達支援管理責任者］が配置されている。

A322 ○ 児童福祉司は［児童相談所］に配置され、子どもや保護者の相談（専門的な知識や技術が必要なもの）を受けて、情報提供等の必要な援助を行う。

A323 ○ 福祉型障害児入所施設は、入所児童の［保護］、日常生活における基本的な動作及び独立自活に必要な知識技能の習得のための［支援］並びに［治療］を目的としている。

A324 × 児童指導員の資格要件は、［社会福祉士］、［精神保健福祉士］の資格を有する者や、国内外の大学において［社会福祉学、心理学、教育学もしくは社会学等］を学び卒業した者などである。［3年以上児童福祉事業に従事］し、都道府県知事が適当と認めた者も資格要件に含まれるが、子育て支援員の資格を有するだけでは認められない。

A325 × 家庭支援専門相談員（ファミリーソーシャルワーカー）は、［児童相談所］への配置はされていない。［乳児院］、［児童養護施設］、［児童心理治療施設］、［児童自立支援施設］に配置されている。

3 子ども家庭福祉

Q326 ☑ ☑
家庭相談員は、都道府県または市町村の福祉事務所に設置される家庭児童相談室に配置される職員である。

Q327 ☑ ☑
保育士でない者が保育士の名称を使用することは禁じられている。

Q328 ☑ ☑
里親支援センターに置かなければいけない職員は、センター長、里親制度等普及促進担当者、里親等支援員の3つである。

4 子ども家庭福祉の現状と課題

Q329 ☑ ☑
新子育て安心プランでは、できるだけ待機児童の解消を目指すとともに、男性（25～44歳）の就業率の上昇に対応することを掲げている。

Q330 ☑ ☑
子ども・子育て応援プランは、「少子化社会対策大綱」に盛り込まれた施策の効果的な推進を図るため、2005（平成17）年度から2009（平成21）年度までの5年間に講ずる具体的な施策内容と目標を掲げた。

Q331 ☑ ☑
少子化社会対策大綱では、「希望出生率2.3」の実現を目指している。

Q332 ☑ ☑
2022（令和4）年の「男性雇用者と無業の妻から成る世帯数」は「雇用者の共働き数」の3分の1以下となっている。

A326　〇　家庭相談員は、都道府県または市町村の［福祉事務所］に設置される［家庭児童相談室］に配置され、子どもを育てる上でいろいろな問題を抱えている親に対し、助言や指導を行う。

. . . .

A327　〇　保育士でない者は、保育士又はこれに［紛らわしい名称］を使用してはならない。児童福祉法第18条の23にある。

. . . .

A328　✕　里親支援センターには、［センター長］、［里親制度等普及促進担当者］、［里親等支援員］のほか、［里親研修等担当者］を置かなければならない。これらの者はすべて専任である。

A329　✕　新子育て安心プランでは、［女性］の就業率の上昇に対応することを掲げている。また、2021（令和3）年度から2024（令和6）年度末までの4年間で［約14万］人の保育の受け皿を整備することも掲げている。

. . . .

A330　〇　［子ども・子育て応援プラン］は、少子化社会対策基本法の趣旨や少子化社会対策大綱の内容に加えて、次世代育成支援対策推進法に基づき、市町村と都道府県、企業等に対して次世代育成支援に関する行動計画の策定等が義務付けられたことと関連づけて策定された。

. . . .

A331　✕　少子化社会対策大綱では［希望出生率1.8］の実現や希望する時期に結婚でき、希望するタイミングで希望する数の子どもを持てる社会をつくることを目標としている。

. . . .

A332　✕　2022（令和4）年の「男性雇用者と無業の妻から成る世帯数」は［430万世帯］、「雇用者の共働き数」は［1,191万世帯］である。

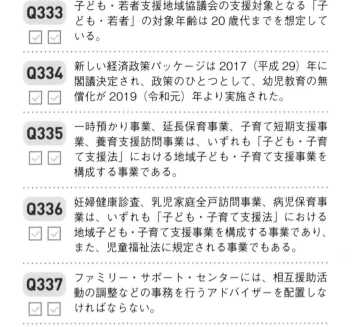

Q333 子ども・若者支援地域協議会の支援対象となる「子ども・若者」の対象年齢は 20 歳代までを想定している。

Q334 新しい経済政策パッケージは 2017（平成 29）年に閣議決定され、政策のひとつとして、幼児教育の無償化が 2019（令和元）年より実施された。

Q335 一時預かり事業、延長保育事業、子育て短期支援事業、養育支援訪問事業は、いずれも「子ども・子育て支援法」における地域子ども・子育て支援事業を構成する事業である。

Q336 妊婦健康診査、乳児家庭全戸訪問事業、病児保育事業は、いずれも「子ども・子育て支援法」における地域子ども・子育て支援事業を構成する事業であり、また、児童福祉法に規定される事業でもある。

Q337 ファミリー・サポート・センターには、相互援助活動の調整などの事務を行うアドバイザーを配置しなければならない。

Q338 こども家庭センターは、妊娠期から子育て期にわたるまでの様々なニーズに対して総合的相談支援を提供するワンストップ拠点である。保健師、助産師、ソーシャルワーカー等のコーディネーターがニーズの高い妊産婦等の支援を行う。

Q339 「子ども・子育て支援法」に基づく利用者支援事業（特定型）は、子育て世代包括支援センターや、「母子保健法」に基づく母子健康包括支援センターとは異なる事業である。

3

子ども家庭福祉

A333 ×　「子ども・若者」の対象年齢は［30歳代］まで
　　　　が想定されている。また、支援の対象は、［修
　　　　学や就業のいずれもしていない］子ども・若者
　　　　で、［社会生活を円滑に営むことが困難な］子
　　　　ども・若者である。

. . . .

A334 ○　0〜2歳では［住民税非課税世帯］を、3歳以
　　　　上はそれ以外の世帯も対象として実施されてい
　　　　る。なお、無償化の対象となる施設にも条件が
　　　　あるので確認しておくとよい。

. . . .

A335 ○　いずれの事業も「子ども・子育て支援法」にお
　　　　ける地域子ども・子育て支援事業である。

. . . .

A336 ×　いずれの事業も「子ども・子育て支援法」にお
　　　　ける地域子ども・子育て支援事業である。しか
　　　　し、［妊婦健康診査］は、児童福祉法に規定さ
　　　　れた事業ではない。

. . . .

A337 ○　子育て援助活動支援事業（ファミリー・サポー
　　　　ト・センター事業）では、［アドバイザー］が
　　　　乳幼児や小学生等の児童を有する子育て中の労
　　　　働者や主婦等を会員として、児童の預かりの援
　　　　助を受けたい者と当該援助を行いたい者との
　　　　［相互援助活動に関する連絡、調整］を行うこ
　　　　とになっている。

. . . .

A338 ○　こども家庭センターは、［すべての妊産婦等］
　　　　の状況を継続的に把握し、必要に応じて支援プ
　　　　ランを作成することにより、妊産婦等に対し
　　　　［切れ目のない支援］の実施を図っているとこ
　　　　ろである。

. . . .

A339 ○　利用者支援事業（特定型）は、主として市町村
　　　　の窓口で、子育て家庭等から保育サービスに関
　　　　する相談に応じ、地域における保育所や各種の
　　　　保育サービスに関する情報提供や利用に向けて
　　　　の支援などを行う事業である。いわゆる保育コ
　　　　ンシェルジュである。

Q340 「子ども・子育て支援法」に基づく利用者支援事業（こども家庭センター型）の実施場所は、主として市町村保健センター等母子保健に関する相談機能を有する施設とされる。

☑ ☑

Q341 養育支援訪問事業では、妊娠期からの継続的な支援を特に必要とする家庭等に対して、安定した妊娠出産・育児を迎えるための相談・支援を行う。

☑ ☑

Q342 養育支援訪問事業では、若年の養育者に対する育児相談・指導を行う。

☑ ☑

Q343 養育支援訪問事業では、児童が児童養護施設等を退所後にアフターケアを必要とする家庭等に対する養育相談・支援を行う。

☑ ☑

Q344 養育支援訪問事業では、産褥期の母子に対する育児支援や簡単な家事等の援助を行う。

☑ ☑

Q345 「子ども・子育て支援法」に基づく「利用者支援事業」の「特定型」では、虐待を受けている子どもをはじめとする養護児童の早期発見や適切な保護を図ることを主な目的とする。

☑ ☑

Q346 「子ども・子育て支援法」に基づく「利用者支援事業」の「基本型」では、子ども及びその保護者等が、教育・保育施設や地域の子育て支援事業等を円滑に利用できるよう、身近な場所において、当事者目線の寄り添い型の支援を実施する。

A340 ✕ こども家庭センター型の実施場所は、母子保健及び児童福祉に関する専門的な支援機能を有する施設・場所である。必ずしも1つの場所で実施する必要はない。「利用者支援事業実施要綱」に記載されている。

A341 ○ [設問文の通り] である。なお、専門的相談支援は、[保健師、助産師、看護師、保育士、児童指導員等] が、育児・家事援助については、[子育てOB（経験者）、ヘルパー等] が実施するなど、役割分担することが望ましいとされている。

A342 ○ 養育支援訪問事業では、[若年の養育者] に対する育児相談・指導も事業内容の一つとされている。

A343 ○ 養育支援訪問事業では、[児童が児童養護施設等を退所後にアフターケアを必要とする家庭等] に対する養育相談・支援も事業内容の一つとされている。

A344 ○ 養育支援訪問事業では、[産褥期の母子に対する育児支援や簡単な家事等] の援助も事業内容の一つとされている。

A345 ✕ 「特定型」は、虐待を受けている子ども等の早期発見や適切な保護は目的としていない。[待機児童の解消] 等を図るため、行政が地域連携の機能を果たすことを前提に主として [保育に関する施設や事業を円滑に利用できるよう支援] を実施している。

A346 ○ 「基本型」は、[教育・保育施設や地域の子育て支援事業] 等を円滑に利用できるよう、身近な場所で、保護者に寄り添う支援をする。[利用者支援] と [地域連携] をともに実施する形態になる（主として、[行政窓口以外] で、親子が継続的に利用できる施設を活用）。

Q347 ☑ ☑ 子育て短期支援事業とは、保護者の疾病その他の理由により家庭において養育を受けることが一時的に困難となった児童を児童養護施設やその他の施設に入所させ、または里親やその他の者に委託し、児童につき必要な保護を行う事業である。

Q348 ☑ ☑ 放課後児童健全育成事業は、保育所又は認定こども園を利用し、あるいは小学校に就学しており、その保護者が就労等により昼間家庭にいない児童を対象にしている。

Q349 ☑ ☑ 「放課後子ども総合プラン」は、2014（平成26）年に文部科学省と厚生労働省が共同で、いわゆる「小1の壁」を打破するとともに、次代を担う人材を育成するために策定された。

Q350 ☑ ☑ 病児保育事業の実施主体は、市町村（特別区及び一部事務組合を含む）であり、委託等を行うことができない。

Q351 ☑ ☑ 子育て支援事業の子育て短期支援事業におけるショートステイ事業は、冠婚葬祭、学校等の公的行事への参加などの理由では利用できない。

Q352 ☑ ☑ 地域子育て支援拠点事業は、乳児又は幼児及びその保護者が相互の交流を行う場所を開設し、子育てについての相談、情報の提供、助言その他の援助を行う事業をいう。母子保健法に基づいた事業である。

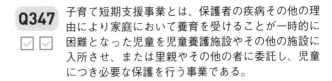 **ポイント** こども家庭センターの設立

2024（令和6）年4月1日に、「子育て世代包括支援センター」と「市区町村子ども家庭総合支援拠点」の役割を統合し、全ての妊産婦、子育て世帯、こどもに対し、母子保健・児童福祉の両機能が一体的に相談支援を行う機関として「こども家庭センター」を設立した。

A347 ○ 子育て短期支援事業の対象者は、保護者の仕事等の理由により、平日の夜間又は休日に不在となる家庭の児童、養育環境等に課題があり、[一時的]に保護者と離れることを希望する児童、及び[レスパイト・ケア]や、児童との関わり方・養育方法等について、利用が必要であると[市町村]が認めた親子である。

....

A348 × 保育所または認定こども園を利用している児童は対象ではない。[小学校]に就学しており、[その保護者が就労等により昼間家庭にいない]児童を対象にしている。

....

A349 ○ [設問文の通り]である。なお、2018（平成30）年には、共働き家庭のさらなる増加等に対応するため、[新・放課後子ども総合プラン]が策定された。放課後児童クラブ、放課後子供教室の両事業を[全ての小学校区]で実施することを目指している。

....

A350 × 病児保育事業は、[病院・保育所等]において、病気の児童を一時的に保育したり、保育中に体調不良になった児童への緊急対応を行ったりする保育であり、民間の病院・保育所など市町村が認めた者に[委託等]を行うことができる。

....

A351 × 「子育て短期支援事業実施要綱」では、ショートステイ事業の対象は設問文の内容以外にも児童の保護者の疾病、[育児疲れ]、[育児不安]などの身体上・精神上の事由、出産、看護、事故など家庭養育上の事由、経済的理由などの場合が挙げられている。

....

A352 × 地域子育て支援拠点事業は、[児童福祉法]、[子ども・子育て支援法]の両方に規定されている事業である。

Q353

☑ ☑

地域子育て支援拠点事業には、一般型・特定型・連携型の3種類の形態がある。

Q354

☑ ☑

放課後等デイサービス事業は、小学校に就学している児童であって、その保護者が労働等により昼間家庭にいないものに、授業の終了後に児童厚生施設等の施設を利用して適切な遊び及び生活の場を与えて、その健全な育成を図る事業である。

Q355

☑ ☑

産後ケア事業の対象者は、当該自治体に住民票のある産婦に限られる。

Q356

☑ ☑

こども家庭センターは、すべての子どもとその家庭及び妊産婦等を対象として、コミュニティを基盤にしたソーシャルワークの機能を担う。

Q357

☑ ☑

こども家庭センターは、市区町村が適切かつ確実に業務を行うことができると認めた社会福祉法人等にその一部を委託することができる。

Q358

☑ ☑

女性相談支援センターが設置されているのは、都道府県に限られる。

Q359

☑ ☑

社会的養護自立支援事業は、社会的養護の措置解除後、個々の状況に応じて引き続き必要な支援を提供するものである。

A353 ✕ 地域子育て支援拠点事業は、[一般型]、[連携型]の２種類の形態になるので誤り。

. . . .

A354 ✕ 放課後等デイサービスは、学校（幼稚園及び大学を除く）に就学している[障害児]に授業の終了後又は休業日に、生活能力の向上のために必要な[訓練等]を行う事業である。設問文は、[放課後児童健全育成事業]の内容である。

. . . .

A355 ✕ [里帰り出産]により住民票がない状態の産婦や住民票のない自治体で支援を受ける必要性が高いなどの状況であれば、住民票のない自治体においても事業の対象となる。

. . . .

A356 ◯ 管内に所在する[すべての子どもとその家庭（里親及び養子縁組を含む）]及び[妊産婦]等を対象としている。また、コミュニティを基盤にした[ソーシャルワーク]の機能を担い、子どもとその家庭及び妊産婦等を対象として、その福祉に関し必要な支援に係る業務全般を行う。

. . . .

A357 ◯ 市区町村子ども家庭総合支援拠点の実施主体は[市区町村（一部事務組合を含む）]であるが、社会福祉法人等にその一部を[委託]することができる。

. . . .

A358 ✕ 女性相談支援センターは、[都道府県]については設置義務があり、[指定都市]については任意で設置可能とされている。

. . . .

A359 ◯ 社会的養護自立支援事業は、里親等への委託や施設入所措置を受けていた者で18歳（措置延長の場合は20歳）到達により措置解除された者のうち、自立のための支援を継続して行うことが適当な場合には、原則[22歳の年度末]まで、個々の状況に応じて引き続き必要な支援を受けることができるようにする事業である。

Q360
☑ ☑
家庭的保育者が一人で保育する乳幼児の数は、5人以下とされている。

Q361
☑ ☑
子育て支援事業の病児保育事業は、病児対応型、病後児対応型、非施設型（訪問型）の3つの事業類型で構成される。

Q362
☑ ☑
児童委員は、児童相談所に配置され、子どもの保護や福祉に関する相談に応じている。

Q363
☑ ☑
主任児童委員は、関係機関と児童委員との連絡調整や児童委員の活動に対する援助と協力を行っている。

Q364
☑ ☑
主任児童委員は、厚生労働大臣によって任命された児童委員の中から市町村長によって指名される。

Q365
☑ ☑
「令和4年版子供・若者白書」によると、子どもへの身体的虐待について警察からの通告が増加している。

Q366
☑ ☑
児童福祉審議会において児童に意見聴取する場合、その児童の状況・環境等に配慮する必要がある。

Q367
☑ ☑
日本は、「児童の売買、児童買春及び児童ポルノに関する児童の権利に関する条約の選択議定書」に批准している。

Q368
☑ ☑
教員や保育士、保健師など業務上子どもに深く関わる専門職は、「児童虐待を受けたと思われる児童」を発見しても、虐待の事実の確認ができていない段階では秘密漏示罪やその他の守秘義務に関する法律の規定があることから通告はできない。

A360 × 家庭的保育者1人が保育することができる乳幼児の数は、[3人以下]とされている。ただし、家庭的保育者が、家庭的保育補助者とともに保育する場合には、[5人以下]とされている。

A361 × 「病児保育事業実施要綱」では、事業類型には、① [病児対応型]、② [病後児対応型]、③ [体調不良児対応型]、④ [非施設型(訪問型)]、⑤ [送迎対応] が記されている。

A362 × 児童委員は、市町村の区域で子どもと子育て家庭への支援を行っている [地域のボランティア] である。

A363 ○ 主任児童委員は、[児童委員] の中から [約2万人] が指名され、児童福祉に関する事項を主に担当している。研修により児童に関する専門的知識の習得に努めている。

A364 × 主任児童委員は、[厚生労働大臣] によって児童委員の中から指名される。

A365 × 増加しているのは、[心理的虐待] にあたる [面前 DV] である。また、[実母] からの虐待が [47.4%] と最も高い割合を占め、次いで [実父] が [41.3%] を占める。

A366 ○ 児童相談所での [児童の権利擁護] が目的である。

A367 ○ 日本は、この他「[武力紛争における児童の関与] に関する児童の権利に関する条約の選択議定書」も批准している。

A368 × 「児童虐待の防止等に関する法律」には、[児童虐待を受けた] と思われる児童を発見した者は、速やかに児童相談所等へ通告しなければならないこと、及び、守秘義務に関する法律の規定は [通告の義務の妨げとならない] ことが明記されている。

Q369 ☑ ☑ 被措置児童等虐待を受けた被措置児童等がその旨を届け出ることができる先として、都道府県児童福祉審議会は含まれない。

Q370 ☑ ☑ 親権を行う者は、子の利益のために子の監護及び教育をする権利と義務をもち、それらを行うために必要な範囲内でその子を懲戒することができる。

Q371 ☑ ☑ 里親の新規開拓から委託児童の自立支援までの一貫した里親支援は、市町村の業務として位置づけられる。

Q372 ☑ ☑ 家庭裁判所は、親権停止の審判をするときは、その原因が消滅するまでに要すると見込まれる期間、子の心身の状態及び生活の状況その他一切の事情を考慮して、3年を超えない範囲内で、親権を停止する期間を定める。

Q373 ☑ ☑ 2019（令和元）年に「児童虐待の防止等に関する法律」が改正され、児童相談所において一時保護等の介入的対応を行う職員と保護者支援を行う職員を分ける等の措置を講ずるものとするとされた。

Q374 ☑ ☑ 児童相談所長は、児童虐待が行われているおそれがあると認めるときは、児童委員又は児童の福祉に関する事務に従事する職員をして、児童の住所又は居所に立ち入り、必要な調査又は質問をさせることができる。

Q375 ☑ ☑ 要保護児童対策地域協議会は、地域の関係機関や民間団体が参加して、要保護児童の情報の共有化を行う。それにより、それぞれの関係機関等の間で、それぞれの役割分担について共通の理解を持つことができる。

3 子ども家庭福祉

| A369 | × | 届け出先として、[都道府県児童福祉審議会] の他、[児童相談所]、[都道府県の行政機関] もある。 |

| A370 | × | 2022（令和4）年の民法の改正により、親権者による [懲戒権] の規定が削除された。 |

| A371 | × | 里親の新規開拓から委託児童の自立支援までの一貫した里親支援は、[都道府県（児童相談所)] の業務として位置づけられている。 |

| A372 | × | 親権停止の期間は [3年ではなく2年] である。 |

| A373 | ○ | 設問文の内容の他に、「親権者による児童のしつけに際して [体罰] を加えてはならないものとする。」とされた。 |

| A374 | × | 児童相談所長ではなく、[都道府県知事] が正しい。 |

| A375 | ○ | このような取り組みは、[要保護児童を早期に発見] することなどを目的として行われている。 |

😺 ポイント　親権者による懲戒権の規定の削除

児童虐待を正当化するために懲戒権が口実として使われることが起こらないよう、民法や児童福祉法、児童虐待防止法において懲戒権の規定が削除された。なお、改正後の民法821条は以下のとおりとなった。

「親権を行う者は、前条の規定による監護及び教育をするに当たっては、子の人格を尊重するとともに、その年齢及び発達の程度に配慮しなければならず、かつ、[体罰] その他の子の [心身の健全な発達に有害な影響を及ぼす言動] をしてはならない」

Q376
☑ ☑
「少年法」は、少年の健全な育成を期し、非行のある少年に対して性格の矯正及び環境の調整に関する保護処分を行うとともに、少年の刑事事件について特別の措置を講ずることを目的とする。

- -

Q377
☑ ☑
「少年法」における「少年」とは、20歳に満たない者を指す。

- -

Q378
☑ ☑
児童相談所は、触法少年に係わる重大事件につき警察から送致された場合には、事件を原則として家庭裁判所に送致しなければならない。

- -

Q379
☑ ☑
警察署における委託一時保護は、原則として24時間を超えることができない。

- -

Q380
☑ ☑
「児童養護施設入所児童等調査結果（令和5年2月1日）」（こども家庭庁）によると、被虐待経験の有無について「虐待経験あり」は、児童養護施設児で約2割であった。

- -

Q381
☑ ☑
社会的養護に関しては家庭的養護が推進され、「社会的養育の推進に向けて（令和6年6月）」（こども家庭庁）では、里親やファミリーホームの委託児童数の合計は児童養護施設の入所児童数とほぼ同数となっている。

🐱 **ポイント** 　成人年齢の引き下げと特定少年

少年法の改正により、2022（令和4）年4月1日より18歳以上20歳未満の者は［特定少年］と定められた。18歳未満の犯罪少年と同様、全例、家庭裁判所に送致されるが、検察官へ逆送される犯罪の範囲が［1年以上の懲役・禁錮に当たる事件］に広がった。

A376 ○ 少年法第1条で、「少年の健全な育成を期し、非行のある少年に対して[性格の矯正]及び[環境の調整]に関する保護処分を行うとともに、少年の刑事事件について特別の措置を講ずることを目的とする」と規定されている。

A377 ○ 「少年法」における「少年」とは[20歳に満たない者]を指す。2021（令和3）年5月の少年法の改正により18～19歳は特定少年と定められた。なお、「児童福祉法」における「少年」とは[小学校就学の始期]から、[満18歳に達する]までの者を指す。

A378 ○ ただし、児童相談所長等が事件を調査した結果、家庭裁判所送致の措置をとる必要がないと認める場合は、[この原則が適用されないこと]とされている。

A379 ○ 「児童相談所運営指針」では、交通など真にやむを得ない事情がある場合を除き、警察署における一時保護は原則として[24時間]を超えることができないとされている。

A380 × 「虐待経験あり」は、児童養護施設児で[71.7%]であった。乳児院児で[50.5%]、母子生活支援施設児で[65.2%]、ファミリーホーム児で[56.8%]、里親委託児で[46.0%]となっている。

A381 × 家庭的養護が推進されているが、児童養護施設は[2万3,008人]である一方、里親委託児童数は[6,080人]、ファミリーホーム委託児童数は[1,718人]となっている。

Q382 ヤングケアラー支援に関する法令として全国で初めて「埼玉県ケアラー支援条例」が 2020（令和2）年に公布・施行された。

Q383 里親への委託児童は3人を超えることはできず、小規模住居型児童養育事業の定員は4人または5人である。

Q384 児童発達支援は、「児童福祉法」に基づき、日常生活における基本的な動作の指導、知識技能の付与、集団生活への適応訓練などの支援を行う。

Q385 令和5年4月1日時点で、保育所は 23,806 か所、特定地域型保育事業は 7,512 か所、幼稚園型認定こども園等は 6,794 か所、幼保連携型認定こども園は 1,477 か所である。

Q386 障害児相談支援は、障害児通所支援の申請に係る給付決定の前に利用計画案を作成する。給付決定後、事業者等と連絡調整等を行うとともに利用計画を作成する。

Q387 子どもの貧困対策の推進に関する法律には、「子どもの貧困対策は、社会のあらゆる分野において、子どもの年齢及び発達の程度に応じて、その意見が尊重され、その最善の利益が優先して考慮され、子どもが心身ともに健やかに育成されることを旨として、推進されなければならない」と記載されている。

Q388 「令和3年度子供の貧困の状況及び子供の貧困対策の実施状況」によると、生活保護世帯の子どもの大学等進学率は5割を超えている。

A382 ○ ［設問文の通り］である。ヤングケアラーとは、本来大人が担うと想定されている［家事］や［家族の世話］などを［日常的に］行っている子どものことを指す。

A383 × 里親への委託児童は［4人］を超えることはできないが、小規模住居型児童養育事業（ファミリーホーム）の定員は［5人または6人］となっている。

A384 ○ 児童発達支援は「児童福祉法」に基づく障害児通所支援の一つである。なお、児童福祉法には通所支援だけでなく、［障害児入所支援］も定められている。

A385 × 令和5年の「保育所等関連状況取りまとめ」では、保育所が23,806か所、特定地域型保育事業が7,512か所、［幼保連携型認定こども園］が6,794か所、［幼稚園型認定こども園等］が1,477か所である。特定地域型保育事業には、小規模保育事業、家庭的保育事業、事業所内保育事業及び居宅訪問型保育事業が含まれる。

A386 ○ 「児童福祉法」に定められる障害児通所支援には、児童発達支援のほか、［居宅訪問型児童発達支援］、［保育所等訪問支援］、［放課後等デイサービス］がある。

A387 ○ 子どもの貧困対策は、社会のあらゆる分野において、子どもの年齢及び発達の程度に応じて、その［意見］が尊重され、その［最善の利益］が優先して考慮され、子どもが［心身ともに］健やかに育成されることを旨として、推進されなければならない。

A388 × 生活保護世帯の子どもの大学等進学率は［39.9%］であった。

5 子ども家庭福祉の動向と展望

Q389
☑ ☑
フィンランドで行われている、妊娠から子育て期までの切れ目ない子育て支援をネウボラ（neuvola）という。

Q390
☑ ☑
「令和6年版男女共同参画白書」（内閣府）によると、管理的職業従事者における女性の割合は、諸外国とほぼ同等の数値となっており、管理的職業従事者における女性の割合は上位3か国に入った。

6 子ども家庭支援論

Q391
☑ ☑
児童養護施設の職員は措置児童等虐待の疑いに気づいた場合は、速やかに児童相談所に通告しなければならない。

Q392
☑ ☑
保育所でヤングケアラーの可能性がある子どもを発見した際は、保育所長に相談し、要保護児童対策地域協議会担当者に連絡する。

3 子ども家庭福祉

A389 ○ ［ネウボラ］では、妊娠期から医療的なアドバイスやチェックなどを受けることができる。

A390 × 「令和6年版男女共同参画白書」（内閣府）によると、就業者に占める女性の割合は、2023（令和5）年は［45.2％］であり、諸外国と比較して［大きな差はない］。しかし、［管理的職業従事者］の女性の割合は、［14.6％］と依然として低い水準である。

A391 ○ 被措置児童等虐待を受けたと思われる子どもを発見した者は、［通告義務］があり、発見した者は速やかに通告受理機関へ通告しなければならない。発見者が施設職員等の場合であっても同じである。受理機関は［児童相談所］の他、福祉事務所、都道府県児童福祉審議会、市町村等である。

A392 ○ ヤングケアラーは、教育・保育、福祉、医療、地域等、様々な視点から発見し、早期に対応していくことが必要である。［要保護児童対策地域協議会］は、ヤングケアラーではないかという観点から家族の要介護者等の有無やその支援の状況、子どもの学校の出欠状況など［家族全体の状況］を共有して［アセスメント］することが重要である。

Q393
☑ ☑
博愛社は佐野常民によって設立された。

Q394
☑ ☑
国際連合は、「児童の権利に関する宣言」を採択する8年前に「児童憲章」を採択した。

Q395
☑ ☑
「児童の権利に関する条約」第27条では、「締約国は、児童の身体的、精神的、道徳的及び社会的な発達のための相当な生活水準についてのすべての児童の意見を認める」と記載されている。

Q396
☑ ☑
2019年5月現在、アメリカ合衆国は「児童の権利に関する条約」を批准していない国の一つである。

Q397
☑ ☑
世界人権宣言は1979年にユネスコによって採択された。

Q398
☑ ☑
2020（令和2）年10月1日時点で、保育士の登録者数は、150万人を超えている。

Q399
☑ ☑
「児童福祉法」第13条に示された児童福祉司に任用される要件の一つに、弁護士、または、医師がある。

Q400
☑ ☑
令和5年2月1日時点で、児童養護施設・児童心理治療施設・児童自立支援施設・自立援助ホーム入所児童の、入所時の保護者の状況が両親又は一人親ありの児童では「実父母有」が最も多いが、乳児院は「実母のみ」が最も多い。

Q401
☑ ☑
ひきこもり地域支援センターは、引きこもりに関する専門的第一次相談窓口として市区町村のみに設置されている。

A393 ◯ 博愛社は、傷病者救護を目的として組織された団体であり、1887（明治20）年に［日本赤十字社］と改称された。

. . . .

A394 ✕ 「児童憲章」は国際連合ではなく、［日本］が制定したものである。混同しないよう注意が必要である。なお「児童の権利に関する宣言」は、児童憲章制定から8年後の1959（昭和34）年に国際連合が採択した。

. . . .

A395 ✕ 児童の意見ではなく、［児童の権利］が正しい。

. . . .

A396 ◯ アメリカ合衆国は「児童の権利に関する条約」に批准していないが、将来的に「批准」する意思があることを示す［署名］は行っている。

. . . .

A397 ✕ 世界人権宣言は、［1948年］に［国連総会］において採択された。1979年には［国際児童年］がユネスコによって宣言された。

. . . .

A398 ◯ 2020（令和2）年10月1日現在、保育士登録者数は［167万3千人］である。

. . . .

A399 ✕ 児童福祉司の任用要件を満たす国家資格には、［医師］と［社会福祉士］がある。弁護士は、任用要件に含まれていない。

. . . .

A400 ✕ 「両親又は一人親あり」の児童で、「実父母有」が最も多いのは、［乳児院］である。また、「実母のみ」が最も多いのは、里親である。

. . . .

A401 ✕ 市区町村のみでなく、［都道府県と指定都市］にも設置されている。令和4年度から市町村に設置されるよう実施主体が拡充された。

Q402 地域若者サポートステーションは、全ての都道府県に必ず設置されており、働くことに悩みを抱えている15歳から49歳までの若者支援を行う。

Q403 子ども・若者支援地域協議会は、子ども・若者への支援が適切に行われるよう、必要な知見を有する相談員（ユースアドバイザー）を養成することを目的の一つとしている。

Q404 2022（令和4）年度の女性の有期契約労働者の育児休業取得率は50％以下である。

Q405 放課後児童健全育成事業では、1つの支援の単位を構成する児童の数は、おおむね50人以下とする。

Q406 2019（令和元）年10月から幼稚園、保育所、認定こども園を利用する0歳から2歳の子どもの幼児教育・保育の無償化が行われた。

Q407 子育て支援事業の一時預かり事業（一般型）では、保育従事者のうち2分の1以上を保育士とし、保育士以外は一定の研修を受けた者を配置することが認められている。

Q408 「令和3年度全国ひとり親世帯等調査結果報告」では、養育費の取り決めについて、ひとり親世帯になってからの年数が短い方が、「取り決めをしている」と回答した世帯の割合が高い。

A402 ○ 地域若者サポートステーションは、全国の若者支援の実績やノウハウがある［NPO法人］が運営する、株式会社等により実施されている「身近に相談できる機関」であり、［就労支援］を行っている。

A403 ○ 子ども・若者支援地域協議会は、［子ども・若者育成支援推進法］に規定されている。

A404 × 令和4年度の女性の有期契約労働者の育児休業取得率は［65.5］％で、令和3年度より低下した。男性の有期契約労働者の育児休業取得率は［8.57］％で、令和3年度より低下している。

A405 × 「放課後児童健全育成事業の設備及び運営に関する基準」では、「支援の単位を構成する児童の数は、［おおむね40人以下］とする」となっている。

A406 × ［0歳から2歳］ではなく、［3歳から5歳］が正しい。なお、住民税非課税世帯では、［0～2歳］の保育料についても無償化された。

A407 ○ 「一時預かり事業実施要綱」には、保育士を［2分の1以上］とすること、保育従事者の数は2人を下ることはできないこと、［家庭的保育者］を、保育士とみなすことができること、保育士以外の保育従事者の配置は、研修を修了した者とすることが規定されている。

A408 ○ 養育費の取り決め状況は、母子世帯の母では、「取り決めをしている」が［46.7］％であり、父子世帯の父では、「取り決めをしている」が［28.3］％である。母子世帯と父子世帯によっても異なる。

Q409 「子ども・子育て支援法」に基づく利用者支援事業（こども家庭センター型）では、母子保健に関する専門知識を有する保健師、助産師、看護師又はソーシャルワーカー（社会福祉士等）を1名以上配置する。

Q410 家庭的保育者の居宅において家庭的保育を実施する場合は、専用の部屋を設ける必要がある。

Q411 自立援助ホームは、児童の自立を図るため、義務教育終了後、里親等への委託又は児童養護施設等への入所措置が解除された児童等が共同生活を営む場所である。

Q412 夜間保育事業は国の施策に盛り込まれておらず、そのため夜間保育はベビーホテルのみが行っている。

Q413 子どもオンブズパーソンとは、子どもの権利が守られているかどうか行政の視点から監視し、子どもの権利保護・促進のための法制度等の提案等を行う機関であり、ノルウェーで初めて設置された。

Q414 児童心理治療施設には、看護師、個別対応職員、医師、家庭支援専門相談員、児童生活支援員を配置しなければならない。

Q415 「児童養護施設入所児童等調査（令和5年2月）」によると、里親の年齢は、里父、里母ともに50歳未満が半数以上を占める。

3 子ども家庭福祉

| A409 | ○ | 「利用者支援事業実施要綱」では、「母子保健事業に関する専門知識を有する［保健師］、［助産師］、［看護師］及び［ソーシャルワーカー（社会福祉士等）］を1名以上配置するものとする。なお、保健師等は専任が望ましい」と記されている。その他、センター長を1名、統括支援員を1名（小規模自治体等、自治体の実情に応じてセンター長は統括支援員を兼務することができる）配置するものとする。 |

| A410 | ○ | 専用の部屋が［9.9m² 以上］であること、［遊戯等に適した庭］があるなど複数の条件がある。 |

| A411 | ○ | 自立援助ホームは、［児童自立生活援助事業］に位置づけられている。2023（令和5）年10月時点で、［317か所］設置されている。 |

| A412 | × | 夜間保育専門の保育所及び既存の施設（保育所、乳児院、母子生活支援施設等）に併設された保育所を原則としている。ベビーホテルのみが実施しているわけではない。 |

| A413 | × | 子どもオンブズパーソンは、行政から［独立した立場］で監視し、［子どもの権利の保護・促進］のための法制度等の提案・勧告、子どもからのものを含む苦情申立て等への救済の提供、権利の教育啓発などを行う機関である。 |

| A414 | × | 児童生活支援員は、［児童自立支援施設］に配置される職員である。［不良行為］や［家庭環境等］の問題から生活指導が必要な子どもと生活を共にし、更生を支援する職務である。 |

| A415 | × | 里父の年齢は［50歳代］が29.3%、里母の年齢は［50歳代］が36.0%といずれも50歳代が最も多く、50歳以上が［半数以上］を占める。 |

Q416 ☑ ☑ 「令和４年度 雇用均等基本調査」によると、男性の育児休業取得率は 2022（令和４）年度で約３割であった。

Q417 ☑ ☑ 社会的養護施設入所や里親委託などの措置がとられた被措置児童等への虐待があった場合、施設や事業者を監督する立場にある市町村は、児童福祉法に基づき適切に対応する必要がある。

Q418 ☑ ☑ 児童手当は保護者支援の適切な実施を図るため、児童を養育している者に児童手当を支給することにより、家庭等における生活の向上に寄与するためのものである。

Q419 ☑ ☑ 「子ども虐待による死亡事例等の検証結果等について（第 19 次報告）」では、「心中以外の虐待死」で最も多い子どもの年齢は３歳である。

Q420 ☑ ☑ 要保護児童対策地域協議会は、すべての市町村に設置されている。

Q421 ☑ ☑ 令和３年度全国ひとり親世帯等調査結果報告によると、児童扶養手当の受給状況は、母子世帯の母では「受給している」が 46.5％、父子世帯の父では 69.3％となっており、父子世帯の受給割合が多い。

Q422 ☑ ☑ アメリカ合衆国では、社会的養護の下で暮らす子どもたちの最善の利益保障のため、パーマネンシーを重視している。

Q423 ☑ ☑ 令和３年度全国ひとり親世帯等調査結果報告では、父子世帯の父の 88.1％が就業しており、このうち「正規の職員・従業員」が 48.8％と最も多く、次いで「パート・アルバイト等」が 38.8％となっている。

A416	×	2022（令和4）年度［育児休業取得率］は女性が［80.2%］であるのに対し、男性は［17.13%］である。

A417	×	被措置児童等への虐待があった場合、施設や事業者を監督するのは［都道府県等］である。また、虐待防止のため［厚生労働省］が「被措置児童等虐待対応ガイドライン」を作成している。

A418	×	［児童手当］は、［子ども・子育て支援］のために支給されるものであり、［生活の安定］を図り、児童の健やかな成長を目的としたものである。

A419	×	「心中以外の虐待死」で最も多い子どもの年齢は［0歳（48.0%）］である。

A420	×	児童福祉法第25条の2には［努力義務］として規定されており、すべての市町村ではない。要保護児童対策地域協議会を設置済みの市町村（特別区を含む）は、2020（令和2）年4月時点では、1,738市町村（99.8%）であった。

A421	×	児童扶養手当の受給状況は、母子世帯の母では「受給している」が［69.3］%、父子世帯の父では［46.5］%となっており、［母子世帯］の受給割合が多い。

A422	○	アメリカ合衆国では、パーマネンシーを重視しているが、それを実践する［パーマネンシー・プランニング（永続的援助計画）］では、すべての子どもに、恒久的な安定した生活環境を実現することを目的としている。

A423	×	父子世帯の父の88.1%が就業しており、「正規の職員・従業員」は［69.9］%で最も多い。次いで自営業が14.8%である。母子世帯の「正規の職員・従業員」割合が［48.8］%である。

出る！出る！

要点チェックポイント

社会福祉の民間事業家

人名	業績
とめおかこうすけ 留岡幸助	留岡幸助は1899（明治32）年に［巣鴨家庭学校］（現在の児童自立支援施設）を、1914（大正3）年に［北海道家庭学校］を設立した。［少年の非行問題］に取り組んだ
いとがかずお 糸賀一雄	糸賀一雄は、「この子らに世の光を」ではなく、「この子らを世の光に」と福祉思想を説いた。1946（昭和21）年に知的障害者施設［近江学園］を創設。［知的障害児・者］福祉の先駆的な開拓者である
アリス・ベティー・アダムス (Alice, B.A.)	1891（明治24）年にアリス・ベティー・アダムスは宣教師として来日し、花畑日曜学校を開設した。また、［岡山博愛会］を創設し、日本における［セツルメント］（隣保事業）の創設者でもある
いしいりょういち 石井亮一	1891（明治24）年に石井亮一は知的障害児施設「孤女学院（現、［滝乃川学園］）」を創設し［知的障害児］の教育に尽力した
いしいじゅうじ 石井十次	1887（明治20）年に現在の［児童養護施設］にあたる「孤児教育会」（後に［岡山孤児院］と改称）を創設した

社会福祉に関係する海外の人物とその業績

人名	業績	定義した内容
アダムス (Addams, J.)	アダムスは、［シカゴ］で［ハルハウス］というセツルメントハウスを設立した	社会改良運動
ジャーメイン (Germain, C.B.) ギッターマン (Gitterman, A.)	ジャーメインとギッターマンは、［人と環境との交互作用］の実態を捉え、この理論を社会福祉に導入した	生活モデル
リッチモンド (Richmond, M.E.)	リッチモンドは、個別援助技術の語源「ケースワーク」を最初に用いた人で［ケースワークの母］と呼ばれている	ケースワークの理論化、体系化

人名	業績	定義した内容
バイステック (Biestek, F.)	バイステックは、ケースワーカーの基本的な姿勢として最も有名な原則、[バイステックの7原則] を作った	ケースワークの原則
バートレット (Bartlett, H.)	バートレットは、社会福祉実践の共通基盤として、「[価値]、[知識]、[介入]」が不可欠な要素とした	社会福祉援助技術統合化

 社会福祉事業の区分

社会福祉事業には第1種と第2種とがある。

第1種社会福祉事業	・[生活保護法] に規定する救護施設、更生施設 ・児童福祉法に規定する [乳児院]、[母子生活支援施設]、[児童養護施設]、[障害児入所施設]、[児童心理治療施設] または [児童自立支援施設] を経営する事業 ・[老人福祉法] に規定する養護老人ホーム、特別養護老人ホーム、軽費老人ホーム ・障害者の日常生活及び社会生活を総合的に支援するための法律に規定する [障害者支援施設を経営] する事業 ・[共同募金] を行う事業など
第2種社会福祉事業	・児童福祉法に規定する助産施設、[保育所]、[児童厚生施設]、[児童家庭支援センター]、里親支援センター児童自立生活援助事業、放課後児童健全育成事業、子育て短期支援事業、乳児家庭全戸訪問事業、養育支援訪問事業、地域子育て支援拠点事業、一時預かり事業または小規模住居型児童養育事業 ・[母子及び父子並びに寡婦福祉法] に規定する母子家庭等日常生活支援事業または寡婦日常生活支援事業及び母子福祉施設を経営する事業 ・[老人福祉法] に規定するデイサービスセンター、老人福祉センターなど ・[福祉サービス利用援助事業] ・障害者の日常生活及び社会生活を総合的に支援するための法律に規定する [障害福祉サービス事業]、一般 [相談支援事業]、特定 [相談支援事業] など

 生活保護の給付

扶助の種類	生活を営む上で生じる費用	支給方法
[生活] 扶助	日常生活に必要な費用（食費・被服費・光熱費等）	基準額支給

つづく

社会福祉

扶助の種類	生活を営む上で生じる費用	支給方法
[住宅] 扶助	アパートなどの家賃	実費支給
[教育] 扶助	義務教育を受けるために必要な学用品費	基準額支給
[医療] 扶助	医療サービスの費用	現物給付
[介護] 扶助	介護サービスの費用	現物給付
[出産] 扶助	出産費用	実費支給
[生業] 扶助	就労に必要な技能の修得等にかかる費用	実費支給
[葬祭] 扶助	葬祭費用	実費支給

 福祉事務所に配置されている主な職種

職種	根拠法	施設名
社会福祉主事	[社会福祉法] 第18条	福祉事務所
家庭相談員	－	福祉事務所内の [家庭児童相談室]
身体障害者福祉司	[身体障害者福祉法]	福祉事務所、[身体障害者更生相談所]
精神障害者福祉司	[精神障害者福祉法]	福祉事務所、[精神障害者更生相談所]
女性相談支援員	[困難な問題を抱える女性への支援に関する法律] 第11条	[女性相談支援センター]、[女性自立支援施設] など
母子・父子自立支援員	[母子及び父子並びに寡婦福祉法] 第8条	原則、都道府県知事、市長などが委嘱する [福祉事務所]

注）2024（令和6）年4月より婦人相談員は［女性相談支援員］に、婦人相談所は［女性相談支援センター］に名称を変更し、根拠法令も［困難な問題を抱える女性への支援に関する法律］に移行された。

日本の社会保障給付費の推移

		2000年	2010年	2024年（予算）
給付費総額		78.4兆円 （100.0%）	105.4兆円 （100.0%）	137.8兆円 （100%）
内訳	[年金]	40.5兆円 （51.7%）	52.2兆円 （49.6%）	61.7兆円 （44.8%）
	[医療]	26.6兆円 （33.9%）	33.6兆円 （31.9%）	42.8兆円 （31.0%）
	[福祉その他]	11.3兆円 （14.4%）	19.5兆円 （18.5%）	33.4兆円 （24.2%）

出典：厚生労働省「社会保障給付費の推移」を筆者一部改変

社会福祉援助の進め方

インテーク （受理面接）	問題を抱える個人あるいは家族（以下、利用者）が、問題解決のために援助者と関わりを始める段階の面接。援助者と利用者の間に［信頼関係（ラポール）］を築くことが必要である。その場合、利用者の［あるがまま］を受け止めることが重要である
アセスメント （事前評価）	インテーク面接の情報をもとに問題解決につなげる情報を入手し、具体的に問題の内容や原因を明らかにし、利用できる［社会資源］の有無を確かめる
プランニング （援助計画）	問題の解決目標や具体的な援助の方法を計画する。［援助者主導］ではなく利用者とともに援助のあり方を検討することも必要となる。［専門家主導］で判断してはならない
インターベンション（介入）	援助計画に沿って、問題解決に向けて実際に取り組む段階。利用者の［自己選択・自己決定］を促す援助が求められる。援助過程では利用者の情報に関して援助者には［守秘義務］がある
エバリュエーション（評価）とモニタリング	援助活動が有効に行われたかを評価する。設定された目標が達成されていない場合は、再び［アセスメント］に戻り、再度［プランニング］を行うこともある
終結	［援助目標］が達成されたと判断された場合、援助者と利用者の援助活動を終結する

4

社会福祉

1 現代社会における社会福祉の意義と歴史

Q424
☑ ☑
2000（平成12）年の「社会福祉法」の成立前後に関連する社会福祉体制の見直しでは、子どもの権利の明確化、社会的養護の大幅見直しを含む「社会的養育ビジョン」が示された。

. . . .

Q425
☑ ☑
生存権及び国民生活の社会的進歩向上に努める国の義務について定めた「日本国憲法」第25条は、日本の社会福祉に関する法制度の発展に寄与した。

. . . .

Q426
☑ ☑
ブース（Booth, C.J.）らによる19世紀末から20世紀初頭にかけてのイギリスで行われた貧困調査では、貧困の原因は個人の責任であり、社会の責任ではないことを明らかにした。

. . . .

Q427
☑ ☑
社会福祉協議会は、公共性の高い福祉サービスを実施する事業主体としての側面と地域福祉の推進を図る協議体としての側面を持つが、提言・改善運動は行わない。

. . . .

Q428
☑ ☑
現在、子育て支援では、保護者や子育て家庭から表明されたニーズだけでなく、表明されない潜在的なニーズへの対応が重要となっている。

. . . .

Q429
☑ ☑
戦前の社会事業で、非行少年を対象とした「家庭学校」は留岡幸助が創設した。

A424　× 　2000（平成12）年の「社会福祉法」の成立前後に関連する社会福祉体制の見直しとしては、1998（平成10）年に［社会福祉基礎構造改革について（中間まとめ）］が公表され、措置制度から［利用者契約制度］への移行、第三者評価制度の創設などが行われた。なお、［社会的養育ビジョン］は2017（平成29）年に示されている。

A425　○ 　日本国憲法第25条では国民の生存権と国民生活の保障義務として、「すべて国民は、［健康で文化的な最低限度の生活を営む権利］を有する」と示され、「国は、すべての生活部面について、社会福祉、［社会保障及び公衆衛生の向上及び増進］に努めなければならない。」とした。

A426　× 　1886年にブースらがロンドンで実施した貧困調査は「ロンドン市民の生活と労働」として発表され、ロンドン市民の3分の1が貧困線以下の生活をしている実態を明らかにし、貧困は［個人の責任］ではなく、［雇用や低賃金］など社会問題に起因することがわかった。

A427　× 　社会福祉協議会は、福祉サービスの［実施主体］でもあり、地域福祉の促進を図る［協議体］でもある。また、地域福祉への［提言・改善］を実践するものである。

A428　○ 　福祉ニーズの変容に関する記述である。孤立した子育てなど、［潜在的なニーズ］に対する支援が求められている。

A429　○ 　［留岡幸助］によって、東京巣鴨で［感化院］として創設された。

Q430 戦前の社会事業で孤児などを対象とした「岡山孤児院」を創設したのは石井亮一である。

☑ ☑

Q431 保護者の養育を支援することが特に必要と認められる要支援児童は、児童福祉の対象ではない。

☑ ☑

Q432 イギリスの「新救貧法」(1834(天保5)年)では、窮民の援助は、最下層の労働者の生活以下にとどめ、働ける者には強制労働を課した。

☑ ☑

Q433 社会福祉における自立支援は、障害者福祉の分野ばかりでなく、高齢者福祉、子ども家庭福祉の分野にも共通の理念と考えられている。

☑ ☑

Q434 日本国憲法第13条では、すべての国民は、個人として尊重され、生命、自由および幸福追求に対する国民の権利については、公共の福祉に反しない限り、立法その他国政の上で、最大の尊重を必要とされる。

☑ ☑

Q435 北欧に起源をもつノーマライゼーションの思想は、わが国の社会福祉分野の共通基礎理念として位置付けられることが多い。

☑ ☑

Q436 入所施設を利用しなければならない人が、施設において家庭に近い生活ができるようにすることも、ノーマライゼーションの考え方に含まれる。

☑ ☑

Q437 ソーシャルインクルージョン(social inclusion)とは、カナダ及びオーストラリア地域で普及してきた理念であり、「社会的包括」あるいは「社会的包摂」等と訳されることがある。

☑ ☑

A430 ✕ 岡山孤児院は [石井十次] である。また、知的障害児を対象とした滝乃川学園を創設したのが [石井亮一] である。

A431 ✕ 要支援児童とは、保護者の養育を支援することが特に必要と認められる児童であって要保護児童にあたらない児童のことをいう。[児童福祉の対象] となる。

A432 ○ イギリスの新救貧法では、[劣等処遇の原則] として、窮民の援助は最下層の労働者以下にとどめ、働くことができる者は強制労働を課した。

A433 ○ 社会福祉法だけでなく、その他の身体障害者福祉法、介護保険法などで自立と援助について示されている。また、社会福祉分野において [自立支援] は共通の理念である。

A434 ○ 日本国憲法第13条 [個人の尊重と生命、自由及び幸福追求権の尊重] として設問の条文が示されている。

A435 ○ [ノーマライゼーション] を提唱したのはデンマークのニルス・エリク・バンク‐ミケルセン（N.E. Bank-Mikkelsem）である。日本の社会福祉分野の共通基礎理念に位置付けられている。

A436 ○ 日本における [ノーマライゼーション] とは、在宅生活だけでなく、[施設生活] においても自分らしく、家庭に近い環境で生活することを意味している。

A437 ✕ [ソーシャルインクルージョン] は1980年代にヨーロッパで社会問題となった外国籍労働者への社会的排除に対する施策で導入された概念とされている。カナダ、オーストラリアで普及した理念ではない。

4 社会福祉

Q438 イギリスの福祉政策等では、慈善組織（化）協会
☑ ☑ （COS）の設立の後、「救貧法」（Poor Law）の制定が
あり、『社会保険および関連サービス』（通称『ベヴァ
リッジ報告：Beveridge Report』）の提出があった。

Q439 「身体障害者福祉法」の第1条には、「身体障害者の
自立と社会経済活動への参加を促進するため、身体
☑ ☑ 障害者を援助し、及び必要に応じて保護し、もつて
身体障害者の福祉の増進を図ること」が、定められ
ている。

Q440 「社会福祉法」第1条（目的）では、「福祉サービス
の利用者の利益の保護及び地域における社会福祉
☑ ☑ （地域福祉）の推進を図る」ことが、定められている。

Q441 「社会福祉法」第3条では、福祉サービスの基本的
☑ ☑ 理念について定められている。

Q442 「日本国憲法」では、生存権を保障するため、最低
☑ ☑ 限度の生活に関する基準を示している。

2 社会福祉制度と実施体系

Q443 公的医療保険の種類は、国民健康保険と後期高齢者
☑ ☑ 医療制度の2種類である。

Q444 「精神保健及び精神障害者福祉に関する法律」の第
1条には、「その社会復帰の促進及びその自立と社
☑ ☑ 会経済活動への参加の促進のために必要な援助を行
い、並びにその発生の予防その他国民の精神的健康
の保持及び増進に努めること」が、定められている。

A438 × 1601 年に［救貧法（Poor Law）］が制定され、1869 年に［慈善組織（化）協会（COS）］が設立された。また、1942 年に『社会保険および関連サービス』（通称［ベヴァリッジ報告：Beveridge Report］）が提出された。

. . . .

A439 ○ 身体障害者福祉法の目的には、身体障害者の［自立］と［社会経済活動］への参加の促進が掲げられている。

. . . .

A440 ○ 社会福祉法の目的として、利用者の利益の保護とともに［地域福祉の推進］が記されている。

. . . .

A441 ○ 社会福祉法第 3 条は［福祉サービスの基本的理念］について規定されている。「福祉サービスは、個人の尊厳の保持を旨とし、その内容は、福祉サービスの利用者が心身ともに健やかに育成され～（略）～」となっている。

. . . .

A442 × 日本国憲法第 25 条では、［生存権の保障］を明記しているが、最低限度の生活に関する基準までは示されていない。

A443 × ［被用者保険］、国民健康保険、後期高齢者医療制度がある。

. . . .

A444 ○ 「精神保健及び精神障害者福祉に関する法律」（精神障害者福祉法）の目的には、精神障害者の［自立］と［社会経済活動］への参加の促進が掲げられている。

4

社会福祉

Q445 「就学前の子どもに関する教育、保育等の総合的な提供の推進に関する法律」に規定する幼保連携型認定こども園を経営する事業は、第二種社会福祉事業である。

Q446 児童福祉法では、児童を心身ともに健やかに育成することについての第一義的責任は保護者にあり、国や地方公共団体は責任を一切負わない。

Q447 ソーシャルインクルージョンは、ノーマライゼーション思想とも共通し、社会福祉の理念として用いられる場合、すべての人がそれぞれの違いを尊重され、社会の一員として認められ、人権を保障されることも意味することが多い。

Q448 都道府県に配置される身体障害者福祉司は、身体障害者更生相談所の長の命を受けて、身体障害者の福祉に関し専門的な知識及び技術を必要とする業務を行う。

Q449 保育士とは、登録を受け、保育士の名称を用いて、専門的知識及び技術をもって、児童の保育及び児童の保護者に対する保育に関する指導を行うことを業とする者をいう。

Q450 地域福祉を推進しようとする専門職として、生活問題を抱えた住民に直面した場合、社会福祉専門職は、社会福祉に関する制度改善を求める住民の行動を支えることが必要である。

Q451 「生活保護法」では、保護の原則として、申請保護の原則、基準及び程度の原則、必要即応の原則、世帯単位の原則の4つを掲げている。

A445 ○ 第二種社会福祉事業とは、比較的利用者への影響が小さいため、公的規制の必要性が低い事業である。その他、[小規模保育事業]、[保育所]、助産施設などがある。なお、「就学前の子どもに関する教育、保育等の総合的な提供の推進に関する法律」は通称「認定こども園法」とよばれている。

A446 × 児童福祉法第2条第3項では、「[国及び地方公共団体] は、[児童の保護者] とともに、児童を心身ともに健やかに育成する責任を負う。」と示されている。

A447 ○ ソーシャルインクルージョンとは社会的包摂のことである。障害者と健常者が分け隔てすることなく、[あらゆる人が自立と社会参加ができる] 社会を目指す考え方のことを指す。

A448 ○ 身体障害者更生相談所には、[身体障害者福祉司] を置かなければならない。身体障害者福祉法第11条の2に示されている。

A449 ○ 児童福祉法第18条の4に「保育士とは、第18条の18第1項の登録を受け、[保育士の名称] を用いて、[専門的知識及び技術] をもつて、[児童の保育及び児童の保護者に対する保育に関する指導] を行うことを業とする者をいう。」と示されている。

A450 ○ [社会活動法（ソーシャル・アクション）] として社会福祉専門職は地域社会の生活課題などの改善や施策の策定など [社会改良] を目標として取り組む役割がある。

A451 ○ [生活保護法第7条から第10条] に申請保護の原則、基準及び程度の原則、必要即応の原則、世帯単位の原則が明記されている。

Q452
☑ ☑
身体障害者更生相談所は障害者支援施設への入所措置の役割を担っている。

Q453
☑ ☑
保育士は、従来の子どもに対して直接的にかかわる保育の専門家としてだけでなく、保護者に対して保育に関する指導を行う専門職として位置づけられている。

Q454
☑ ☑
労働者災害補償保険制度では、業務災害及び通勤災害に関する保険給付、二次健康診断等給付、社会復帰促進等事業等を行っている。

Q455
☑ ☑
労働者災害補償保険の業務災害に関する保険給付には、療養補償給付、休業補償給付、障害補償給付等がある。

Q456
☑ ☑
介護保険の被保険者は、第一号被保険者と第二号被保険者と第三号被保険者の3つに大別されている。

Q457
☑ ☑
都道府県は、地域福祉支援計画を策定して、市町村の地域福祉の推進を支援するための基本的方針に関する事項等を定めることができる。

Q458
☑ ☑
「生活保護法」の第1条には、「社会福祉法の理念に基き、国が生活に困窮するすべての国民に対し、その困窮の程度に応じ、必要な保護を行い、その最低限度の生活を保障すること」が、定められている。

Q459
☑ ☑
「生活保護法」による保護施設は、救護施設、更生施設、医療保護施設の3つである。

Q460
☑ ☑
「母子及び父子並びに寡婦福祉法」は、ひとり親家庭の子どもの生活の向上を図るための事業として、生活に関する相談に応じ、または学習に関する支援を行うことができると規定している。

A452 ✕ 身体障害者更生相談所は、身体障害者に関する[相談及び指導]、身体障害者の[医学的、心理学的及び職能的判定]、[補装具の処方及び総合判定]を行う。障害者支援施設への入所措置は原則、市町村の役割である。

A453 ○ 児童福祉法第18条の4に児童の保育及び[児童の保護者に対する保育に関する指導]を行うと規定されている。

A454 ○ 設問文の他に、[被災労働者]やその遺族の援護なども行う。

A455 ○ 労働者災害補償保険の業務災害に関する保険給付には、[療養補償給付]、[休業補償給付]、[障害補償給付]等がある。

A456 ✕ 介護保険の被保険者は、[第一号被保険者(65歳以上の者)]と[第二号被保険者(40歳以上65歳未満の医療保険加入者)]の2種類に分けられる。

A457 ○ 「市町村地域福祉計画」を支援するために[都道府県]は[地域福祉支援計画]を策定する。[社会福祉法]108条に規定されている。

A458 ✕ 「社会福祉法の理念」ではなく[日本国憲法第25条]に規定する理念である。

A459 ✕ 生活保護法第38条第1項で、保護施設の種類は「一 [救護施設] 二 [更生施設] 三 [医療保護施設] 四 [授産施設] 五 [宿所提供施設]」と示されている。

A460 ○ 母子及び父子並びに寡婦福祉法第31条の5(母子家庭生活向上事業)、及び31条の11(父子家庭生活向上事業)に規定されている。

4
社会福祉

Q461
☑ ☑
基幹相談支援センターは、介護保険法で規定されている。

Q462
☑ ☑
雇用保険では、厚生労働大臣が指定する、雇用の安定及び就職の促進を図るために必要な職業に関する教育訓練も保険給付の対象としている。

Q463
☑ ☑
「子供の貧困対策に関する大綱」では、重点施策として、教育の支援、生活の支援、保護者に対する就労の支援、経済的支援等をあげている。

Q464
☑ ☑
介護保険制度における介護認定審査会には、民生委員の参加が規定されている。

3 社会福祉における相談援助

Q465
☑ ☑
モニタリングの対象は、サービスや支援の利用者（クライエント）や家族であり、サービスを提供している支援者は含まれない。

Q466
☑ ☑
個別援助技術（ケースワーク）において、診断主義派は、利用者の自我の力が主体的に機能できるような場を提供することが個別援助技術（ケースワーク）であり、援助者は属する援助機関の機能を代表するという考えを主張した。

Q467
☑ ☑
個別援助技術（ケースワーク）において、診断主義派と機能主義派を統合した折衷派のひとりであるホリス（Hollis, F.）は、個別援助技術（ケースワーク）の構成要素として「4つのP」をあげている。

A461 × ［基幹相談支援センター］は障害者支援を行う施設で、全国の市町村に設置されている。障害者総合支援法第77条の2で規定されている。

A462 ○ 雇用保険では［失業等給付］として、［教育訓練給付］がある（雇用保険法第10条）。

A463 ○ ［子どもの貧困対策の推進に関する法律第1条（目的）］に、「子どもの将来がその生まれ育った環境によって左右されることのないよう」と示されている。

A464 × 介護認定審査会は［保健、医療、福祉］に関する学識経験者によって構成される合議体であり、民生委員の参加は規定されていない。

A465 × モニタリングの対象はサービス利用者だけでなく、［サービス提供者］も含まれる。

A466 × 設問文は［機能主義派］の説明である。［診断主義派］は、1920年代以降アメリカで発展した。［フロイト（Freud, S.）］の精神分析に依拠し、個人のパーソナリティの強化を図る中で、社会環境に対する適応力の強化を目指すものである。援助はケースワーカー主導で展開され、社会調査、社会診断、社会治療という過程をたどる。

A467 × 診断主義派と機能主義派を統合した折衷主義を提唱したのは、［パールマン（Perlman, H.H.）］である。［パールマン］が問題解決アプローチとして提唱したのが「［4つのP］（人、問題、場所、過程）」である。［ホリス］は「ケースワーク：［心理社会療法］」を著し、個別援助技術における一種の心理療法を用いた治療技法を類型化した。

右側余白：

Q468 インテークでは、相談者から発せられた非言語的表現に左右されることなく、相談者の発言から困っていることを明らかにする。

Q469 ジャーメイン（Germain, C.B.）とギッターマン（Gitterman, A.）は、利用者の適応能力の向上と利用者を取り巻く環境の改善を行い、生活の変容を試みるエコロジカルアプローチを体系化した。

Q470 相談援助は、差別、貧困、抑圧、排除、暴力などのない、自由、平等、共生に基づく社会正義の実現を目指す。

Q471 エンパワメントアプローチは社会的に無力状態に置かれている利用者の潜在的能力に気づき対処することで問題解決することを目的としたアプローチである。

Q472 スーパービジョンとは、指導者であるスーパーバイジーから、指導を受けるスーパーバイザーに行う専門職を養成する過程である。

Q473 エバリュエーションでまず行うことは、利用者との信頼関係の構築である。

Q474 子ども家庭支援の目的として、保護者が子どもの育ちの阻害要因になっている場合であっても、親子関係を支援する目的から、決して介入してはならない。

Q475 インターベンションとは、ケアマネジメントの一つの段階であり、援助が円滑に、効果的になされているかどうかを吟味する段階である。

Q476 社会福祉調査法は、社会福祉に関する実態（福祉ニーズや問題の把握）、社会福祉サービスや政策の評価、個別ケースにおける支援の効果測定などを目的とする調査の総称である。

A468　✕　インテークでは、言語的表現だけでなく、[非言語的表現] にも着目して相談者のニーズ等を把握する必要がある。

A469　○　ジャーメインとギッターマンは [生態学視点] を基盤として [生活モデル] を提唱した。

A470　○　社会福祉士会の倫理綱領にも原理としてⅢ（社会正義）で「社会福祉士は、[差別、貧困、抑圧、排除、無関心、暴力、環境破壊] などの無い、[自由、平等、共生] に基づく社会正義の実現をめざす。」とある。

A471　○　利用者が自らの [潜在能力] に気づいて対処することにより問題解決を図るアプローチである。

A472　✕　指導者側が [スーパーバイザー]、指導を受ける側が [スーパーバイジー] である。

A473　✕　利用者との信頼関係は [インテーク] で構築する。エバリュエーションは [支援の効果] を振り返り [評価] することである。

A474　✕　親子関係を支援し、子どもの育ちを阻害しないためにも [介入] することが望ましい。

A475　✕　設問文の説明は [モニタリング] である。[インターベンション] とは、社会福祉援助技術の展開過程の中で、策定された支援計画に沿って、利用者とその環境に働きかけて [問題解決] を図る介入の段階である。

A476　○　社会福祉調査法とは、社会福祉に関する [ニーズや問題の把握]、社会福祉サービスや政策の評価、個別ケースにおける支援の効果測定などを目的とする調査の総称である。

4

社会福祉

Q477
☑ ☑
相談援助の開始期において、地域社会に潜在している多くのケースを発見するようにアウトリーチを行うことは重要である。

Q478
☑ ☑
ウェルビーイングとは、個人の権利や自己実現が保障され、その個人が身体的・精神的・社会的により良い状態にあることを意味するものとして理解される。

Q479
☑ ☑
アセスメントは、利用者の抱える問題や課題を分析するため、利用者の持っているストレングスに注目することは必要としない。

Q480
☑ ☑
ネットワーキングとは、行政や議会などに個人や集団、地域住民の福祉ニーズに適合するような社会福祉制度やサービスの改善、整備、創造を促す方法である。

Q481
☑ ☑
虐待を受けた児童は、都道府県社会福祉協議会に設置された運営適正化委員会に申し立てることができる。

Q482
☑ ☑
ケアカンファレンスを開催するにあたって留意すべき点として、利用者の特徴、家族の特徴、問題が発生している場面での交流・対処パターンを理解し、数年後の利用者と家族の生活まで想定して、支援目標を検討していく。

Q483
☑ ☑
ソーシャルワークにおける社会資源とは、利用者等の問題解決やニーズを満たすために用いる、人的資源・物的資源・制度等の総称をいう。

Q484
☑ ☑
保育士は、子どもや保護者が抱える問題やニーズを代弁（アドボカシー）して支援していくことが求められている。

Q485
☑ ☑
利用者のストレングスを把握することができれば、利用者の抱えている問題状況を把握しないで支援計画を立案することができる。

A477　○　支援が必要な状態であるが適切な支援を受けていない利用者等、[地域社会に潜在するケース]を発見するのはアウトリーチの役割である。

A478　○　WHO の健康の定義には「身体だけではなく、[精神面、社会面]も含めた健康」とある。

A479　×　アセスメントは利用者の持つ[ストレングス]に注目して支援を行うことも重要になる。

A480　×　設問は、[ソーシャルアクション]の説明である。[ネットワーキング]は、関係機関、専門職、住民と問題の解決に向けて、情報交換、学習、地域活動を通して相互の役割や違いを認め、既存の制度や組織の制約を超えて、多様的かつ多元的な価値観や関係性をつくりあげていくことをいう。

A481　○　運営適正化委員会には[福祉サービス利用者の苦情などを適切に解決し利用者の権利を擁護する]目的があるため、虐待を申し立てることができる。

A482　○　支援目標は現時点の問題解決だけでなく、[将来の生活]なども視野に入れた支援を検討することも必要である。

A483　○　[社会資源]とは、利用者のニーズを充足するために活用することのできる人・物・制度などの総称であり、フォーマル、インフォーマルな資源がある。

A484　○　「保育所保育指針」第 1 章「総則」「保育所の社会的責任」のウに「保護者の苦情などに対し、[その解決を図る]よう努めなければならない」と記載してある。

A485　×　基本的に、利用者の抱えている問題状況を把握することから[支援計画]の立案は進められる。

Q486
☑ ☑
「保育所保育指針解説」では、保育士等は援助の内容によって、ソーシャルワークやカウンセリング等の知識や技術を援用することが有効であるとされている。

Q487
☑ ☑
相談援助（ソーシャルワーク）は、心理療法を行うカウンセリングと混同されてはならないが、カウンセリングは相談援助の一環として活用されることがある。

Q488
☑ ☑
フォーマルな社会資源には、家族、親戚、知人、近隣住民、ボランティアがある。

Q489
☑ ☑
相談援助の展開過程の中の「ケースの発見」では、ケースの発見の契機は、直接の来談、電話での受付、メールによる相談、訪問相談等、様々である。

4　利用者保護にかかわる仕組み

Q490
☑ ☑
ソーシャル・インクルージョンとは、国民に対して最低限度の生活を保障すること（最低生活保障）である。

Q491
☑ ☑
都道府県社会福祉協議会に設置されている運営適正化委員会には、福祉サービスに関する苦情を適切に解決するため、当該苦情に係る事情を調査する権限や改善命令、業務停止命令等が付与されている。

A486 〇 保育所保育指針解説で「内容によっては、それらの知識や技術に加えて、[ソーシャルワークやカウンセリング等の知識や技術を援用] することが有効なケースもある」と示されている。

A487 〇 相談援助の1つの技術として、[カウンセリングマインドやカウンセリングスキル]を有することは必要である。

A488 ✕ フォーマルな社会資源には、[行政や社会福祉法人]によって提供されるサービス等がある。

A489 〇 ケースの発見の契機は、相談者が直接相談に来るだけでなく、電話受付、メール相談受付、訪問相談など様々である。

A490 ✕ ソーシャル・インクルージョンについて、厚生労働省は「全ての人々を孤独や孤立、排除や摩擦から援護し、[健康で文化的な生活] の実現につなげるよう、[社会の構成員] として包み支え合う」と示している。設問は [ナショナルミニマム]の説明である。

A491 ✕ [社会福祉法] では、[運営適正化委員会] は苦情の解決に当たり、苦情に係る福祉サービスの利用者の処遇につき不当な行為があると認める時は、[都道府県知事] に対し、その旨を [通知]しなければならないとされている。事情の調査を行うことはできるが、改善命令や業務停止命令等の権限はない。

Q492 児童福祉法に定められている児童福祉施設は、行政機関による監査制度と同様に第三者評価機関からの評価を受けることが義務付けられている。
☑ ☑

Q493 運営適正化委員会は、福祉サービス利用援助事業の適正な運営を確保するとともに、福祉サービスに関する利用者等からの苦情を適切に解決するために設置するものである。
☑ ☑

Q494 福祉サービス等の情報提供では、「障害者の日常生活及び社会生活を総合的に支援するための法律」においては、視聴覚障害者に対する情報提供の施設として、視聴覚障害者情報提供施設が定められている。
☑ ☑

Q495 苦情解決の仕組みの構築は、社会福祉法、児童福祉施設の設備及び運営に関する基準に規定されたことによる取り組みである。
☑ ☑

Q496 「社会福祉法」に基づき、福祉サービスに関する苦情の解決等を行う機関として、都道府県社会福祉協議会に運営適正化委員会が設置されている。
☑ ☑

Q497 福祉サービス第三者評価では、保育所は、第三者評価の受審が義務付けられている。
☑ ☑

Q498 障害児入所施設の職員による入所児童に対する虐待の禁止について、「障害者虐待の防止、障害者の養護者に対する支援等に関する法律」に規定されている。
☑ ☑

🐱 **ポイント** 社会的養護関係施設

[乳児院]、[児童養護施設]、[児童自立支援施設]、[児童心理治療施設]、[母子生活支援施設] の5つの児童福祉施設が該当する。これらでは、3年に1回の [第三者評価事業] の受審が義務付けられている。

4
社会福祉

A492 × 「児童福祉施設の設備及び運営に関する基準」で [乳児院]、[母子生活支援施設]、[児童養護施設]、[児童心理治療施設] 及び [児童自立支援施設]、[里親支援センター] において [第三者評価] の実施が義務付けられている。しかし、すべての児童福祉施設に第三者評価が義務となっているわけではない。

. . . .

A493 ○ 社会福祉法第 83 条に「[都道府県社会福祉協議会] に、人格が高潔であって、社会福祉に関する識見を有し、かつ、社会福祉、法律又は医療に関し学識経験を有する者で構成される [運営適正化委員会] を置くものとする。」と規定されている。

. . . .

A494 × 視聴覚障害者情報提供施設は [身体障害者福祉法] において定められている。

. . . .

A495 ○ [社会福祉法] 第 82 条で利用者等からの [苦情] への対応が示されている。また、[児童福祉施設の設備及び運営に関する基準] 第 14 条の 3 で児童福祉施設は、保護者等からの [苦情] に迅速かつ適切に対応措置を講じなければならないと示されている。

. . . .

A496 ○ 都道府県社会福祉協議会が設置している [福祉サービス運営適正化委員会] と連携をとり効果的な解決を図る。

. . . .

A497 × 保育所の第三者評価は、[児童福祉施設の設備及び運営に関する基準] (第 36 条の 2 第 2 項) で [努力義務] となっている。

. . . .

A498 × 児童福祉法 (第 33 条の 10 〜 17) に [被措置児童等虐待の防止] に関する規定がある。

Q499

☑ ☑

利用契約を結ぶことが困難な利用者への配慮や対等な関係を形成する仕組みが必要とされるようになり、社会福祉法の中に利用者を保護する制度が整備された。

Q500

☑ ☑

福祉サービス第三者評価の所轄庁は、法務省である。

Q501

☑ ☑

法定後見制度および任意後見制度は、それぞれ「民法」に基づいている。

Q502

☑ ☑

「配偶者からの暴力の防止及び被害者の保護等に関する法律」は、地域で被害者を支援するための配偶者暴力相談支援センターの業務を児童相談所で実施するよう各市町村に義務付けている。

Q503

☑ ☑

日常生活自立支援事業（福祉サービス利用援助事業）の適正な運営の確保と利用者等からの苦情を適切に解決するため、市町村社会福祉協議会に運営適正化委員会が設置されている。

Q504

☑ ☑

「社会福祉法」では、社会福祉事業の経営者に対して、福祉サービスの利用者が、適切かつ円滑に福祉サービスを利用することができるように、その経営する社会福祉事業に関する情報の提供を行うよう努めなければならないと定めている。

Q505

☑ ☑

成年後見制度は、それまでの「禁治産・準禁治産制度」にかわり、2000（平成12）年4月から新たに施行されたものである。

A499 ○ 福祉サービスが利用契約制となったことで、高齢者や障害者などの権利を守り、人権が侵害されないように、社会福祉法の中に、[権利擁護]事業や[日常生活自立支援事業]が整備された。

A500 × 福祉サービスの第三者評価の所轄庁は[厚生労働省]である。福祉サービスの質の評価については、[社会福祉法第78条]に示されている。

A501 × 法定後見は民法が根拠法であるが、任意後見は[任意後見契約法]が根拠法である。

A502 × [配偶者からの暴力の防止及び被害者の保護等に関する法律](DV防止法)第3条では、都道府県が設置する[女性相談支援センター]その他の適切な施設において、[配偶者暴力相談支援センター]の機能を果たすものと示されている。児童相談所で実施するものではない。

A503 × [運営適正化委員会]は社会福祉法第83条に定められ、[都道府県]社会福祉協議会に置くこととなっている。市町村社会福祉協議会ではない。なお、[日常生活自立支援事業]の実施主体は[都道府県・指定都市]の社会福祉協議会である。窓口業務などは市町村の社会福祉協議会で実施している。

A504 ○ 社会福祉法第75条に「経営する社会福祉事業に関し情報の提供を行うよう[努めなければならない]」と示されている。

A505 ○ 禁治産・準禁治産制度が廃止され、成年後見制度は、1999（平成11）年に[民法]が改正され、[2000（平成12）年]に施行された。

Q506 苦情解決体制として、「社会福祉事業の経営者による福祉サービスに関する苦情解決の仕組みの指針について」（厚生労働省）では、苦情解決責任者及び苦情受付担当者、並びに第三者委員を示している。

Q507 福祉サービス利用援助事業（日常生活自立支援事業）の実施主体は、市町村社会福祉協議会に限られる。

Q508 「児童福祉施設の設備及び運営に関する基準」では、母子生活支援施設における自己評価の実施は、努力義務である。

Q509 運営適正化委員会は、利用者等からの苦情の申出に対して相談や助言、事情調査等を行うことになっている。

Q510 保育所の第三者評価事業は、全国社会福祉協議会が設置した福祉サービスの質の向上推進委員会（以前の評価基準等委員会）が策定した保育所版福祉サービス第三者評価基準ガイドラインに基づき都道府県や第三者評価機関で工夫を加えながら実施している。

Q511 福祉サービスの評価として、児童心理治療施設は、３か年度毎に１回、第三者評価を受審しなければならない。

😺 ポイント 社会福祉施設の苦情解決体制

苦情解決体制として、［苦情解決］責任者、［苦情受付］担当者、［第三者委員］が必要となる。
なお、第三者委員は家族や利用者でない者、サービス提供者ではない者（地域の民生委員等）を経営者の責任において選出する。

A506 ○ 設問の通り苦情解決体制として、「社会福祉事業の経営者による福祉サービスに関する苦情解決の仕組みの指針について」（厚生労働省）に示されている。

. . . .

A507 × 福祉サービス利用援助事業（日常生活自立支援事業）の実施主体は、[都道府県・指定都市社会福祉協議会] である。

. . . .

A508 × 母子生活支援施設における [自己評価] 及び [第三者評価] は義務である。児童福祉施設の設備及び運営に関する基準第29条の3に示されている。

. . . .

A509 ○ 社会福祉法第85条で「運営適正化委員会は、福祉サービスに関する苦情について解決の申出があつたときは、その相談に応じ、申出人に [必要な助言] をし、当該苦情に係る事情を [調査] するものとする」と示されている。

. . . .

A510 ○ 第三者評価共通評価基準ガイドライン（保育所解説版）では、[福祉サービスの基本方針と組織]、[組織の運営管理]、[適切な福祉サービスの実施] という視点から評価されている。

. . . .

A511 ○ [児童福祉施設の設備及び運営に関する基準] で自己評価及び第三者評価の実施義務が課せられている。

4
社会福祉

Q512
☑ ☑ 福祉サービスにおける苦情解決では、苦情の申し出は、福祉サービス利用者が都道府県や運営適正化委員会に直接行うことはできない。

. . . .

Q513
☑ ☑ 「社会福祉法」に定める、運営適正化委員会では、苦情に係る福祉サービスの利用者の処遇についての不当な行為が行われているおそれがある場合は、市町村長にその旨を通知する。

. . . .

Q514
☑ ☑ アカウンタビリティとは、福祉サービスに関して、サービス提供者や国、地方公共団体等が、利用者あるいは国民に対して説明する責任をいう。

. . . .

Q515
☑ ☑ 警察は、配偶者暴力相談支援センターの機能を担う。

. . . .

Q516
☑ ☑ 児童福祉施設の職員による入所児童に対する虐待の禁止について、「児童虐待の防止等に関する法律」に規定されている。

5 社会福祉の動向と課題

Q517
☑ ☑ 「2023年国民生活基礎調査の概況」(厚生労働省)では、2023(令和5)年の65歳以上の者のいる世帯を世帯構造別にみると、夫婦のみの世帯より単独世帯の方が多い。

. . . .

Q518
☑ ☑ 市町村社会福祉協議会の財源は、市町村の補助金のみで賄われている。

A512 × 社会福祉法第85条で運営適正化委員会は、福祉サービスに関する苦情について解決の申出があった時は、その相談に応じる、と規定されている。

・・・・・・・・・・・・・・・・・・・・・・・・・・・・・・・・・・・・・

A513 × ［運営適正化委員会］は苦情に係る福祉サービスの利用者の処遇について不当な行為が行われている場合は、市町村長ではなく都道府県知事に通知することになっている。

・・・・・・・・・・・・・・・・・・・・・・・・・・・・・・・・・・・・・

A514 ○ 福祉サービス利用者あるいは国民に対する説明責任をいう。福祉サービスは措置から利用契約へと転換してきた。これにより、利用者との契約に際しては、適切な説明が必要であり、［事業者と利用者が合意］した上でのサービス契約を締結する必要がある。

・・・・・・・・・・・・・・・・・・・・・・・・・・・・・・・・・・・・・

A515 × 配偶者暴力相談支援センターの機能は［女性相談支援センター］（2024（令和6）年3月まで婦人相談所）が担っている。

・・・・・・・・・・・・・・・・・・・・・・・・・・・・・・・・・・・・・

A516 × 児童福祉法（第33条の10～17）に［被措置児童等虐待の防止］に関する規定がある。

A517 × 世帯構造別にみた65歳以上の者のいる世帯では、［夫婦のみの世帯］が863万5千世帯（65歳以上の者のいる世帯の32.0%）、［単独世帯］が855万3千世帯（同31.7%）であり、［夫婦のみの世帯］の方が多い。

・・・・・・・・・・・・・・・・・・・・・・・・・・・・・・・・・・・・・

A518 × 市町村社会福祉協議会の財源は、市町村の補助金の他に、［地域住民からの会費］、［個人や企業等の寄付金］といった民間財源、共同募金の配分金などある。

Q519 ☑ ☑ 保健・医療・福祉等の統合による地域ネットワークでは、社会福祉専門職の従事者のみで、地域のボランティア活動の担い手や家族、友人、地域住民は含まれていない。

Q520 ☑ ☑ 「福祉活動専門員」は、市町村社会福祉協議会に置くものとされている。

Q521 ☑ ☑ 「令和6年版男女共同参画白書」（2024（令和6）年 内閣府）では、雇用者の共働き世帯数は専業主婦世帯数の約3倍となっている。

Q522 ☑ ☑ 共同募金の実施主体としては、各都道府県に都道府県共同募金会が置かれ、募金の実施、目標額や配分計画等の策定、配分先や額の決定を行っている。

Q523 ☑ ☑ 社会福祉協議会は、地域の人々が住み慣れたまちで安心して生活することのできる「福祉のまちづくり」の実現を目指した様々な活動を行っている。

Q524 ☑ ☑ 厚生労働省の国民生活基礎調査の概要（2023（令和5）年）によると、2023（令和5）年の世帯構造は、「夫婦と未婚の子のみの世帯」は約5割と最も多い。

😺 **ポイント** 地域包括支援センター

2005（平成17）年の介護保険法改正により制定された。設置目的は、地域住民の［心身の健康の保持］及び［生活の安定のため必要な援助］を行うことであり、高齢者介護において中心的な役割を担っている。設置主体は市町村または市町村から委託を受けた社会福祉法人、NPO法人など市町村が適当と認めた法人である。

A519 ✕ 地域ネットワークは、社会福祉専門職だけでなく、インフォーマルな［ボランティア］や［地域住民］が含まれている。

....

A520 ○ 福祉活動専門員は、［市町村社会福祉協議会］に在籍し、地域福祉活動を専門的に行う。

....

A521 ○ 設問の通り、2023（令和5）年では、「雇用者の共働き世帯」は1,206万世帯、「男性雇用者と無業の妻から成る世帯」は404万世帯となり、共働き世帯数が専業主婦世帯数の約［3］倍となっている。

....

A522 ○ 社会福祉法第113条［共同募金会］の設置、同法115条［配分委員会］の設置などが規定されている。それにより、募金の実施、配分計画等の策定が行われている。

....

A523 ○ 設問の通り、全国社会福祉協議会のホームページに示されている。なお、全国社会福祉協議会、都道府県社会福祉協議会、市区町村社会福祉協議会、それぞれの役割がある。

....

A524 ✕ 最も多いのは［単独世帯］で1,849万5千世帯（全世帯の34.0％）であった。次いで、［夫婦と未婚の子のみの世帯］が1,351万6千世帯（全世帯の24.8％）であった。

Q525 社会福祉法では、市町村には市町村地域福祉計画の、また、都道府県には都道府県地域福祉支援計画の策定が規定されている。

☑ ☑

Q526 共同募金による寄附金の公正な配分を行うために、共同募金会に配分委員会が置かれている。

☑ ☑

Q527 福祉サービスの実施権限は市町村に委譲されつつあり、住民に身近な市町村を中心として計画的な福祉行政の推進が図られている。

☑ ☑

Q528 地域住民は、地域福祉の推進者として法律の中で規定されているが、ボランティア活動を行う者はその推進者として想定されていない。

☑ ☑

Q529 民生委員・児童委員は、厚生労働大臣の委嘱による民間奉仕者であり、地域社会の福祉を増進することや児童福祉の推進などを目的として市町村の区域に置かれている。

☑ ☑

Q530 「保育所保育指針」の中で、保育所には、業務として地域の子育て家庭への支援に積極的に取り組むことが求められており、地域福祉推進の役割を担うものとされている。

☑ ☑

Q531 国際生活機能分類（ICF）では、教育分野での活用は想定していない。

☑ ☑

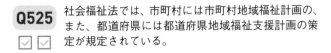 ポイント　ICF（国際生活機能分類）

支援対象者等の生活機能や障害に関する状況を理解するためのもので、2001（平成13）年にWHOによって、国際障害分類（ICIDH）の改訂版として採択された。

A525 ○ ［市町村］地域福祉計画は社会福祉法第107条
で、同法108条では、［都道府県］地域福祉支
援計画の規定が示されている。

. . . .

A526 ○ ［社会福祉法115条］に「寄附金の公正な配分
に資するため、共同募金会に配分委員会を置
く。」と規定されている。

. . . .

A527 ○ 福祉サービスは、［市町村］に委譲されつつあ
り、地域住民がより身近な地域でサービスが受
けられるようになってきている。

. . . .

A528 × 社会福祉協議会の役割の一つとして［ボラン
ティア活動］の推進がある。つまり、ボラン
ティアは［地域福祉］の推進に大きな力を発揮
しているといえる。

. . . .

A529 ○ ［民生委員法］第5条で、民生委員は、都道府
県知事の推薦によって、厚生労働大臣がこれを
委嘱すると示されている。［地域社会の福祉］
を増進することや［児童福祉］の推進などを目
的として市町村の区域に置かれている。また、
児童福祉法によって同時に［児童委員］を兼ね
ることになっている。

. . . .

A530 ○ 保育所保育指針には、保育所には、［地域の子
育て家庭］に対する支援等を行う役割を担う、
と示されている。

. . . .

A531 × 教育分野においても［ICF］の考え方が重要と
なる。日本では、［特別支援学校学習指導要領
解説］でICFについて障害のとらえ方と自立活
動について、教育活動の指導において十分考慮
することが求められると示されている。

4

社会福祉

Q532
☑ ☑ 子育てと仕事に関する調査では、児童のいる世帯のうち母が仕事をしているのは、2023（令和5）年の時点で約3割の世帯である。

Q533
☑ ☑ 子育て世帯の支援の施策の1つとして、子育て支援を強化するために、福祉事務所に子育て支援員の配置が進んでいる。

Q534
☑ ☑ 子育て支援の専門職として、保育所に家庭支援専門相談員を配置しなければならない。

Q535
☑ ☑ 地域福祉の推進では、2011（平成23）年6月に「障害者自立支援法（現・障害者の日常生活及び社会生活を総合的に支援するための法律）」が改正され、2012（平成24）年4月から、地域包括ケアシステムの実現に向けた取り組みが進められることになった。

Q536
☑ ☑ 地域包括ケアシステムの充実に向けた取り組みとして、地域住民に認知症に対する正しい理解を促すため、認知症サポーターを養成し、認知症の人を地域で支える体制をつくる。

Q537
☑ ☑ 「2023（令和5）年国民生活基礎調査の概況」（令和6年7月5日厚生労働省）における2023（令和5）年の状況では、児童のいる世帯のうち、核家族世帯は8割以上を占めている。

Q538
☑ ☑ 毎年12月に実施される「歳末たすけあい運動」は、共同募金の一環として行われている。

Q539
☑ ☑ 「2023（令和5）年国民生活基礎調査の概況」（令和6年7月5日厚生労働省）における2023（令和5）年の状況では、65歳以上の者のいる世帯では、夫婦のみの世帯よりも、三世代世帯が多い。

| A532 | × | 「2023年国民生活基礎調査の概況」によると、児童のいる世帯のうち母が仕事をしているのは[77.8%]で上昇傾向である。 |

| A533 | × | [子育て支援員]は福祉事務所ではなく、保育所や小規模保育事業所、家庭的保育事業等に配置することができる。 |

| A534 | × | 保育所には[家庭支援専門相談員]の配置義務はない。 |

| A535 | × | 地域包括ケアシステムは、高齢者の[尊厳]の保持と[自立生活]の支援の目的のもとで、可能な限り[住み慣れた地域]で、[自分らしい暮らし]を人生の最期まで続けることができるよう、地域の包括的な支援・サービス提供体制（地域包括ケアシステム）の構築を推進している。介護保険法改正によって取り組みが進められている。 |

| A536 | ○ | 認知症高齢者の増加が見込まれることから、認知症高齢者の地域での生活を支えるためにも、[認知症サポーターの養成]などの地域包括ケアシステムの構築が進められている。 |

| A537 | ○ | 「2023（令和5）年国民生活基礎調査の概況」（令和6年7月5日厚生労働省）では、世帯構造別児童のいる世帯数をみると、核家族世帯（割合）は[82.4%]となっている。 |

| A538 | ○ | [歳末たすけあい運動]は、福祉の援助や支援を必要とする人たちが地域で安心して暮らすことができるよう、様々な福祉活動を歳末の時期に重点的に行うための募金運動である。 |

| A539 | × | 「2023（令和5）年国民生活基礎調査の概況」（令和6年7月5日厚生労働省）では、65歳以上の者のいる世帯では、夫婦のみの世帯は32.0%、三世代世帯は7.0%で、[夫婦のみの世帯]のほうが多い。 |

合否を分ける一問に挑戦！

Q540
☑ ☑
日本の社会福祉の基本的な考え方として、社会福祉における相談援助は、福祉サービスを必要とする人と社会資源を結びつける役割を果たす。

Q541
☑ ☑
生活保護の最低生活基準を意味するばかりでなく、国家がすべての国民の最低限の生活を保障すべきであるという理念を示すのが、ナショナルミニマムである。

Q542
☑ ☑
生活困窮者自立支援制度のうち、自立相談支援事業の実施主体は、福祉事務所の設置自治体の直営のみとされており、民間団体への委託は禁止されている。

Q543
☑ ☑
家庭支援・子育て支援においては、親子と地域社会との関係を構築するという視点は、現状の地域社会における人間関係の希薄化現象を考えると、不要である。

Q544
☑ ☑
「生活保護法」第11条で定めている保護の種類は、生活扶助、教育扶助、住宅扶助、医療扶助、介護扶助、出産扶助、生業扶助、葬祭扶助の8つがある。

Q545
☑ ☑
「社会福祉法」は、社会福祉を目的とする事業の全分野における共通的基本事項、社会福祉事業の定義や社会福祉に関する具体的な事項等を定めた法律である。

Q546
☑ ☑
母子生活支援施設のその根拠となる法律は母子及び父子並びに寡婦福祉法である。

Q547
☑ ☑
社会福祉施策である「幼児に対する保健指導」の根拠となる法律は母子保健法である。

A540　O　相談援助の役割と機能として、[社会資源] の
活用があり、利用者と [社会資源] を繋ぐ役割
がある。

A541　O　日本におけるナショナルミニマムの意味は、
[憲法] 第25条「すべて国民は、[健康] で文
化的な [最低限度] の生活を営む権利を有する」
に依拠している。

A542　×　福祉事務所設置自治体が直営または [委託] に
より [自立相談支援事業] を実施する。

A543　×　家庭支援・子育て支援においては、[親子と地
域社会との関係] を構築するという視点が重要
である。

A544　O　生活保護法第11条で保護の種類として、[生活
扶助]、[教育扶助]、[住宅扶助]、[医療扶助]、
[介護扶助]、[出産扶助]、[生業扶助]、[葬祭
扶助] の8つが示されている。

A545　O　日本の社会福祉の中心となる法律であり、わが
国の [福祉サービスの基本理念や原則]、[社会
福祉事業の範囲]、社会福祉の実施体制・組織
について規定している。

A546　×　母子生活支援施設は、児童福祉法第7条で定め
る [児童福祉施設] である。同法第38条で「配
偶者のない女子又はこれに準ずる事情にある女
子及びその者の監護すべき児童を入所させて、
これらの者を保護する」と説明されている。

A547　O　幼児に対する保健指導は [母子保健法] を根拠
法としている。同法第1条で「この法律は、…
（中略）…母性並びに乳児及び幼児に対する保
健指導、健康診査、医療その他の措置を講じ、
もつて国民保健の向上に寄与することを目的と
する」と示されている。

Q548 特定非営利活動法人（NPO法人）は、原則として第一種社会福祉事業の経営主体にはなれない。

Q549 社会福祉の歴史では、イギリスのCOS（慈善組織協会）の創設は、都市に急増した貧困者、浮浪者等に対する慈善の濫救、漏救を防ぎ、効率的に慈善を行う意図があった。

Q550 児童福祉施設は、児童の保護者及び地域社会に対して、その運営の内容を適切に説明するよう努めなければならない。

Q551 健康保険の保険給付には、療養の給付、訪問看護療養費、出産育児一時金等がある。

Q552 子どもへの虐待が疑われたので、保護者の了解を得ずに児童相談所に通告した。

Q553 介護保険の介護給付におけるサービスには、訪問介護、居宅療養管理指導、訪問入浴介護、訪問リハビリテーション等がある。

Q554 相談援助者は、判断能力が不十分な状態にある地域住民を発見したときは、本人の生活、療養看護及び財産の管理に関する事務を自ら行う。

A548 ○ 社会福祉法第60条に示されている。[第一種社会福祉事業]は利用者への影響が大きいため、経営安定を通じた利用者の保護の必要性が高いとされ、経営主体は原則、[国、地方公共団体または社会福祉法人]となる。

A549 ○ 1869年、ロンドンに慈善団体の連絡・調整、協力、貧民の救済を目的に[慈善組織協会（COS：Charity Organization Society）]が設立され救済の適正化が図られた。背景には、都市に急増した貧困者、浮浪者等に対する濫救、漏救を防ぎ、効率的に慈善を行う意図があった。

A550 ○ 社会福祉法で、[情報提供が努力義務]と規定されている。

A551 ○ 健康保険の保険給付には、[療養の給付]、[訪問看護療養費]、出産育児一時金等がある。

A552 ○ [児童虐待の防止等に関する法律]第6条では「児童虐待を受けたと思われる児童を発見した者は、速やかに、これを[市町村]、都道府県の設置する[福祉事務所]若しくは[児童相談所]又は[児童委員]を介して市町村、都道府県の設置する福祉事務所若しくは児童相談所に通告しなければならない」と示されている。虐待が確定してからではないこと、通報に保護者の了解がいらない場合があることをおさえておきたい。

A553 ○ 介護保険の介護給付におけるサービスには、[訪問介護]、[居宅療養管理指導]、訪問入浴介護、訪問リハビリテーション等がある。

A554 × 生活、療養・看護及び財産の管理は関係機関と[連絡、調整]し互いに連携することが望ましい。

Q555 ケアマネジメントとは、利用者に対して、効果的・効率的なサービスや社会資源を組み合わせて計画を策定し、それらを利用者に紹介や仲介するとともに、サービスを提供する機関などと調整を行い、さらにそれらのサービスが有効に機能しているかを継続的に評価する等の一連のプロセス及びシステムである。

Q556 相談援助に際しての原則としては、バイステック (Biestek, F.P.) の7つの原則が重要である。

Q557 アセスメントは、プランニングのための重要な過程であるため、ケースによってはモニタリング等を通して何度も繰り返し行われる。

Q558 利用者のADL（日常生活動作）の自立度や認知的能力は、ストレングスとして評価する。

Q559 日本の社会福祉の歴史的事柄として、「救護法」（1929（昭和4）年）では、保護の対象を13歳以下の幼者のみと規定した。

Q560 「子ども・子育て支援法」第2条に、子どもの意見の尊重に関して規定されている。

Q561 「生活保護法」による保護施設は、救護施設、更生施設、医療保護施設、母子生活支援施設、児童自立支援施設の5つである。

Q562 相談援助の展開として、エバリュエーションでは、援助・支援のためのプログラムを作成する。

A555 ○ ケアマネジメントは、設問の通り、利用者の生活上のニーズを充足させるために、適切な社会資源（制度・人・サービスなど）と繋ぐなどの支援の総体である。

. . . .

A556 ○ 相談援助では、バイステックの7つの原則は重要である。

. . . .

A557 ○ ［アセスメント］は、利用者の問題を明らかにするために具体的な情報を把握する作業であり、ケースによっては何度も繰り返し行われる。［プランニング］は、アセスメントで整理された情報をもとに、利用者の問題解決に向けて［援助計画（プランニング）］の具体的な方法や目標設定をする作業である。

. . . .

A558 ○ 利用者の［ADL］の自立度等はストレングスとして評価できる。

. . . .

A559 × 救護法では、救護の対象を13歳以下の幼者、［65歳以上の老衰者］、［妊産婦］、［身体・精神］などの障害があり業務遂行が困難な者とした。

. . . .

A560 × 子ども・子育て支援法には［子どもの意見の尊重］に関する規定はない。［児童福祉法］の第2条に規定されている。

. . . .

A561 × 「生活保護法」第38条第1項で、保護施設の種類は「一　救護施設　二　更生施設　三　医療保護施設　［四　授産施設］［五　宿所提供施設］」と示されている。

. . . .

A562 × 設問の相談援助のプログラム作成は［プランニング］である。［エバリュエーション（事後評価）］は援助によって利用者の生活問題や課題が解決されたかを判断する過程のことである。

Q563 児童養護施設は、第三者評価の受審が義務付けられている。

Q564 民生委員の任期は5年である。

Q565 総務省の人口推計（2024年2月1日現在）によると、日本の総人口は、2005（平成17）年に戦後初めて前年を下回り、2011（平成23）年以降は継続して減少を続けている。

Q566 生活保護を受給している父子家庭は、母子加算を受けることができない。

Q567 育児のための短時間勤務制度を導入している事業所の割合は、2022（令和4）年の時点で9割以上である。

Q568 成年後見制度を利用する際に申し立てができるのは、本人と配偶者、四親等以内の親族に限られる。

Q569 高齢者虐待の種別は、身体的虐待、介護等放棄、心理的虐待、性的虐待の4つである。

A563 ○ 児童養護施設の第三者評価は、［児童福祉施設の設備及び運営に関する基準（第45条の3）］で義務となっている。

A564 × 民生委員の［任期は3年］である（民生委員法第10条）。

A565 ○ 総人口は1億2410万5千人で、前年に比べて52万6千人（0.42％）の減少と［13年連続で減少している］。

A566 × ひとり親家庭への支援であるため［父子家庭］も加算対象である。

A567 × 短時間勤務制度を導入している事業所の割合は［71.6％］となっている。

A568 × 成年後見制度の申し立ては本人、配偶者、四親等以内の親族、［市区町村長］、［検察官］、成年後見人などである。

A569 × 高齢者虐待は、身体的虐待、介護等放棄（ネグレクト）、心理的虐待、性的虐待、と［経済的虐待］も含まれ［5つ］である。

5 教育原理

出る！出る！

要点チェックポイント

教育原理に関する法律

「日本国憲法」

【第26条】［すべて国民］は、法律の定めるところにより、その能力に応じて、ひとしく［教育］を受ける権利を有する。

2　［すべて国民］は、法律の定めるところにより、その［保護する子女］に普通教育を受けさせる［義務］を負ふ。義務教育は、これを［無償］とする。

「教育基本法」

【前文】　我々日本国民は、たゆまぬ努力によって築いてきた民主的で文化的な国家を更に発展させるとともに、［世界の平和］と［人類の福祉の向上］に貢献することを願うものである。

　我々は、この理想を実現するため、［個人の尊厳］を重んじ、真理と正義を希求し、［公共の精神］を尊び、豊かな人間性と創造性を備えた人間の育成を期するとともに、［伝統］を継承し、［新しい文化の創造］を目指す教育を推進する。

【第1条】　教育は、［人格の完成］を目指し、［平和で民主的］な国家及び社会の形成者として必要な資質を備えた心身ともに［健康な国民の育成］を期して行われなければならない。

【第2条】　教育は、その目的を実現するため、［学問の自由］を尊重しつつ、次に掲げる目標を達成するよう行われるものとする。

1　幅広い知識と教養を身に付け、真理を求める態度を養い、豊かな情操と道徳心を培うとともに、健やかな身体を養うこと。

2　個人の価値を尊重して、その能力を伸ばし、創造性を培い、自主及び自律の精神を養うとともに、職業及び生活との関連を重視し、勤労を重んずる態度を養うこと。

3　正義と責任、男女の平等、自他の敬愛と協力を重んずるとともに、公共の精神に基づき、主体的に社会の形成に参画し、その発展に寄与する態度を養うこと。

4 生命を尊び、自然を大切にし、環境の保全に寄与する態度を養うこと。

5 伝統と文化を尊重し、それらをはぐくんできた我が国と郷土を愛するとともに、他国を尊重し、国際社会の平和と発展に寄与する態度を養うこと。

【第3条】 国民一人一人が、自己の人格を磨き、豊かな人生を送ることができるよう、その [生涯] にわたって、[あらゆる機会] に、[あらゆる場所] において学習することができ、その成果を適切に生かすことのできる社会の実現が図られなければならない。

「学校教育法」

【第1条】 この法律で、学校とは、[幼稚園]、[小学校]、[中学校]、[義務教育学校]、[高等学校]、[中等教育学校]、[特別支援学校]、[大学]及び [高等専門学校] とする。

【第22条】 幼稚園は、[義務教育及びその後の教育の基礎を培う] ものとして、幼児を保育し、幼児の健やかな成長のために適当な環境を与えて、その心身の発達を助長することを目的とする。

【第23条】 幼稚園における教育は、前条に規定する目的を実現するため、次に掲げる目標を達成するよう行われるものとする。

1 健康、安全で幸福な生活のために必要な基本的な習慣を養い、身体諸機能の調和的発達を図ること。

2 集団生活を通じて、喜んでこれに参加する態度を養うとともに家族や身近な人への信頼感を深め、自主、自律及び協同の精神並びに規範意識の芽生えを養うこと。

3 身近な社会生活、生命及び自然に対する興味を養い、それらに対する正しい理解と態度及び思考力の芽生えを養うこと。

4 日常の会話や、絵本、童話等に親しむことを通じて、言葉の使い方を正しく導くとともに、相手の話を理解しようとする態度を養うこと。

5 音楽、身体による表現、造形等に親しむことを通じて、豊かな感性と表現力の芽生えを養うこと。

教育の思想と歴史的変遷

人物名	暗記すべき主な著作等
[貝原益軒 （かいばらえきけん）]	『和俗童子訓 （わぞくどうしくん）』『養生訓 （ようじょうくん）』
[城戸幡太郎 （きどまんたろう）]	『幼児教育論』『生活技術と教育文化』
[倉橋惣三 （くらはしそうぞう）]	『幼稚園雑草』
[鈴木三重吉 （みえきち）]	『赤い鳥』
[森有礼 （もりありのり）]	初代文部大臣
[コメニウス]	『大教授学』『世界図絵』
[ルソー]	『エミール』
[ペスタロッチ]	『隠者の夕暮』『リーンハルトとゲルトルート』
[オーエン]	性格形成学院
[フレーベル]	『人間の教育』
[モンテッソーリ]	『モンテッソーリ・メソッド』

 教育の実践

人物名	教育方法
[ブルーナー]	発見学習
[スキナー]	プログラム学習
[キルパトリック]	プロジェクト・メソッド
[ソクラテス]	産婆術
[コメニウス]	直観教授
[ヘルバルト]	四段階教授法
[デューイ]	問題解決学習
[モリソン]	モリソン・プラン

ポイント④ 生涯学習社会における教育

年	事項
1965（昭和40）年	ユネスコ成人教育推進国際会議で、[ポール・ラングラン] が「生涯教育論」を提唱
1973（昭和48）年	OECD がリカレント教育を提唱
1981（昭和56）年	中央教育審議会答申 [生涯教育について]
1990（平成2）年	中央教育審議会答申「生涯学習の基盤整備について」
	「生涯学習の振興のための施策の推進体制等の整備に関する法律」（生涯学習振興法）制定
	文部省に「生涯学習審議会」が発足
1992（平成4）年	生涯学習審議会答申「今後の社会の動向に対応した生涯学習の振興方策について」
1996（平成8）年	生涯学習審議会答申「地域における生涯学習機会の充実方策について」
1998（平成10）年	生涯学習審議会答申「社会の変化に対応した今後の社会教育の在り方について」
1999（平成11）年	生涯学習審議会答申「学習の成果を幅広く生かす〜生涯学習の成果を生かすための方策について〜」
	生涯学習審議会答申「生活体験・自然体験が日本の子どもの心をはぐくむ」
2000（平成12）年	生涯学習審議会答申「新しい情報通信技術を活用した生涯学習の推進方策について」
2006（平成18）年	[教育基本法] に [生涯学習の理念] が盛り込まれる
2008（平成20）年	中央教育審議会答申「新しい時代を切り開く生涯学習の振興方策について〜知の循環型社会の構築を目指して〜」

1 教育の意義・目的、子ども福祉等との関連性

Q570
☑ ☑
「日本国憲法」において「すべて国民は、健康で文化的な最低限度の生活を営む権利を有する」と定められている。

Q571
☑ ☑
「日本国憲法」において、「すべて国民は、法律の定めるところにより、その能力に応じて、ひとしく教育を受ける権利を有する」と定められている。

Q572
☑ ☑
「日本国憲法」第26条で、すべての国民には「その保護する子女に義務教育を受けさせる義務を負ふ」ことが定められている。

Q573
☑ ☑
「日本国憲法」において「すべて国民は、ひとしく、その能力に応じた教育を受ける機会を与えられなければならず、人種、信条、性別、社会的身分、経済的地位又は門地によって、教育上差別されない」と定められている。

Q574
☑ ☑
「教育基本法」において、「教育は、人格の完成を目指し、平和で民主的な国家及び社会人として必要な資質を備えた心身ともに健康な国民の育成を期して行われなければならない」と定められている。

Q575
☑ ☑
「教育基本法」において、「幅広い知識と教養を身に付け、真理を求める態度を養い、豊かな情操と感性を培うとともに、健やかな身体を養うこと」が定められている。

Q576
☑ ☑
「教育基本法」において、「国及び地方公共団体は、障害のある者が、その障害の状態に応じ、十分な教育を受けられるよう、教育上必要な対策を講じなければならない」と定められている。

Q577
☑ ☑
「教育基本法」において、「学校を設置しようとする者は、学校の種類に応じ、文部科学大臣の定める設備、編制その他に関する設置基準に従い、これを設置しなければならない」と定められている。

A570 ○ 「日本国憲法」第25条の条文である。

A571 ○ 「日本国憲法」第26条の条文である。

A572 × 「義務教育」ではなく、「その保護する子女に[普通教育]を受けさせる義務」を負っている。関連して、[教育基本法]第5条（義務教育）があるので併せて確認しておきたい。

A573 × 「日本国憲法」ではなく、正しくは[教育基本法]第4条（教育の機会均等）において定められている。

A574 × 「社会人として」ではなく「[社会の形成者]として」である。[教育基本法]第1条（教育の目的）の条文である。

A575 × 「教育基本法」第2条（教育の目標）第1号である。「豊かな情操と感性」ではなく、正しくは[豊かな情操と道徳心]である。

A576 × 「教育上必要な対策」ではなく、「教育上必要な[支援]」が正しい。「教育基本法」第4条（教育の機会均等）第2項の条文である。

A577 × 「教育基本法」ではなく、「学校教育法」第3条の条文である。

Q578
☑ ☑
「教育基本法」において、「教育は、政治の圧力に服することなく、この法律及び他の法律の定めるところにより行われるべきものであり、教育行政は、国と地方公共団体との適切な役割分担及び相互の協力の下、公正かつ適正に行われなければならない」と定められている。

Q579
☑ ☑
「教育基本法」において、「幼児期の教育は、生涯にわたる人間形成の基礎を培う重要なものであることにかんがみ、国及び地方公共団体は、幼児の健やかな成長に資する良好な環境の整備その他適当な方法によって、その振興に努めなければならない」と定められている。

Q580
☑ ☑
「学校教育法」第1条で定められている「学校」とは、幼稚園、小学校、中学校、高等学校、各種学校、特別支援学校、大学及び高等専門学校である。

Q581
☑ ☑
「学校教育法」第11条において、「校長及び教員は、教育上必要があると認めるときは、文部科学大臣の定めるところにより、児童、生徒及び学生に制裁を加えることができる。ただし、差別的行為を加えることはできない」と定められている。

Q582
☑ ☑
「学校教育法」において、「幼稚園においては、第22条に規定する目的を実現するための保育を行うほか、（中略）保護者及び地域住民その他の関係者からの相談に応じ、必要な情報の提供及び助言を行うなど、家庭及び地域における幼児期の教育の発展に努めるものとする」と定められている。

Q583
☑ ☑
「世界人権宣言」において、「戦争は人の心の中で生まれるものであるから、人の心の中に平和のとりでを築かなければならない」と述べられている。

Q584
☑ ☑
「日常の会話や、絵本、童話等に親しむことを通じて、言葉の使い方を正しく導くとともに、相手の話を理解しようとする態度を養うこと」は、「児童の権利に関する条約」第29条に教育の目的として示されている。

A578　✕　「教育基本法」第16条（教育行政）である。「政治の圧力に服することなく」ではなく、正しくは「[不当な支配]に服することなく」である。

・・・・・・・・・・・・・・・・・・・・・・・・・・・・・・・・・・・・・

A579　✕　「人間形成の基礎」ではなく、「[人格形成]の基礎」が正しい。「教育基本法」第11条（幼児期の教育）の条文である。

・・・・・・・・・・・・・・・・・・・・・・・・・・・・・・・・・・・・・

A580　✕　「各種学校」ではなく、正しくは[中等教育学校]である。また、これらに加えて[義務教育学校]がある。「学校教育法」第1条で定められている学校は「一条校」と呼ばれ、短期大学は大学に含まれる。

・・・・・・・・・・・・・・・・・・・・・・・・・・・・・・・・・・・・・

A581　✕　正しくは、「学校教育法」第11条において、[懲戒]を加えることはできるが、[体罰]を加えることはできない、と定められている。関連して、[どのような行為が「体罰」に該当するのか]確認しておこう。

・・・・・・・・・・・・・・・・・・・・・・・・・・・・・・・・・・・・・

A582　✕　「学校教育法」第24条（家庭・地域への教育支援）である。「第22条に規定する目的を実現するための保育」ではなく「第22条に規定する目的を実現するための[教育]」、また「幼児期の教育の発展に努めるもの」ではなく「幼児期の教育の[支援]に努めるもの」がそれぞれ正しい。

・・・・・・・・・・・・・・・・・・・・・・・・・・・・・・・・・・・・・

A583　✕　「世界人権宣言」ではなく、正しくは[国際連合教育科学文化機関憲章（ユネスコ憲章）]である。ユネスコは、教育・科学・文化等の活動を通じて世界平和を実現するために1946（昭和21）年に設立され、本部はパリにあり、日本は1951（昭和26）年に加盟した。

・・・・・・・・・・・・・・・・・・・・・・・・・・・・・・・・・・・・・

A584　✕　「児童の権利に関する条約」ではなく、[学校教育法]第3章（幼稚園）の第23条第4号の条文である。

5

教育原理

193

Q585

☑ ☑

「児童憲章」において、「すべての児童は、家庭で、正しい愛着形成と知識と技術をもつて育てられ、家庭に恵まれない児童には、これにかわる支援の場が与えられる」と述べられている。

2 教育の思想と歴史的変遷

Q586

☑ ☑

澤柳政太郎は、東京女子高等師範学校教授等を兼任し、「幼児のさながらの生活」（子ども達の日常生活）を重要視する「誘導保育」を提供した人物である。

Q587

☑ ☑

コメニウスは、スイスに生まれ、子どもと大人の本質的な差異を認め、「子どもの発見者」といわれる。『エミール』の著者で、人間の本来の性は善であるが、伝統、歴史、社会、政治などにより悪くなっていくと主張した人物である。

Q588

☑ ☑

プロタゴラスは、自らをソフィストとはみなさず、むしろ自分の無知を自覚する者とした。対話を通して善・徳の探求をするその方法は、問答法とも助産術（産婆術）ともいわれる。

Q589

☑ ☑

ユダヤ系ポーランド人で、「子どもの権利の大憲章」に示された精神は「児童の権利条約」の内容に深く影響を与えた。「児童の権利条約の精神的な父」とも呼ばれている。この人物は、エレン・ケイ（Key, E.）である。

Q590

☑ ☑

日本において最も早く体系的ともいえる教育論をまとめた儒学者である。ロック（Locke, J.）とほぼ同時代の人であり、「小児の教は早くすべし」と、早い時期からの善行の習慣形成の必要性を主張した。この人物は、荻生徂徠である。

A585　×　「児童憲章」において、「すべての児童は、家庭
で、正しい［愛情］と知識と技術をもつて育て
られ、家庭に恵まれない児童には、これにかわ
る［環境］が与えられる」と述べられている。

A586　×　澤柳政太郎ではなく、［倉橋惣三］が正しい。
倉橋は、東京女子高等師範学校附属幼稚園主事
等も兼任し、現在の保育所保育指針の原型とな
る［保育要領］の作成に関与した人物である。
澤柳については、A592 を参照のこと。

A587　×　コメニウスではなく［ルソー］が正しい。［ル
ソー］は、近代的な児童観に基づいた教育論を確
立した人物であり（［子どもの発見者］）、主著に
『エミール』（1762 年）がある。人間の本性は
［善］であると考え、それが社会のゆがみや文化
の退廃によって次第に蝕まれていくと考えた。

A588　×　これはプロタゴラスではなく、［ソクラテス］であ
る。ソクラテスは、ギリシャの哲学者で自らを［無
知を自覚する者（無知の知）］であるとした。一方、
プロタゴラスはギリシャの代表的なソフィストで、
［人間は万物の尺度である］という言葉を残した。

A589　×　設問文は、［コルチャック］についての説明であ
る。コルチャックは、ポーランドの医師・作家で
あり、「児童の権利条約」に大きな影響を与えた
人物である。エレン・ケイは、日本の［婦人運動］
に大きな影響を及ぼした人物で、主著として『児
童の世紀』『恋愛と結婚』『婦人運動』などがある。

A590　×　設問文は、［貝原益軒］についての説明である。
貝原益軒は、『和俗童子訓』や『養生訓』が有
名である。荻生徂徠は、江戸時代の儒学者であ
り、主著として『弁名』『弁道』などがある。

Q591 小原國芳は、能役者、謡曲作家、『風姿花伝』において年齢段階の特質に応じた心や稽古のあり方を説いた人物である。

Q592 鈴木とく著『戦中保育私記』において「保育教材を科学的に選び配列するようにおっしゃって、保育を科学的にと力説なさっておられたのは、保育問題研究会始まって以来の事だったのに、それもわかっていなかった」として登場するのは、澤柳政太郎である。

Q593 1872（明治5）年の「学制」に代わる教育に関する基本法制として、1879（明治12）年に「教育令」が制定された。

Q594 ルソーは、「知的観点においては、基礎陶冶の理念は、その教育原則を『生活が陶冶する』という全く同じ言葉で言うことができる」と述べた。

Q595 「教育ニ関スル勅語」（教育勅語）では、「必ず邑に不学の戸なく、家に不学の人ならかしめん事を期す」ことが述べられていた。

Q596 1886（明治19）年に小学校令・中学校令・帝国大学令・師範学校令を公布して近代学校制度の基礎を定めた人物は、森有礼である。

A591 × 小原國芳ではなく、正しくは [世阿弥] である。小原國芳は、[玉川学園の創始者] であり、『全人教育論』により労作教育を取り入れた人物である。

- -

A592 × 澤柳政太郎ではなく [城戸幡太郎] が正しい。[城戸幡太郎] は、日本における集団主義保育の理論的主導者であり、1936（昭和 11）年に [保育問題研究会] を結成し、研究者と保育者との協同による実践的研究を推進した人物である。[澤柳政太郎] は明治期・大正期の文部省（現：文部科学省）官僚であり、1911（明治 44）年には東北帝国大学初代総長として初めて女性に入学を許可し、大正期には [成城小学校] を創設し大正新教育運動に影響を与えた人物である。

- -

A593 〇 1879（明治 12）年の [教育令] では、[学区制] を廃止し、町村に人民公選による [学務委員] を置き、公立学校の教育課程を地域の実情に即して学務委員と教員が定めるなど、大きな転換が進められた。

- -

A594 × ルソーではなく [ペスタロッチ] が正しい。[ペスタロッチ] は、ルソーの思想を継承したスイスの教育思想家であり、[生活が陶冶する] という名言で知られている。主著に [隠者の夕暮] （1780 年）がある。

- -

A595 × 「教育ニ関スル勅語」ではなく、正しくは 1872（明治 5）年の [学制（学制序文、学事奨励ニ関スル被仰出書）] 中の文言である。

- -

A596 〇 [森有礼] は、1886（明治 19）年に「小学校令」「中学校令」「帝国大学令」「師範学校令」を公布し、特に「順良」「信愛」「威重」の三気質による [師範教育]（現代の教員養成）に重点を置いた人物で、伊藤博文内閣の文部大臣（初代）に就任した人物である。

Q597

☑ ☑

わが国においても1876（明治9）年に、東京女子師範学校に附属幼稚園が設置されると同時に恩物が導入され、保育に用いられた。

Q598

☑ ☑

藩校の教師は「師匠」などと呼ばれ、生徒は「寺子」などと呼ばれた。教育内容は、読み・書き・算術の基礎教育で、教科書は往来物などが用いられた。指導方法は、手習という個別指導が主流であったとされている。

Q599

☑ ☑

江戸時代の教育機関の一つとして、寺子屋（読み書き算の基礎教育、手習いという個別指導）があった。代表的な寺子屋としては、伊勢の鈴屋や大阪の適塾がよく知られている。

Q600

☑ ☑

日本の教育について年代の古い順に並べると、「森有礼が初代文部大臣に就任」→「学制」頒布→「国民学校令」公布、という順番になる。

Q601

☑ ☑

日本の教育について年代の古い順に並べると、「小学校令」公布→「大日本帝国憲法」発布→文部省設置という順番になる。

Q602

☑ ☑

戦後日本の教育について年代の古い順に並べると、「臨時教育審議会」設置→「教育基本法」制定→「教育刷新委員会」設置という順番になる。

A597 〇 フレーベルが考案した［恩物］は、日本で最初の幼稚園である［東京女子師範学校附属幼稚園］で初めて導入され、［関信三］により「仏や父母から恩賜により賜った物」という仏教的な意味合いで翻訳され「恩物」と呼ばれた。

· ·

A598 ✕ 藩校ではなく、［寺子屋］に関する説明文である。藩校とは、各藩が設立し藩士養成を行った学校で、代表的なものとしては［会津藩の日新館、水戸藩の弘道館、萩藩の明倫館］などがある。

· ·

A599 ✕ 設問文は［私塾］の説明である。代表的な私塾としては、広瀬淡窓の［咸宜園］、緒方洪庵の［適塾］、吉田松陰の［松下村塾］、本居宣長の［鈴屋］などがある。

· ·

A600 ✕ ［学制］が頒布されたのは 1872（明治 5）年。［森有礼］が初代文部大臣に就任したのは 1885（明治 18）年。［国民学校令］が公布されたのは 1941（昭和 16）年である。

· ·

A601 ✕ ［文部省］が設置されたのが 1871（明治 4）年。［小学校令］が公布されたのが 1886（明治 19）年。［「大日本帝国憲法」が発布］されたのが 1889（明治 22）年である。

· ·

A602 ✕ ［教育刷新委員会］が設置されたのが 1946（昭和 21）年。［教育基本法］が制定されたのが 1947（昭和 22）年。［臨時教育審議会］が設置されたのが 1984（昭和 59）年である。

5

教育原理

3 教育の制度

Q603
☑ ☑
文部科学省は、2015（平成27）年3月に告示した「学習指導要領」（一部改正）において、「道徳」を新たに「特別の教科 道徳」へと教科化した。

. . . .

Q604
☑ ☑
「特別の教科 道徳」では、児童の学習状況や道徳性について成長の様子を継続的に把握して指導に生かすよう努め、評価は他の教科等と同様に数値化されることとなった。

. . . .

Q605
☑ ☑
「保育所保育指針」において、「保育所内外の様々な情報に関わる中で、遊びや生活に必要な知識を取り入れ、知識に基づいて判断したり、知識を伝え合ったり、活用したりするなど、知識を役立てながら活動するようになる」ことが述べられている。

. . . .

Q606
☑ ☑
「幼保連携型認定こども園教育・保育要領」において、「1日の教育課程に係る教育時間は、8時間を標準とする。ただし、園児の心身の発達の程度や季節などに適切に配慮するものとする」とされている。

. . . .

Q607
☑ ☑
特別支援学校は、視覚障害者、聴覚障害者、言語障害者、肢体不自由者又は病弱者（身体虚弱者を含む）を対象にしている。

A603 ○ 2015（平成27）年7月には、[文部科学省]から「小学校学習指導要領解説 特別の教科 道徳」（同じく中学校編も）が出され、検定を経た教科書を使用し、小学校では2018（平成30）年度から、中学校は2019（平成31／令和元）年度から新学習指導要領を反映した授業が開始された。

- -

A604 × これまでと同様に、「道徳科において養うべき道徳性は、[人格]の全体に関わるものであり、[数値]などによって不用意に評価してはならない」（小学校学習指導要領解説・平成27年7月）とされており、評価は数値によるものではなく、[記述式]（相対評価ではなく[個人内評価]）で行うこととされている。

- -

A605 × 「保育所保育指針」第1章「総則」4「幼児教育を行う施設として共有すべき事項」（2）「幼児期の終わりまでに育ってほしい姿」において、「保育所内外の様々な[環境]に関わる中で、遊びや生活に必要な[情報]を取り入れ、[情報]に基づいて判断したり、[情報]を伝え合ったり、活用したりするなど、[情報]を役立てながら活動するようになる」ことが述べられている。

- -

A606 × 「幼保連携型認定こども園教育・保育要領」において、「1日の教育課程に係る教育時間は、[4時間を標準]とする。ただし、園児の心身の発達の程度や季節などに適切に配慮するものとする」とされている。

- -

A607 × 「学校教育法」第72条には、「特別支援学校は、[視覚]障害者、[聴覚]障害者、[知的]障害者、[肢体不自由者]又は[病弱者（身体虚弱者を含む)]」を対象とすると定められている。

Q608 ☑ ☑ 「小学校学習指導要領」において、「小学校においては、（中略）教育指導を行うに当たり、児童の体験的な学習活動、特にボランティア活動など社会奉仕体験活動、自然体験活動その他の体験活動の充実に努めるものとする」と述べられている。

Q609 ☑ ☑ 「学習指導要領」は、内閣総理大臣によって示される教育課程の国家的基準である。

Q610 ☑ ☑ 「教育基本法」第1条（教育の目的）において、「すべて国民は法律の定めるところにより、その能力に応じて、ひとしく教育を受ける権利を有する」と定められている。

Q611 ☑ ☑ 「幼稚園教育要領」において、「幼児期の教育は、生涯にわたる人格形成の基礎を培う重要なものであり、幼稚園教育は、学校教育法に規定する目的及び目標を達成するため、幼児期の特性を踏まえ、環境を通して行うものであることを基本とする」と述べられている。

Q612 ☑ ☑ 「学校教育法」において、「幼稚園は、義務教育及びその後の教育の基礎を培うものとして、幼児を保育し、幼児の健やかな成長のために適当な環境を与えて、その心身の発達を助長することを目的とする」と定められている。

Q613 ☑ ☑ 「学校教育法」において、「幼稚園においては、第22条に規定する目的を実現するための教育を行うほか、幼児期の教育に関する各般の問題につき、保護者及び地域住民その他の関係者からの相談に応じ、必要な環境の提供及び支援を行うなど、家庭及び地域における幼児期の教育の支援に努めるものとする」と定められている。

Q614 ☑ ☑ フィンランドの就学前教育は、3～4歳児を中心に幼稚園やプレイセンター、0～4歳児を対象とする多様な就学前教育機関において提供されている。

A608　×　「小学校学習指導要領」ではなく、[学校教育法] 第31条の条文である。

....

A609　×　「学習指導要領」は、[文部科学大臣]によって 告示される教育課程の国家的基準を示したもの である。

....

A610　×　「教育基本法」ではなく、正しくは[日本国憲法] 第26条（教育を受ける権利）である。関連し て、「教育基本法」[第4条（教育の機会均等)] を確認しておこう。

....

A611　○　「幼稚園教育要領」の「第1章　総則」のうち、 冒頭部分の「第1　幼稚園教育の基本」である。

....

A612　○　「学校教育法」第22条（幼稚園の目的）である。 この目的を実現するために、「学校教育法」[第 23条（幼稚園教育の目標)]において[5つの 目標]が掲げられている。

....

A613　×　「学校教育法」第24条（家庭・地域への教育支 援）である。「必要な環境の提供及び支援を行 う」ではなく、正しくは「必要な[情報の提供 及び助言]を行う」とされている。

....

A614　×　フィンランドではなく、[ニュージーランド] の就学前教育制度の記述である。なお、ニュー ジーランドの就学前教育カリキュラムは[テ ファリキ]と呼ばれ、子どもの主体性を大切に し、自発的な行動をサポートすることに重点が 置かれている。

Q615

☑ ☑

「幼稚園教育要領」において、「これからの幼稚園には、学校教育の始まりとして、こうした教育の目的及び目標の達成を目指しつつ、一人一人の幼児が、将来、自分のよさや可能性を認識するとともに、あらゆる他者を価値のある存在として尊重し、多様な人々と協働しながら様々な社会的変化を乗り越え、豊かな人生を切り拓き、持続可能な社会の創り手となることができるようにするための基礎を培うことが求められる」と述べられている。

Q616

☑ ☑

「幼稚園教育要領」において、「幼稚園の運営に当たっては、子育ての支援のために保護者や地域の人々に機能や施設を開放して、園内体制の整備や関係機関との連携及び協力に配慮しつつ、幼児期の教育に関する相談に応じたり、情報を提供したり、幼児と保護者との登園を受け入れたり、保護者同士の交流の機会を提供したりするなど、幼稚園と地域社会が一体となって幼児と関わる取組を進め、地域における幼児期の教育のセンターとしての役割を果たすよう努めるものとする。その際、心理や保健の専門家、地域の子育て経験者等と連携・協働しながら取り組むよう配慮するものとする」と述べられている。

Q617

☑ ☑

「幼稚園教育要領」第1章「総則」第4「指導計画の作成と幼児理解に基づいた評価」の一部として、「言語に関する能力の発達と思考力等の発達が関連していることを踏まえ、幼稚園生活全体を通して、より高度な言語環境を整え、小学校教育との円滑な接続を見据えた言語活動の促進を図ること」が掲げられている。

A615　○　「幼稚園教育要領」の前文の一部である。2017（平成29）年度に改訂された新しい「幼稚園教育要領」では、[保育所保育指針] や [幼保連携型認定こども園教育・保育要領]、さらには小学校および中学校の [学習指導要領] と同時に改訂が行われており、[小学校等との連続性] が強く意識されるようになった。

A616　×　「幼稚園教育要領」、第3章「教育課程に係る教育時間の終了後等に行う教育活動などの留意事項」の一部である。「幼稚園と地域社会が一体となって幼児と関わる取組を進め」ではなく、正しくは「[幼稚園と家庭が一体となって] 幼児と関わる取組を進め」ることが求められている。

A617　×　「幼稚園教育要領」第1章「総則」第4の「3 指導計画の作成上の留意事項」(3)において、「より高度な言語環境を整え、小学校教育との円滑な接続を見据えた言語活動の促進を図る」ではなく、「[幼児の発達を踏まえた] 言語環境を整え、言語活動の [充実] を図ること」と述べられている。

5

教育原理

😺 ポイント　「学校教育法」改訂のポイント

1998（平成10）年　[中等教育学校]（中・高一貫教育）の導入

2001（平成13）年　高校から大学への [飛び入学制度] や [社会奉仕活動] の導入

2002（平成14）年　専門職大学院制度の創設、[第三者評価制度] の導入

2006（平成18）年　[特別支援教育] の推進

2016（平成28）年　[義務教育学校]（小・中一貫教育）の導入

Q618
☑ ☑ 「幼稚園教育要領」第1章「総則」第1「幼稚園教育の基本」では、「教師は、幼児との人間関係を十分に築き、幼児が身近な環境に積極的に関わり、環境との関わり方や意味に気付き、これらを取り込もうとして、試行錯誤したり、考えたりするようになる幼児期の教育における見方・考え方を生かし、家庭や地域と共によりよい教育環境を創造するように努めるものとする」と述べられている。

4 教育の実践

Q619
☑ ☑ 発見学習は、スキナー（Skinner, B.F.）の動物実験に基づく学習理論に基づいて体系化されたもので、学習成立の過程を心理学的に明らかにし、その効率を高めようとするものである。

. . . .

Q620
☑ ☑ プロジェクト・メソッドは、デューイ（Dewey, J.）の後継者の一人であったキルパトリック（Kilpatrick, W.H.）によって提唱されたもので、問題解決学習の一種と考えられる。

. . . .

Q621
☑ ☑ プロジェクト・メソッドは学習内容を系統化し、学習者が各ステップを踏みながら確実に目標に到達できるように計画された教授学習の方法である

. . . .

Q622
☑ ☑ 潜在的カリキュラムとは、学ぶ内容をそれぞれの分野に分けて系統的に教えるような編成をしたカリキュラムを指す。

A618　×　「幼稚園教育要領」第1章「総則」第1「幼稚園教育の基本」では、「教師は、幼児との［信頼関係］を十分に築き、幼児が身近な環境に［主体的］に関わり、環境との関わり方や意味に気付き、これらを取り込もうとして、試行錯誤したり、考えたりするようになる幼児期の教育における見方・考え方を生かし、［幼児と共に］よりよい教育環境を創造するように努めるものとする」と述べられている。

A619　×　発見学習を提唱したのはスキナーではなく、［ブルーナー］である。スキナーは、［プログラム学習］を提唱した人物の一人である。

A620　○　［プロジェクト・メソッド］は、1918年に［キルパトリック］によって提唱された。キルパトリックは、アメリカの教育学者であり、デューイの弟子であり、後継者でもある。

A621　×　設問文は、［プログラム学習］を説明した文章である。プロジェクト・メソッドは、子ども達の興味や必要性を重視し、農作業や工作などの［共同作業］を通じて、目的達成のプロセスとそれに必要な知識や技術などを学ぶことを目標とする学習方法である。

A622　×　潜在的カリキュラムではなく、［教科カリキュラム］である。教科カリキュラムでは、さまざまな分野において身につけさせたいものがバランスよく配置でき、［系統的に教えることができる］ため、効率的に多くを学ぶことができるが、［子どもの興味関心とのズレが生じやすい］とされている。

Q623
☑ ☑

「幼稚園教育要領」第1章「総則」において、「教育課程の実施に必要な人的又は物的な体制を確保するとともにその改善を図っていくことなどを通して、教育課程に基づき組織的かつ計画的に各幼稚園の教育活動の質の向上を図っていくこと（以下「アプローチ・カリキュラム」という。）に努めるものとする」と述べられている。

- -

Q624
☑ ☑

プログラム学習は、パブロフの動物実験に基づく学習理論に基づいて体系化されたものである。

- -

Q625
☑ ☑

ドルトン・プランは、パーカーストによって開発されたプランである。

- -

Q626
☑ ☑

デューイは、事物による教育を提唱し、絵入教科書「世界図絵」を作成した。

- -

Q627
☑ ☑

ヘルバルトは、「為すことによって学ぶ（learning by doing）」ことの重要性を説き、子ども達が経験を通して学習することを提唱した人物である。

- -

Q628
☑ ☑

幼稚園における学校評価の形態として、自己評価、学校関係者評価、第三者評価の3つが考えられる。

- -

Q629
☑ ☑

小学校において、教師が「授業中に泣いている男児に対して、「男なのだから泣くのはやめなさい」と言って注意した」のは、潜在的カリキュラムとしてジェンダー・バイアスを助長する恐れがあると考えられる。

A623 ✕ ［アプローチ・カリキュラム］ではなく［カリキュラム・マネジメント］である。［アプローチ・カリキュラム］とは、幼児教育から小学校教育への接続期のカリキュラムを指す。就学前の幼児がスムーズに小学校での生活や学習活動に取り組むことができるように工夫された5歳児のカリキュラムであり、小学校入学後は［スタートカリキュラム］を実施することとされている。

....

A624 ✕ プログラム学習は、パブロフではなく［スキナー］の動物実験に基づいて体系化されたものである。パブロフは、犬の実験を通して［条件反射］を発見した人物である。

....

A625 ○ ドルトン・プランとは、パーカーストにより提唱され、「自由」と「協同」を原理とする個別の学習方法である。わが国では、［澤柳政太郎］による［成城学園］における教育実践で注目を集めた。

....

A626 ✕ デューイではなく、正しくは［コメニウス］である。コメニウスは、具体的な事物を感覚を通して観察させることにより認識をさせる［直観教授法］を提唱した人物である。

....

A627 ✕ ヘルバルトではなく、正しくは［デューイ］である。デューイは、学習者自らの生活経験から問題を発見し、実践的に解決する作業を通して知識を習得していく［問題解決学習］を提唱した人物である。

....

A628 ○ 文部科学省「幼稚園における学校評価ガイドライン（平成23年改訂版）」によれば、学校評価の形態は、［自己評価、学校関係者評価、第三者評価］の3つとされている。

....

A629 ○ ［ジェンダー・バイアス］とは、「男はこうあるべきだ」「女はこうあるべきだ」のように男女の役割について［固定的な観念］をもつことや、性差に対して［差別や偏見］をもつことを指す言葉。

Q630
☑ ☑
経験カリキュラムでは、学習者の活動や体験を中心としながら学びを進めていくように編成されている。

Q631
☑ ☑
モンテッソーリは、イタリア初の女性医学博士で、子どもは自ら発達する力を持っているという考えに基づき、幼児期には精神的発達の基礎として「感覚の訓練」が特に重要であるという観点から教具を開発した。

Q632
☑ ☑
ブルーナーは、形成的評価を組み込んだ完全習得学習（マスタリー・ラーニング）という授業モデルを提唱した。

Q633
☑ ☑
絶対評価とは、教育の目標に対してその個人がどこまで達成することができたかを示す評価方法である。

Q634
☑ ☑
ポートフォリオ評価とは、様々な知識やスキルを総合して活用することを求めるような複雑な課題を評価するのに適した評価方法である。

---

5 生涯学習社会における教育の現状と課題

Q635
☑ ☑
フランスの思想家、教育学者。1965 年にユネスコがパリで開催した第 3 回成人教育推進国際委員会の席上、「生涯教育」の構想を提案した。彼の考えは、ユネスコ本部の基本構想の一つとして採り上げられるようになり、かつ世界にも急速に広まっていった。この人物は、シュタイナー（Steiner, R.）である。

A630　○　経験カリキュラムは、生活カリキュラムや活動カリキュラムとも呼ばれる。経験主義の立場で［子ども達の興味・欲求］から出発し、問題を解決していくことで生活経験を積み重ねていく。

A631　○　マリア・モンテッソーリは、1907年にローマのスラム街に設立された「子どもの家」の指導を引き受けた女性医師であり、思想家。その実践報告が『モンテッソーリ・メソッド』（1912年）であり、その他には『子どもの発見』（1948年）がある。

A632　×　ブルーナーではなく、正しくは［ブルーム］である。ブルームは、アメリカの教育心理学者、評価論の研究者であり、教育目標の分類学に基づく［完全習得学習］を提唱した人物である。

A633　○　設問文は絶対評価の内容として正しい。なお、［相対評価］とは、児童や生徒などの集団の中で、その個人がどのような位置にあるのかを示す評価方法で、教員側は評価をつけやすいが、子どもの努力が必ずしも評価されないと指摘されている。

A634　×　ポートフォリオ評価ではなく、正しくは［パフォーマンス評価］である。ポートフォリオ評価とは、子ども達の学習記録や作品、作文などを作成した時間的経過に合わせてファイルなどに整理したものを評価に利用する方法である。

A635　×　設問文は、［ラングラン］の説明である。1965年パリで開催されたユネスコ・世界成人教育推進委員会で、彼が lifelong integrated education を提案したことから生涯学習の概念が広まった。シュタイナーは、人智学及びそれに基づく［シュタイナー教育］の創始者である。

5 教育原理

Q636 ☑ ☑
PISA (Programme for International Student Assessment) とは、ユネスコが 2000 年より始めた国際的な学習到達度調査であり、日本では小学校4年生を対象に実施されている。

. . . .

Q637 ☑ ☑
令和4年版文部科学省「児童生徒の問題行動・不登校等生徒指導上の諸課題に関する調査」によると、いじめの認知件数は高等学校1年生が最も多い。

. . . .

Q638 ☑ ☑
校内暴力は、1960 ～ 1970 年代が最も多く、近年では減少傾向にある。

. . . .

Q639 ☑ ☑
中央教育審議会答申「幼稚園、小学校、中学校、高等学校及び特別支援学校の学習指導要領等の改善及び必要な方策等について」(平成 28 年 12 月) において、教育課程を各学校が編成し、それを実施・評価し改善していくことが求められており、それがいわゆる「カリキュラム・デザイン」であると述べられている。

. . . .

Q640 ☑ ☑
不登校の児童生徒数は、年々減少する傾向にある。

A636 ✕ PISAとは、[OECD]が実施している国際的な学習到達度調査であり、日本では国立教育政策研究所が調査を実施している。PISA調査では、[15歳児（高等学校1年生）]を対象に、読解力、数学的リテラシー、科学的リテラシーの3分野について、3年ごとに本調査が実施されている。

A637 ✕ 高等学校1年生ではなく、[小学校2年生]が最も多い。いじめの認知件数は、小学生や中学生に比べて高校生の方が[少ない傾向]にある。

A638 ✕ [校内での暴力行為]は、1980年代は年間2,000件程度であったがその後[増加]傾向にあり、減少傾向にない。学校種別でみると[小学校]が最も多く、2022（令和4）年度に6万1,455件となっている。

A639 ✕ [カリキュラム・デザイン]ではなく、[カリキュラム・マネジメント]である。[カリキュラム・デザイン]とは、教育実践の主体である教師が教材の試行錯誤や子ども達などとの対話を絶えず繰り返しながら、教育における学びやカリキュラムを創造することを指す。

A640 ✕ 不登校児は、1990年代に中学校を中心に増加し、2000年代は[減少]傾向で推移していたが、2013（平成25）年頃からは特に小学校で[増加]傾向にある。

Q641

☑ ☑

2019（令和元）年12月、文部科学省は1人1台端末及び高速大容量の通信ネットワークを一体的に整備し、多様な子ども等を誰一人取り残すことのない、公正に個別最適化された学びを全国の学校現場で持続的に実現させるという「GIGAスクール構想」を立ち上げた。

- -

Q642

☑ ☑

文部科学省「学校における「いじめ防止」「早期発見」「いじめに対する措置」のポイント」（平成25年）において、いじめを早期発見するために、学校の設置者等と連携してSNS等の検閲を実施し、ネット上のトラブルの早期発見に努めることが述べられている。

- -

Q643

☑ ☑

不登校とは、「何らかの心理的、情緒的、身体的あるいは社会的要因・背景により、児童生徒が登校しないあるいはしたくともできない状況にあること」と定義されている。

- -

Q644

☑ ☑

ESD（持続可能な開発のための教育）では、一人ひとりが社会の一員として、人間・社会・環境・経済の共生をめざし、生産・消費や創造・活用のバランス感覚を持つことが求められている。

- -

Q645

☑ ☑

「いじめ防止対策推進法」では、「この法律は、いじめが、いじめを受けた児童等の教育を受ける権利を著しく侵害し、その心身の健全な成長及び人格の形成に重大な影響を与えるのみならず、その生命又は身体に重大な危険を生じさせるおそれがあるものであることに鑑み、児童等の尊厳を保持するため、いじめの防止等のための対策に関し、基本理念を定め（以下略）」と定められている。

A641 ○ 関連して、2021（令和3）年に中央教育審議会は「[[『令和の日本型学校教育』の構築を目指して]～全ての子供たちの可能性を引き出す、個別最適な学びと、協働的な学びの実現～」（答申）を出し、①[個別最適な学び]、②[協働的な学び]を一体的に実施することにより、[主体的・対話的で深い学び]（新学習指導要領）の実現が目指されている。

A642 × SNS等の検閲ではなく、[学校ネットパトロール]（学校非公式サイト、ブログ等に誹謗中傷の書き込みなどがあり、ネット上のいじめが起きていないかをチェックし、学校等へ情報の提供をする取り組み）によっていじめの早期発見に努めることとされている。

A643 ○ 1996（平成8）年度までは「病気」「経済的理由」「学校ぎらい」「その他」の4区分で「学校基本調査」が行われていたが、1997（平成9）年度より「学校ぎらい」を理由に30日以上欠席した児童生徒が10万人を超えたため、「学校ぎらい」を[不登校]へと名称を変更した。

A644 ○ [ESD（持続可能な開発のための教育、Education for Sustainable Development)]とは、現代社会における課題（環境、貧困、人権、平和、開発など）を[自らの問題]として捉え、身近なところから取り組むことによって課題の解決につながる新しい価値観や行動を生み出すことにより、持続可能な社会を創造していくことをめざす学習や活動を指す。

A645 ○ 設問文に関連した出来事として、2010（平成22）年『生徒指導提要』の刊行（約30年ぶりの改訂）、2011（平成23）年のいじめによる自殺事件（大津市）、2013（平成25）年[いじめ防止対策推進法]制定などがある。

Q646

☑ ☑

「教育振興基本計画」（平成 30 年、閣議決定）において、「地域の多様な関係者（学校、教育委員会、大学、企業、NPO、社会教育施設など）の協働によるリカレント教育の実践を促進するとともに、学際的な取組などを通じて SDGs（持続可能な開発目標）の達成に資するようなリカレント教育の深化を図る」ことが述べられている。

- - - - - - - - - -

Q647

☑ ☑

中央教育審議会答申「『令和の日本型学校教育』の構築を目指して」（令和 3 年）では、「みんなと同じことができる」「言われたことを言われたとおりにできる」というように、均質な労働力の育成が現代社会の要請として、これからの学校教育に求められている。

- - - - - - - - - -

Q648

☑ ☑

リスク・マネジメントとは、「教育内容の質の向上に向けて、子供たちの姿や地域の現状等に関する調査や各種データ等に基づき、教育課程を編成し、実施し、評価して改善を図る」一連のサイクルを指す。

- - - - - - - - - -

Q649

☑ ☑

中教審答申「今後の学校におけるキャリア教育・職業教育の在り方について」（平成 23 年）では、「幼児期の教育から高等教育まで体系的にキャリア教育を進めること。その中心として、基礎的・実用的能力を確実に育成するとともに、社会・職業との関連を重視し、実践的・体験的な活動を充実すること」が示された。

A646 ✕ リカレント教育ではなく、[ESD]（持続可能な開発のための教育）である。関連して、[SDGsの 17 の目標]の内容についても確認しよう。

A647 ✕ 同答申では、「みんなと同じことができる」「言われたことを言われたとおりにできる」上質で均質な労働力の育成が、[高度経済成長期までの社会の要請]によって学校教育に求められてきたことを[批判的]に捉えている。従来の教育は、「正解（知識）の暗記」の比重が大きくなり、他者と協同し、自ら考え抜く学びが不十分だったと指摘している。

A648 ✕ リスク・マネジメントではなく、正しくは[カリキュラム・マネジメント（PDCA サイクル）]である。PDCA サイクルとは、教育課程の[計画（Plan）→実施（Do）→評価（Check）→改善（Action）]の頭文字をとったもので、企業等で業務の効率化を目指す方法の一つとして使用されていた。

A649 ✕ 「基礎的・実用的能力」ではなく、正しくは「基礎的・汎用的能力」の育成が求められている。なお、「基礎的・汎用的能力」の具体的な内容は、「人間関係形成・社会形成能力」「自己理解・自己管理能力」「課題対応能力」「キャリアプランニング能力」である。

Q650

☑ ☑

「児童の権利に関する条約」において、「締約国は、自己の意見を形成する能力のある児童がその児童に影響を及ぼすすべての事項について自由に自己の意見を表明する権利を確保する。この場合において、児童の意見は、その児童の年齢及び性別に従って相応に考慮されるものとする」と定められている。

Q651

☑ ☑

「児童権利宣言」において、「すべての人間は、生まれながらにして自由であり、かつ尊厳と権利とについて平等である。人間は、理性と良心とを授けられており、互いに同胞の精神をもって行動しなければならない」と述べられている。

Q652

☑ ☑

「教育基本法」において、「政府は、教育の振興に関する施策の総合的かつ計画的な推進を図るため、教育の振興に関する施策についての基本的な方針及び講ずべき施策その他必要な事項について、基本的な計画を定め、これを国会に報告するとともに、公表しなければならない」と定められている。

Q653

☑ ☑

2016（平成28）年に「学校教育法」が改正され、一条校に「中等教育学校」が新たに追加された。

Q654

☑ ☑

パウロ・フレイレ（Freire, P.）は、主著『脱学校の社会』（1977年）のなかで、学校制度を通じて「教えられ、学ばされる」ことにより、「自ら学ぶ」など、学習していく動機をもてなくなる様子を「学校化」として批判的に分析した。

A650　×　「児童の権利に関する条約」第12条の文章である。「その児童の年齢及び性別に従って」ではなく、正しくは「その児童の［年齢及び成熟度］に従って」である。［子どもの権利条約］は国際連合が1989（平成元）年に採択したもので、我が国は1994（平成6）年に批准している。

A651　×　「児童権利宣言」（児童の権利に関する宣言）ではなく、正しくは［世界人権宣言］である。「世界人権宣言」は1948（昭和23）年の国際連合で採択された。

A652　○　「教育基本法」第17条（教育振興基本計画）である。2023（令和5）年6月に閣議決定された「第4期　教育振興基本計画」が最新版となる。期間は、2023（令和5）年度〜2027（令和9）年度。第3期の成果等を踏まえつつ、第4期のコンセプトや基本的な方針（5つ）、16項目にわたる「教育政策の目標」が掲げられている。詳細は文部科学省のWEBページで確認しておこう。

A653　×　中等教育学校（いわゆる中高一貫校）ではなく、正しくは［義務教育学校］である。義務教育学校とは、初等教育（小学校、6年間）と前期中等教育（中学校、3年間）までの義務教育を一貫して行う学校を指す（合計9年間の課程、いわゆる［小中一貫校］）。

A654　×　フレイレではなく、正しくは［イヴァン・イリイチ（Illich, I.）］である。フレイレは、主著［被抑圧者の教育学］（1979年）のなかで、学校を通じて子どもに知識が一方的に授けられる様子を［銀行型教育］と批判し、教育では「対話」が重視されるべきだと主張した。

Q655 『民主主義と教育』・『教育の過程』・『児童の世紀』を年代の古い順に並べると、『民主主義と教育』⇒『児童の世紀』⇒『教育の過程』である。

Q656 特別支援学校は、「学校教育法」第1条に定める学校ではなく、第134条に基づく「学校教育に類する教育を行うもの」としての各種学校に分類されている。

Q657 ヘルバルトは、ドイツの哲学者・教育学者で、カントの後任としてケーニヒスベルク大学で哲学などを受けもった。彼は、教育の課題は道徳的品性の陶冶であるとし、「教育（訓育）的教授」という概念を提示した。また、教授の過程は興味の概念に対応しており、「形式的段階」と呼ばれ、それはやがて弟子たちに引き継がれ、「予備・提示・比較・総合・応用」の5段階へと改変された。

Q658 関信三は、生活綴方運動を推進した人物であり、鈴木三重吉らとともに『赤い鳥』を刊行した。

Q659 城戸幡太郎は、1917（大正6）年に東京女子高等師範学校教授、同附属幼稚園主事を兼任し、充実した子ども生活を目指す「誘導保育」を発表した。また、保育所保育指針の原型となる「保育要領」の作成にも携わった人物である。

Q660 第二次世界大戦終了直後の日本の教育改革に関する重要事項を調査審議した内閣総理大臣の所轄下の機関で、1946（昭和21）年に設置され、教育基本法制定の必要、六・三制の実施をはじめ、私立学校、大学、教員養成、社会教育、教育行財政など、広範な領域にわたって、教育改革の基本方針や実施の具体的な方策を立案したのは、教育改革国民会議である。

A655 × 年代の古い順に並べると、『児童の世紀』（エレン・ケイ、[1900]（明治33）年）⇒『民主主義と教育』（デューイ、[1916]（大正5）年）⇒『教育の過程』（ブルーナー、[1960]（昭和35）年）となる。

A656 × 特別支援学校は、[学校教育法] 第1条で定められている [学校] である（いわゆる「一条校」）。

A657 ○ ヘルバルトは、ドイツの教育学者で「教育学」を実践科学として最初に基礎づけた人物である。子どもの認識段階に関心をもち、のちに [四段階教授法]（明瞭→連合→系統→方法）を主張した。

A658 × 関信三は、東京女子師範学校創設時に英語教師として着任し、初代監事として同附属幼稚園の開設に [松野クララ] とともに携わり、日本で最初の幼稚園経営に関与した人物である。主著に『幼稚園記』『幼稚園創立法』『幼稚園法二十遊嬉』がある。

A659 × 城戸幡太郎ではなく、正しくは [倉橋惣三] である。城戸幡太郎は、日本における集団主義保育の理論的指導者であり、1936（昭和11）年には保育問題研究会を結成し研究者と保育者の共同による実践的研究を推進した。戦後は、[教育刷新委員会] の委員としても活躍した人物である。

A660 × 教育改革国民会議ではなく、正しくは [教育刷新委員会] である。

Q661

☑ ☑ 2000（平成12）年に設置された内閣総理大臣の私的諮問機関。設置の趣旨は、「21世紀の日本を担う創造性の高い人材の育成を目指し、教育の基本に遡って幅広く今後の教育のあり方について検討する」こととされた。「新しいタイプの学校（コミュニティ・スクール等）の設置を促進する」提案を行うなど、2000年以降の日本における教育政策のあり方に影響を与えてきたのは、臨時教育審議会である。

Q662

☑ ☑ 文部科学省・国立教育政策研究所「OECD 生徒の学習到達度調査2018年調査（PISA 2018）のポイント」（令和元年12月3日）によれば、読解力の問題で、日本の生徒の正答率が比較的低かった問題として、テキストの質と信ぴょう性を評価する問題（例：情報の質と信ぴょう性を評価し、自分ならどう対処するか、根拠を示して説明する、自由記述）があったと報告されている。

Q663

☑ ☑ 2030年とその先の社会のあり方を見据えながら、学校教育を通じて子供たちに育てたい姿の一つとして、「発表や主張を通じて、自分の考えを根拠とともに伝えるとともに、他者の考えを理解し、自分の考えを広げ深めたり、集団としての考えを発展させたり、他者への思いやりを持って多様な人々と協働したりしていくことができること」があげられている。

Q664

☑ ☑ 「正統的周辺参加は、それ自体は教育形態ではないし、まして教授技術的方略でも教えるテクニックでもないことを強調しておくべきである。それは学習を分析的にみる一つの見方であり、学習というものを理解する一つの方法である」と述べたのは、デューイである。

A661 × 臨時教育審議会ではなく、[教育改革国民会議]である。臨時教育審議会は、1984（昭和59）年に設置され、第4次答申（1987（昭和62）年）において示された[個性重視の原則][生涯学習体系への移行]などの教育理念は、その後の教育改革の方向性を決定づけた。

A662 ○ 同調査によれば、日本は[数学的リテラシー及び科学的リテラシー]は引き続き世界トップレベル（数学的リテラシー：1位、科学的リテラシー：2位、読解力：11位）にあり、調査開始以降、長期トレンドとしても、安定的に世界トップレベルを維持している。正答率が比較的低かったのは、[テキストから情報を探し出す問題]（例：必要な情報がどのWebサイトに掲載されているか推測し探し出す）問題だった。また、生徒のICT活用状況については、日本は学校の授業での[利用時間が短く]、学校外ではチャットやゲームに偏る傾向にあり、学校外でのインターネットの利用時間が[4時間以上]になると、平均得点が[低下]していると報告されている。

A663 × 中央教育審議会答申「幼稚園、小学校、中学校、高等学校及び特別支援学校の学習指導要領等の改善及び必要な方策等について」（平成28年）では、「[対話や議論]を通じて」そのような力を培うことが目指されている。関連して、[資質・能力の三つの柱]、「[主体的・対話的で深い]学び」（アクティブ・ラーニング）、[カリキュラム・マネジメント]等について確認しておこう。

A664 × デューイではなく、[レイヴとウェンガー]である。「正統的周辺参加」（LPP）とは、状況的学習の初期段階（社会的活動に参加することを通して学ぶ知識や技能の習得の初期段階）を指す。

Q665 「特別支援教育の推進について（通知）」（平成19年、文部科学省）において、「特別な支援が必要と考えられる幼児児童生徒については、担任一人が責任をもって保護者の理解を得ることができるよう慎重に説明を行い、学校や家庭で必要な支援や配慮について、保護者と連携して検討を進めること」とされている。

☐ ☐

Q666 ドイツでは、州ごとに教育制度が定められており、初等教育修了後、中等教育の進学先としてはハウプトシューレ、実科学校、ギムナジウム等がある。

☐ ☐

Q667 特別支援学校には学習指導要領が作成されておらず、幼児・児童・生徒の障害の程度に応じて、幼稚園・小学校・中学校・高等学校の学習指導要領に準じた教育を行うものとされている。

☐ ☐

Q668 体罰に関しては、「学校教育法」において「校長及び教員は、教育上必要があると認めるときは、文部科学大臣の定めるところにより、児童、生徒及び学生に懲戒を加えることができる。ただし、体罰を加えることはできない」と定められている。

☐ ☐

Q669 いじめ防止対策推進法では、いじめとは、「児童等に対して、当該児童等が在籍する学校に在籍している等当該児童等と一定の人的関係にある他の児童等が行う心理的又は物理的な影響を与える行為（電子メールを通じて行われるものを含む。）であって、当該行為の対象となった児童等が心身の苦痛を感じているもの」と記載されている。

☐ ☐

A665　×　「担任一人が責任をもって」ではなく、「[特別
支援教育コーディネーター等と検討を行った上
で]、保護者の理解を得ることができるよう慎
重に説明を行い、学校や家庭で必要な支援や配
慮について、保護者と連携して検討を進めるこ
と」とされている。関連して、「[「チーム学校」
や特別支援教育] に関する中央教育審議会答申
等について確認しておこう。

A666　○　ドイツの学校制度は、小学校は6歳から10歳
までで、そのあと大きく次の3つに分かれる。
1つは [ギムナジウム] で、日本の小学校5年
生から大学1年生に相当する19歳まで学び、
大学進学を目指す。2つ目は実科学校で、職業
訓練学校に進学するものや中級の職に就くもの
が進学する学校で6年制。3つ目は [ハウプト
シューレ] で、卒業後に就職して職業訓練を受
けるものが進学する学校で、5年制である。

A667　×　特別支援学校には、[特別支援学校学習指導要
領]（幼稚部、小学部・中学部、高等部）が定
められている。

A668　○　「学校教育法」第11条（児童・生徒等の懲戒）
の一文である。関連して、「学校教育法」第35
条（児童の出席停止）、「学校教育法施行規則」
第26条（懲戒）についても確認しておこう。

A669　×　電子メールではなく、正しくは [インターネット]
である。[いじめ防止対策推進法] 第2条の一部
であり、電子メールだけではなくインターネット
（SNSも含む）による広い範囲を想定している。

ポイント ❶ 社会養護の養育形態

施設

[児童養護施設]
大舎（20人以上）　中舎（13〜19人） 小舎（12人以下）　1歳〜18歳未満（必要な場合0歳〜20歳未満）

[乳児院]
乳児（0歳）　必要な場合幼児（小学校就学前）

良好な家庭的環境

施設（小規模型）

[地域小規模児童養護事業（グループホーム）] ・本体施設の支援の下で地域の民間住宅などを活用して家庭的養護を行う ・1グループ4〜6人
[小規模グループケア（分園型）] ・地域において、小規模なグループで家庭的養護を行う ・1グループ6〜8人（乳児院は4〜6人）

家庭と同様の養育環境

養子縁組（特別養子縁組含む）	
小規模住宅型児童養護事業	里親
[小規模住宅型児童養護事業 （ファミリーホーム）] ・養育者の住居で養育を行う 　家庭養護 ・定員 5〜6人	[里親] ・家庭における養育を里親に 　委託する家庭養護 ・児童 4人まで

家庭

実親による養育

社会的養護の原理

家庭的養護と個別化

・適切な養育環境で、安心できる養育者によって、一人ひとりの個別的な状況を十分に考慮
・愛され大切にされていると感じることができ、将来に希望が持てる生活の保障
・[当たり前の生活] を保障していく、できるだけ家庭あるいは家庭的な環境で養育する「家庭的養護」と、個々の子どもの育みを丁寧に進めていく「個別化」

発達の保障と自立支援

・未来の人生を作り出す基礎となるよう、[子ども期の健全な心身の発達] の保障
・愛着や基本的な人間関係の形成を基盤として、[自立に向けた生きる力] の形成、健やかな身体的、精神的、社会的発達の保障
・自立や自己実現を目指して、子どもの主体的な活動を大切にし、さまざまな生活体験を通して自立した社会生活に必要な力を形成

回復を目指した支援

・虐待体験や分離体験等による悪影響からの [癒しや回復] を目指した [専門的ケア] や [心理的ケア] などの治療的な支援
・安心感を持てる場所で、大切にされる体験を積み重ね、信頼関係や [自己肯定感]（[自尊心]）を取り戻していける支援

家族との連携・協働

・子どもや親の問題状況の解決や緩和を目指して、それに的確に対応するため、[親とともに]、親を [支えながら]、あるいは親に [代わって]、子どもの発達や養育を保障していく包括的な取り組み

継続的支援と連携アプローチ

・始まりから [アフターケア] までの継続した支援と、できる限り特定の養育者による一貫性のある養育
・児童相談所等の行政機関、施設、里親等の社会的養護の担い手が、専門性を発揮して巧みに [連携] し合ってのアプローチ
・支援の [一貫性]、[継続性]、[連続性] という [トータルな] プロセスの確保
・一人ひとりの子どもに用意される社会的養護は [つながりのある道すじ] として子ども自身に理解されるアプローチ

ライフサイクルを見通した支援

・社会に出てからの [暮らしを見通した支援]、長くかかわりを持ち続け [帰属意識] を持つことができる存在
・子どもが親になっていくという、世代間で繰り返されていく [子育てのサイクル] への支援
・貧困や虐待の [世代間連鎖] を断ち切っていけるような支援

ポイント❸ 里親制度（里親制度運営要綱による分類）児童福祉法第6条の4

里親の種類	内容
［養育里親］	要保護児童を養育する里親として認定を受けた者で、数か月以上数年間ないし長年にわたって里子を受託しケアする里親
［専門里親］	養育里親であって、［2年以内］の期間を定めて、児童虐待などによって心身に有害な影響を受けた児童、非行等の行動のあるもしくは恐れのある児童、障害のある児童に対し専門性を有していると認定された者が［2名］以内の里子を受託しケアする里親
［養子縁組里親］	養子縁組によって養親となることを希望し、里子を［養子］として養育する里親。なお、［里親手当］は支給されない
［親族里親］	要保護児童の三親等以内の親族が里親としての認定を受け養育する里親。この場合には「経済的に困窮していないこと」という里親の要件は適用されない。児童の養育費が支給される。なお、三親等以内でも［叔父伯母］には、養育里親制度を適用して里親手当が支給できる

ポイント❹ 児童福祉施設の主な職員

保育士・児童指導員	・保育士資格は、児童福祉法［第18条の4］に定められた［国家資格］。 ・児童の担当職員として生活をともにし、生活援助をする。
児童自立支援専門員・児童生活支援員	［児童自立支援施設］で生活指導、学習指導、職業指導及び家庭環境の調整を行う。
家庭支援専門相談員	・児童の早期家庭復帰（家族再統合）を行う。 ・児童相談所との連絡調整。 ・2004年度から［乳児院］、［児童自立支援施設］、［児童心理治療施設］、［児童養護施設］に1名加算配置。
個別対応職員	［児童養護施設］、［乳児院］、［母子生活支援施設］、［児童心理治療施設］、［児童自立支援施設］に配置。
心理療法担当職員	心理療法を必要とする利用者が以下の場合に配置。 ・児童が10人以上いる［児童養護施設］、［児童心理治療施設］、［児童自立支援施設］。 ・母子が10人以上の［乳児院］。 ・母及び児童が10人以上の［母子生活支援施設］。

| 看護師 | ・[乳児院]では基本となる職員として配置。
・[児童養護施設]では、乳児入所の場合に配置。
・日々の生活で[医療的ケア]が必要な児童が15人以上いる施設に配置。 |
| 里親支援専門相談員
(里親支援ソーシャルワーカー) | ・[乳児院]と[児童養護施設]に配置。[児童相談][里親会]等と連携して里親についての普及と里親開拓を行う。
・里親やファミリーホームの支援を行う。 |

 社会的養護の実施体制（全体像）

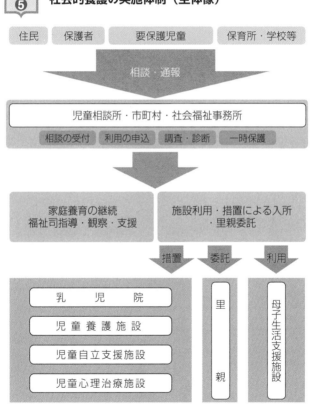

住民　保護者　　要保護児童　　保育所・学校等

相談・通報

児童相談所・市町村・社会福祉事務所

相談の受付　利用の申込　調査・診断　一時保護

家庭養育の継続
福祉司指導・観察・支援

施設利用・措置による入所
・里親委託

措置　委託　利用

乳　児　院

児童養護施設

児童自立支援施設

児童心理治療施設

里

親

母子生活支援施設

1 社会的養護の歴史と意義

Q670
☑ ☑
悲田院は聖徳太子が四天王寺に初めて建てた孤児等の収容施設と伝えられ、その後723年に興福寺に設立され、730年には光明皇后が皇后宮職に設置したことが知られている。

. . . .

Q671
☑ ☑
明治期に多くの施設が開設されたが、主な施設としては、1869（明治2）年の松方正義（県令）による日田養育館、1879（明治12）年の石井十次による福田会育児院、1887（明治20）年の今川貞山による岡山孤児院がある。

. . . .

Q672
☑ ☑
第二次世界大戦後の昭和23（1948）年、厚生省による全国孤児一斉検査において、およそ12万人もの孤児が報告された。

. . . .

Q673
☑ ☑
知的障害児の施設は1891（明治24）年に野口幽香・森島峰が孤女学院を、保育所では1900（明治33）年に石井亮一が貧民の子どものための二葉幼稚園を設立している。

. . . .

Q674
☑ ☑
石井十次によりまとめられた「岡山孤児院12則」で示す「満腹主義」とは、収容後に食事を無制限に食べさせることで、盗癖の過半はなくなるという考え方である。

. . . .

Q675
☑ ☑
ノーマライゼーションの理念は、デンマークで1959年に初めて法律に位置付けられた。

. . . .

Q676
☑ ☑
子ども虐待の防止では、1933（昭和8）年に最初の「児童虐待防止法」が制定されているが、この法律は1947（昭和22）年の児童福祉法の成立とともに廃止され、児童の酷使等の禁止は児童福祉法34条の「禁止行為」に規定して引き継がれた。

A670 O 聖徳太子が［四箇院（敬田院、療病院、施薬院、悲田院）］を設置して救済事業を行ったと伝えられている。以後、天皇や［僧侶等］により各地に設置された。孤児のみでなく身寄りのない［高齢者］の救済も行われた。

- -

A671 × 仏教者である今川貞山は東京に［福田会育児院］を、キリスト教徒である石井十次は［岡山孤児院］を設立した。

- -

A672 O 全国的な調査が行われ、約［12万3,000］人の孤児が報告されている。

- -

A673 × 孤女学院を設立したのは［石井亮一］で後に［滝乃川学園］となっている。二葉幼稚園は［野口幽香・森島峰］が設立、大正期に［二葉保育園］となっている。どちらも我が国では先駆的な施設である。

- -

A674 O 子どもの問題行動は、［生きるために最低限必要なこと］が満たされていないために引き起こされるという考え方に立ち、養育の基本の一つとして［食の満足］を大切にした。

- -

A675 O ノーマライゼーションの考え方は、1950年代初めにデンマークの［バンク・ミケルセン］らが提唱したもので、後にデンマークで［法律］に位置付けられた。

- -

A676 O 世界大恐慌や東北の大飢饉等により、貧困のために売られていく子どもが増加し、そのため制定された。なお、現在の［児童虐待の防止等に関する法律］は、児童福祉法第34条の規定では不十分として2000（平成12）年に制定されたものである。

Q677 国及び地方公共団体は、児童を心身ともに健やかに育成することについて第一義的責任を負う。

☑ ☑

. . . .

Q678 1900（明治33）年の感化法の制定により感化院が制度として規定された。

☑ ☑

. . . .

Q679 「児童福祉法」第3条の2において、児童を家庭及び当該養育環境において養育することが適当でない場合は、児童が家庭における養育環境と同様の養育環境において養育されるよう、必要な措置を講じなければならないとされている。

☑ ☑

2　社会的養護の基本

Q680 社会的養護の基本理念は、「子どもの最善の利益のために」と「社会全体で子どもを育む」という考え方で、保護者の適切な養育を受けられない子どもを、公的責任で社会的に保護養育するとともに、養育に困難を抱える家庭への支援を行うものである。

☑ ☑

. . . .

Q681 社会的養護の原理は、①家庭的養護と個別化、②発達の保障と自立支援、③回復を目指した支援、④家族との連携・協働、⑤継続的支援と連携アプローチ、⑥ライフサイクルを見通した支援である。

☑ ☑

A677　×　[児童福祉法第2条]に、[児童の保護者]は児童を心身ともに健やかに育成されるよう努めなければならないと示している。

. . . .

A678　○　不良少年を保護する感化院は、1883（明治16）年に大阪で[池上雪枝]が、1885（明治18）年には東京で[高瀬真卿]が設立している。また、1899（明治32）年には[留岡幸助]が東京家庭学校を設立している。これらが1900（明治33）年に全国の道府県に設置を定める感化法の制定の大きな力になった。

. . . .

A679　×　「児童を家庭において養育することが困難であり又は適当でない場合」は、[家庭における養育環境と同様の養育環境]（養子縁組や里親などの[家庭養護]）を目指すが、「当該養育環境」での養育が適当でない場合は、[できる限り良好な家庭的環境]（児童養護施設などの[家庭的養護]）に必要な措置を講じなければいけない。

A680　○　[社会的養護の課題と将来像]では、基本的な考え方としてまとめている。

. . . .

A681　○　2012（平成24）年3月29日、厚生労働省雇用均等・児童家庭局長通知として、児童福祉施設の[運営指針]が定められた。設問文の内容は[児童養護施設運営指針]の中で社会的養護の原理として示されている。

6

社会的養護

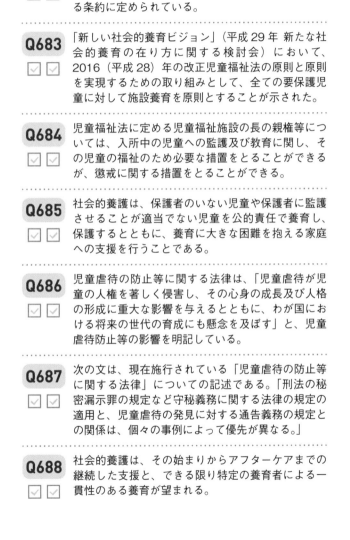

Q682 「すべての児童は、家庭で正しい愛情と知識と技術をもって育てられ、家庭に恵まれない児童には、これにかわる環境が与えられる」は児童の権利に関する条約に定められている。

Q683 「新しい社会的養育ビジョン」（平成29年 新たな社会的養育の在り方に関する検討会）において、2016（平成28）年の改正児童福祉法の原則と原則を実現するための取り組みとして、全ての要保護児童に対して施設養育を原則とすることが示された。

Q684 児童福祉法に定める児童福祉施設の長の親権等については、入所中の児童への監護及び教育に関し、その児童の福祉のため必要な措置をとることができるが、懲戒に関する措置をとることができる。

Q685 社会的養護は、保護者のいない児童や保護者に監護させることが適当でない児童を公的責任で養育し、保護するとともに、養育に大きな困難を抱える家庭への支援を行うことである。

Q686 児童虐待の防止等に関する法律は、「児童虐待が児童の人権を著しく侵害し、その心身の成長及び人格の形成に重大な影響を与えるとともに、わが国における将来の世代の育成にも懸念を及ぼす」と、児童虐待防止等の影響を明記している。

Q687 次の文は、現在施行されている「児童虐待の防止等に関する法律」についての記述である。「刑法の秘密漏示罪の規定など守秘義務に関する法律の規定の適用と、児童虐待の発見に対する通告義務の規定との関係は、個々の事例によって優先が異なる。」

Q688 社会的養護は、その始まりからアフターケアまでの継続した支援と、できる限り特定の養育者による一貫性のある養育が望まれる。

A682　×　児童の権利に関する条約ではなく、[児童憲章]の2項の文章である。

A683　×　「新しい社会的養育ビジョン」では、[家庭養育]を原則としている。特に就学前の子どもへの家庭養育原則の徹底が示されている。

A684　×　2023（令和5）年に児童福祉法が改正され、[懲戒権]に関する規定が削除された。なお、同法第47条第3項には「児童の［人格］を尊重するとともに、その年齢及び［発達］の程度に配慮しなければならず、かつ、［体罰］その他の児童の心身の健全な発達に［有害な影響を及ぼす言動］をしてはならない」と規定されている。

A685　○　2012（平成24）年3月に厚生労働省が示した[児童養護施設運営指針]に明記されている。

A686　○　第1条では、このような影響をかんがみて、予防等の［国及び地方公共団体］の責務等を定めることをこの法律の目的としている。

A687　×　児童虐待の防止等に関する法律第6条第3項では、「刑法の秘密漏示罪の規定、その他の［守秘義務］に関する法律の規定によって、児童虐待の通告の遵守が［妨げるもの］と解釈してはならない」と明記してある。

A688　○　2012（平成24）年3月に厚生労働省が示した「児童養護施設運営指針」に明記されている。

6 社会的養護

Q689 ☑ ☑ 「社会的養護の課題と将来像」では、日々の養育のいとなみであり、経済的に安定した環境の中で愛着形成を行い心身及び社会性の適切な発達を促す養育の場となることが必要であると記載されている。

Q690 ☑ ☑ 社会的養護は、不適切な養育をする保護者から子どもを分離することを原則とし、保護者への懲戒を含む指導・教育的支援を行う。

Q691 ☑ ☑ ソーシャルワークの援助の考え方に基づき、障害児入所施設での保育士は、障害の状況や行動を把握し、訓練による改善を最優先として、積極的な指導を実施する。

Q692 ☑ ☑ いかなる場合においても体罰や子どもの人権を辱めるような行為を行わないよう徹底するために、就業規則等の規定に体罰禁止を明記するとともに、体罰が起こりやすい場面について研修や話し合いを行い、体罰を伴わない援助技術を職員に体得させる。

Q693 ☑ ☑ 2016（平成28）年の児童福祉法改正で、国・地方公共団体は、家庭における養育が困難あるいは適当でない児童について、社会性を身につけさせるために、家庭における養育環境よりも集団で生活を送れる環境で養育することを優先するとした。

Q694 ☑ ☑ 国連で「児童の権利に関する条約」が採択されたのは、「児童の代替的養護に関する指針」が採択される前である。

A689 ✕ 2011（平成23）年の「社会的養護の課題と将来像」の中で示されたものだが、「経済的に安定した環境」ではなく、［安全で安心した環境］である。

A690 ✕ ［児童養護施設運営指針］には、社会的養護は子どもの権利擁護を図るための仕組みであり、「子どもの最善の利益のために」をその基本理念とすると明記されている。親の子育てを支援し、子どもが親元で生活できるようにするのが社会的養護の目的である。

A691 ✕ ソーシャルワークの考え方では、利用者自らが［主体的］に生活を築いていけるよう援助するものであり、訓練や指導を優先するかかわり方、考え方は間違っている。

A692 ◯ どのような場合でも［体罰を行わないこと］が原則である。支援が困難な子ども、ケアニーズの高い子どもも多いので、職員は常に体罰等を行わないように話し合ったり、研修を受けたりして、協力して支援の技術を高める必要がある。

A693 ✕ 2016（平成28）年の児童福祉法改正では、第３条の２において、家庭における養育が困難あるいは適当でない児童については「［家庭と同様］の養育環境において継続的に養育すること」を優先することが明記された。

A694 ◯ 「児童の権利に関する条約」は、［1989］年に、「児童の代替的養護に関する指針」は、［2009］年に国連で採択された。

3 社会的養護の制度と実施体系

Q695
☑ ☑
子どもが永続的かつ恒久的に生活できる家庭環境で、心身の健康が保障された生活を実現するための援助計画をエンパワメントという。

Q696
☑ ☑
親子関係再構築等の家庭環境の調整は、措置の決定・解除を行う市町村及び施設の役割である。

Q697
☑ ☑
母子生活支援施設は、「児童福祉法」に基づく要保護児童の措置が採られる委託・入所先である。

Q698
☑ ☑
「新しい社会的養育ビジョン」では、社会的養護とは、「サービスの開始と終了に行政機関が関与し、子どもに確実に支援を届けるサービス形態」と定義づけられている。

Q699
☑ ☑
「児童の権利に関する条約」(国連)において児童とは、20歳未満のすべての者をいう。

Q700
☑ ☑
児童相談所は、各都道府県、政令指定都市、中核市、特別区に設置義務がある。

Q701
☑ ☑
児童相談所の一時保護は、児童の保護者の同意のもと、児童養護施設や里親に一時保護委託することができる。

A695　×　エンパワメントとは、子どもが本来持つ力に着目し、それを発揮しやすい環境を整えることである。設問文は、[パーマネンシー・プランニング]の説明。

A696　×　[措置の決定・解除]を行うのは、市町村及び施設の役割ではなく、[児童相談所]の役割である。ただし、家庭環境調整の役割は施設も担っており、児童相談所と連携しながら行う必要がある。

A697　×　母子生活支援施設への入所は、保護者の申し込みによる[利用契約方式]である。申し込みは各自治体の福祉事務所を通じて行われる。

A698　○　[新しい社会的養育ビジョン]は、2016（平成28）年の児童福祉法改正の理念を具体化するために出されたものである。社会的養護の定義について問題文のように定義されている。

A699　×　「児童の権利に関する条約」では、児童の定義は[18歳未満のすべての者]とされている。

A700　×　児童福祉法第12条で[都道府県]の設置義務が定められ、第59条の4で指定都市、[中核市]、[児童相談所設置市]の設置を定め、児童相談所を設置する市（特別区を含む）を「児童相談所設置市」と呼ぶが、中核市と特別区には義務はない。

A701　×　子どもの安全確保のため必要な場合は子どもや保護者の[同意なし]に一時保護を行うことができる。また、一時保護所を利用することを原則とするが、委託一時保護を行うことが適当と判断される場合には、警察署、医療機関、児童福祉施設、里親その他適当な者に一時保護を委託することができる。

Q702

☑ ☑

第三者評価は、社会福祉法第78条により施設が任意に受けるものであり、社会的養護の施設はサービスの向上のために積極的に受審することが望ましいとされている。

Q703

☑ ☑

社会的養護関係施設における第三者評価事業は、職員の参画による評価結果の分析・検討する場を設け実行する。

Q704

☑ ☑

児童養護施設における利用者調査の実施は任意である。

Q705

☑ ☑

「児童福祉施設の設備及び運営に関する基準」において、自立支援計画の策定が義務付けられている施設は、乳児院、児童養護施設、母子生活支援施設、児童自立支援施設の4つである。

Q706

☑ ☑

自立援助ホーム及び母子生活支援施設の位置情報は、入所希望者が選択して入所を申し込み利用できるよう「情報を自由に利用できる方法で提供すること」とされていたが、「子どもシェルター」や「DVを受けた母子」の避難先であることから、提供方法が見直された。

Q707

☑ ☑

児童厚生施設は、児童遊園、児童館等児童に健全な遊びを与えて、その健康を増進し、または情操をゆたかにすることを目的とする施設とする。

Q708

☑ ☑

福祉型障害児入所施設の目的は、障害児を入所させて、保護、日常生活の指導及び職業等の訓練を行うことである。

A702 × 乳児院、児童養護施設、児童自立支援施設、児童心理治療施設、母子生活支援施設は［3か年度に1］回以上の受審とその結果の公表が［義務付け］られている。

・・

A703 ○ 社会的養護関係施設における［第三者評価事業］については、「児童福祉施設の設備及び運営に関する基準」で［受審と自己評価、結果の公表］が義務付けられている。社会的養護関係施設とは、［乳児院］、［児童養護施設］、［児童自立支援施設］、［児童心理治療施設］、［母子生活支援施設］の5施設である。職員が参加し評価結果を分析・検討する場を設けて実行すると示されている。なお、2024（令和6）年に新設された里親支援センターでも、第三者評価の受審が義務付けられている。

・・

A704 × 利用者の意向を把握することの重要性から、第三者評価と併せて［利用者調査を必ず実施するもの］と示されている。

・・

A705 × 児童自立支援計画の策定が義務付けられているのは、［乳児院、児童養護施設、母子生活支援施設、児童心理治療施設、児童自立支援施設］の5つである。

・・

A706 ○ 児童福祉法施行規則が2011（平成23）年9月1日改正され、入所希望者に位置情報は［直接提供する］方法に見直された。

・・

A707 ○ 児童厚生施設は、［児童遊園、児童館等］児童に［健全な遊び］を与えて、その［健康］を増進し、または［情操］をゆたかにすることを目的とする施設であることが、児童福祉法第40条に規定されている。

・・

A708 × 児童福祉法第42条第1号に規定されている。「職業等の訓練を行うこと」ではなく［独立自活に必要な知識技能の付与］である。

Q709

☑ ☑

経験の浅い職員等に対し、施設内外からスーパービジョンを受けられるようにする。

Q710

☑ ☑

乳児院や児童養護施設等の長は、当該施設の所在する地域の住民に対して、その行う児童の保護に支障のない限りにおいて、児童の養育に関する相談に応じ、及び助言を行うよう努めなければならない。

Q711

☑ ☑

里親に養育を委託する子どもは、施設入所が短期であることが明確な子どもと障害のある子どもを除き、新生児から高年齢児まで全ての子どもが対象となる。

Q712

☑ ☑

里親の種類には、養育里親、専門里親、養子縁組里親、親族里親がある。

Q713

☑ ☑

里親希望者は、その者の居住地を所管する児童相談所において登録申請をする。

Q714

☑ ☑

次の文は「里親が行う養育に関する最低基準」の一部である。里親が行う養育は、委託児童の最善の利益を尊重し、具体的な人間関係を確立するとともに、豊かな人間性及び社会性を養い、委託児童の発達を支援することを目的として行わなければならない。

Q715

☑ ☑

特別養子縁組の成立には、養親となる者が養子となる者を3か月以上監護した状況を考慮しなければならない。

Q716

☑ ☑

フォスタリング機関（里親養育包括支援機関）の業務として、養子縁組成立後の養親及び養子への支援がある。

A709 ○ 経験の浅い職員や、施設等での養育実践において負担が大きいと感じている職員に対して、施設内外から[スーパービジョン]が受けられる体制が必要であると示されている。

A710 ○ 児童福祉法48条の2に規定された。[地域の子育て支援]を施設の役割の一つと規定したものである。

A711 × 里親委託ガイドラインでは、[全ての子ども]について里親委託を優先とするとし、短期であっても可能な限り、障害のある子どもには個別に支援のできる[専門里親]等の委託を進めるとしている。

A712 ○ 児童福祉法第6条の4で定義されている。

A713 ○ 居住地の[都道府県知事]に対し、申請書を提出しなければならないことが里親制度運営要綱に記載されている。[児童相談所長]は、都道府県知事から子どもを里親に委託する権限の委任を受けているため、実際に登録申請をするところは児童相談所であるため正しい。

A714 × 「委託児童の最善の利益」ではなく[委託児童の自主性]であり、「具体的な人間関係」ではなく[基本的な生活習慣]である。そして、「発達を支援」でなく[自立を支援]である。

A715 × 縁組成立には、養親となる者が養子となる者を[6か月以上]監護していることが必要である。監護状況等を考慮して、家庭裁判所が特別養子縁組の成立を決定することになる。

A716 × 2018(平成30)年に発出された「フォスタリング機関及びその業務に関するガイドライン」に記載されている。フォスタリング機関は[里親支援]業務であり、[養子縁組]のことは扱わない。

6

社会的養護

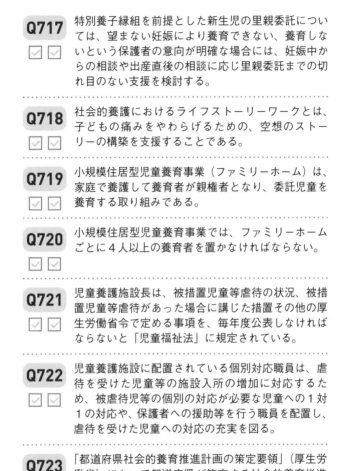

Q717
☑ ☑

特別養子縁組を前提とした新生児の里親委託については、望まない妊娠により養育できない、養育しないという保護者の意向が明確な場合には、妊娠中からの相談や出産直後の相談に応じ里親委託までの切れ目のない支援を検討する。

Q718
☑ ☑

社会的養護におけるライフストーリーワークとは、子どもの痛みをやわらげるための、空想のストーリーの構築を支援することである。

Q719
☑ ☑

小規模住居型児童養育事業（ファミリーホーム）は、家庭で養護して養育者が親権者となり、委託児童を養育する取り組みである。

Q720
☑ ☑

小規模住居型児童養育事業では、ファミリーホームごとに4人以上の養育者を置かなければならない。

Q721
☑ ☑

児童養護施設長は、被措置児童等虐待の状況、被措置児童等虐待があった場合に講じた措置その他の厚生労働省令で定める事項を、毎年度公表しなければならないと「児童福祉法」に規定されている。

Q722
☑ ☑

児童養護施設に配置されている個別対応職員は、虐待を受けた児童等の施設入所の増加に対応するため、被虐待児等の個別の対応が必要な児童への1対1の対応や、保護者への援助等を行う職員を配置し、虐待を受けた児童への対応の充実を図る。

Q723
☑ ☑

「都道府県社会的養育推進計画の策定要領」（厚生労働省）において都道府県が策定する社会的養育推進計画の記載事項に、当事者である子どもの権利擁護の取組（意見聴取・アドボカシー）が示されている。

A717 ○ 里親委託ガイドラインには、「特別養子縁組を前提とした新生児の里親委託の留意点」が示されており、[出産前からの切れ目のない支援]で実親が安心して出産できる支援を求めている。

A718 × [ライフストーリーワーク]は、空想のストーリーを作るのではなく、子ども自身が[自己の生い立ち]を正しく理解するための支援である。アルバムや思い出の品などを用いながら行う。

A719 × 小規模住居型児童養育事業（ファミリーホーム）では、養育者が親権者となるのではなく、[児童相談所長]や[児童福祉施設長]が親権者となる。

A720 × 児童福祉法施行規則第1条の14では、ファミリーホームには[2人]の養育者と[1人以上]の補助者を置くこととしている。適切な家庭環境と認められれば1人の養育者と2人以上の補助者でも認められる。

A721 × 児童養護施設長は、被措置児童等虐待があった場合には速やかに[都道府県]に報告することとなっている。被措置児童等虐待の状況を毎年公表するのは[都道府県]の責任であり、児童養護施設長ではない。

A722 ○ 厚生労働省雇用均等・児童家庭局通知（平成24年4月5日雇児発0405第11号局長通知）には、個別対応職員の配置の趣旨及び業務についての内容が定められている。この文章は、その通知と同様である。

A723 ○ 都道府県推進計画の記載事項として11項目があげられている。当事者である子どもの権利擁護の取組として[意見聴取・アドボカシー]が示されている。

4 社会的養護の内容と実際

Q724
☑ ☑
児童福祉法には、「被措置児童等虐待の防止」が定められ、虐待の届出が義務付けられ、都道府県は虐待件数等を公表することになっている。

Q725
☑ ☑
自立支援計画の策定や見直しの際には、子どもの意見や意向等を確認し、確実に反映する。

Q726
☑ ☑
福祉型障害児入所施設の設備は、すべての施設において職業指導に必要な設備を設けることとなっている。

Q727
☑ ☑
施設入所が長期化している乳児院入所児童の措置変更を行う場合は、原則として里親委託への措置変更を検討する。

Q728
☑ ☑
児童養護施設における子どもの養育・支援の記録は、入所から退所までの期間を記すことになっており、措置解除後の記録を残す必要はない。

Q729
☑ ☑
乳児院及び児童養護施設に配置されている里親支援専門相談員の業務は、里親の研修と里親家庭への訪問、電話相談、レスパイト・ケアの調整、里親サロンの運営等であり、里親の新規開拓や里親委託の推進は家庭支援専門相談員の役割として業務には位置付けられていない。

A724 ○ [児童福祉法] において被措置児童等虐待の防止は、第33条の10〜17に規定されている。[都道府県] による公表は第33条の16に規定されている。

A725 ○ 自立支援計画の策定や見直しには、[子どもの意見や意向] 等を確認し、確実に反映することと示されている。また、子どもが理解できていない点があれば、さらに分かりやすくくり返し説明することが必要である。

A726 × 職業指導に必要な設備を設けなければならないのは、「主として [知的障害] のある児童を入所させる」「主として [盲児] を入所させる」「主として [ろうあ児] を入所させる」福祉型障害児入所施設となっている。

A727 ○ 2011（平成23）年3月、厚生労働省が示した [里親委託ガイドライン] では、「里親委託優先の原則」が定められ、乳児院から措置変更する場合には原則として [里親委託] を検討することとなっている。

A728 × 児童養護施設運営指針には、「入所から [アフターケア] までの養育・支援の実施状況を [家族] 及び [関係機関] とのやりとり等を含めて適切に記録する」と記されている。

A729 × 里親支援専門相談員は、家庭支援専門相談員と同様に [里親の委託の推進] が業務となっており、里親の [新規開拓] も重要な業務になっている。なお、「レスパイト・ケア」は、里親の休息のために施設等で [一時的に子どもを預かる] 等のことである。

6
社会的養護

Q730
☑ ☑

「社会的養護関係施設における親子関係再構築支援ガイドライン」(平成 26 年 3 月親子関係再構築支援ワーキンググループ) に記されている親子関係の再構築の定義には、「子どもと親がその一方の肯定的なつながりを受動的に回復すること」と定義されている。

Q731
☑ ☑

虐待等による心的外傷等のために心理療法を必要と認められる児童が 10 人以上いる場合に配置されている児童養護施設、児童自立支援施設の心理療法担当職員の業務内容は、対象児童等に対する心理療法、生活場面面接、施設職員への助言及び指導である。

Q732
☑ ☑

ノーマライゼーションの理念が具現化された以後、障害のある子どもたちも、障害がない子どもたちと同じように生活できるようにするための身辺自立のための訓練が、より一層重要視されるようになった。

Q733
☑ ☑

退所にあたっては、保護者の申し出を優先し、児童相談所と協議したうえで決定し、子どもに提示する。

Q734
☑ ☑

社会的養護で生活する子どもは、入所前のマイナス体験からさまざまな困難を抱えており、個別的な関わりが特に必要なため、特定の養育者の判断で養育することを大事にしている。

Q735
☑ ☑

施設入所前の家庭生活において、適切な食生活が営まれておらず、発達段階に応じた食習慣や食事のマナーが身に付いていない子どもが少なくないため、食事の場面は何よりしつけを重視し、生活指導の場として活用する必要がある。

Q736
☑ ☑

子どもを取り巻く住環境は、安全が確保されていることを前提に、施設建物の内外装、設備、庭の樹木、居室やリビングの家庭的雰囲気づくりの配慮により、大切にされているというメッセージを子ども自身が感じられるようにする。

A730 ✕ 親子関係の再構築の定義には、「子どもと親が その [相互] の肯定的なつながりを [主体的] に回復すること」と定義されている。

· ·

A731 ◯ なお、乳児院にあっては心理療法が必要と認め られる [乳幼児またはその保護者が 10 人] 以 上、母子生活支援施設にあっては、同様に認め られる母または子が 10 人以上いる場合に配置 されている。

· ·

A732 ✕ ノーマライゼーションの理念は、障害がない子 どもたちと同じような普通の生活ができるよう に障害児を取り巻く [社会の環境] を変えてい くもので、障害児の自立訓練を強化するもので はない。身辺自立の訓練よりも障害の状況に応 じた [生活の質] が重視されるようになった。

· ·

A733 ✕ 児童養護施設運営指針に明記されている。退所 にあたり、施設は [子ども本人] や [保護者の 意向] を踏まえ、[児童相談所] や [関係機関] 等と適切な時期を協議する。したがって、保護 者の申し出を優先するのは誤りである。

· ·

A734 ✕ 個別的な関わりは必要だが、養育者個人の判断 で養育するのではなく、[職員間] の連携、[関 係機関] の連携の下で [協力して養育] するこ とを大事にする。

· ·

A735 ✕ 児童養護施設運営指針では、「食事は [団らん] の場であり、[おいしく楽しみ] ながら食事が できるよう工夫する」とされている。しつけや 生活指導の場として優先する考えは間違いであ る。

· ·

A736 ◯ 児童養護施設運営指針では、「居室等全体がき れいに整美（整備）されているようにする」 「[大切にされている] というメッセージを子ど も自身が感じられるようにする」とある。

6

社会的養護

Q737
☑ ☑
児童養護施設において、心理的ケアを行うことが養育のいとなみの主眼であり、保育士がこれを単独で行うことで子どもとの関係形成を深める。

Q738
☑ ☑
児童福祉施設は、苦情を受け付けるための窓口を設置する等の必要な措置を講じなければならないとされている。

Q739
☑ ☑
乳児院の運営指針においては、日常の養育において「担当養育制」を行い、特別な配慮が必要な場合を除いて、基本的に入所から退所まで一貫した担当制とすることが定められている。

Q740
☑ ☑
児童養護施設における自立支援計画は、被虐待児の入所の増加に伴い、虐待を理由に入所している児童に限定し策定の対象とする。

Q741
☑ ☑
児童養護施設に入所して1か月のKくん（15歳男子）は親から身体的虐待を受けており、年下の子に暴言を吐いたり、学校でもトラブルが多い。担当の保育士は、過去のトラウマが原因であるとしてしばらく容認して様子を見ることとした。

Q742
☑ ☑
母親による虐待で乳児院に入所した1歳2か月のMちゃんの母親が、突然初めて施設に来て、Mちゃんの引き取りを申し出た。家庭支援専門相談員は、虐待を理由として入所した子どもは、法律上、家庭に返すことができないと母親に伝えた。

A737 ✕ 施設における他の専門職種との [他職種連携] を強化するなどにより、心理的支援に [施設全体] で有効に取り組むことが児童養護施設運営指針に記されている。

A738 ○ [施設長、理事等] を苦情解決責任者とし、[職員] の中から苦情受付担当者を任命し、苦情解決の窓口を設置することが義務付けられている。

A739 ○ 乳児院運営指針第Ⅱ部各論1の養育・支援の基本において、「乳幼児が心身の成長のために欠かせない [特定のおとな] との愛着関係を築くために」という記述とともに、[担当養育制] をとることを定めている。

A740 ✕ 自立支援計画は [児童養護施設]、[乳児院]、[母子生活支援施設]、[児童心理治療施設]、[児童自立支援施設] のすべての児童に策定することが義務化されている。

A741 ✕ 過去のトラウマ体験からくるKくんの言動を理解することは重要であるが容認することは不適切である。言動を理解して、その言動を適切なものに修正していくために、トラウマ体験からの回復をプログラム化して支援することが大切である。容認は解決にならずトラブルを増やすことになる。

A742 ✕ 家庭支援専門相談員の役割には、親の立場を理解して [親の子どもへの関わり] を改善できるように支援することである。法律上家庭に返せないことを伝えるのではなく、母親が施設に来たこの機会を活かして [母親との関係づくり] を行えるように対応することがまず必要である。よって、最初に行う対応としては不適切である。

6

社会的養護

5 社会的養護の現状と課題

Q743
☑ ☑
児童養護施設入所児童等調査結果（2023（令和5）年2月1日時点）によると、児童養護施設入所児童の平均年齢は児童自立支援施設入所児童の平均年齢より高い。

Q744
☑ ☑
児童養護施設入所児童等調査結果（2023（令和5）年2月1日時点）によると、里親委託児の委託経路で「家庭から」の割合は、児童養護施設入所児の「家庭から」よりも高い。

Q745
☑ ☑
児童養護施設入所児童等調査結果（2023（令和5）年2月1日時点）によると、「被虐待体験のある児童」の入所率は、児童自立支援施設の入所児と比べて児童養護施設入所児の方が高い。

Q746
☑ ☑
児童養護施設入所児童等調査結果（2023（令和5）年2月1日時点）によると、母子生活支援施設の入所理由は、「配偶者からの暴力」が最も高く、次いで「経済的理由」になっている。

Q747
☑ ☑
児童養護施設入所児童等調査結果（2023（令和5）2月1日時点）によると、児童養護施設の年長児童の約5割が大学または短期大学への進学を希望している。

Q748
☑ ☑
施設入所児童への虐待を防止するための被措置児童等虐待対応ガイドラインでは、職員の意識の向上、風通しの良い組織運営、開かれた組織運営、子どもの意見をくみ上げる仕組みの推進などが示されている。

Q749
☑ ☑
社会的養護の下にある子どもの自立支援に関して、特別育成費として、就職または進学に役立つ資格取得のための経費は支給されない。

A743 ✕ ［児童養護施設］の入所児童の平均年齢は 11.8 歳（前回 11.5 歳）で、［児童自立支援施設］は 13.9 歳（前回 14.0 歳）である。

A744 ✕ 委託経路が「家庭から」の割合は［里親委託児］で 43.9％（前回 42.5％）、［児童養護施設入所児］は 62.4％（前回 62.1％）である。なお、［乳児院］では 43.8％（前回 62.2％）となっている。

A745 ✕ 「被虐待経験のある児童」の割合は［児童養護施設入所児］71.7％（前回 65.6％）、［児童自立支援施設入所児］73.0％（前回 64.5％）である。

A746 ✕ 入所 2,780 世帯の入所理由は、［配偶者からの暴力］が 50.3％（前回 50.7％）と最も多く、次いで「住宅事情による」が 15.8％（前回 16.4％）、「経済的理由による」が 10.6％（前回 12.8％）となっている。

A747 ✕ 児童養護施設の年長児童で、大学または短期大学への進学を希望しているのは［35.6］％（前回 31.8％）で、約［3.5］割である。

A748 ◯ 2008（平成 20）年の児童福祉法改正で被措置児童等虐待の防止が規定され、［被措置児童等虐待対応ガイドライン］が示されている。

A749 ✕ 特別育成費は義務教育を終えた児童（措置延長された 18 歳以上の高校生を含む）の［教育費］や［資格取得の費用］で自立支援のために使用できる経費である。必要な手続きにより支給されることになっている。

6

社会的養護

Q750 ☑ ☑ 厚生労働省が公表している社会的養護の現状では、保護者のない児童、被虐待など家庭環境上養護を必要とする対象児童は約4万2千人である。

Q751 ☑ ☑ 2017（平成29）年8月に示された「新しい社会的養育ビジョン」では、社会的養護の里親委託率を3歳未満児については5年以内に75%以上、それ以外の就学前の子どもは7年以内に75%以上に、そして、学童期以降は10年以内を目途に50%以上を目的とした。

Q752 ☑ ☑ 社会的養護の保護児童数の推移では、2011（平成23）年からの約10年間で里親等委託児童は約3倍に増加し、その分、児童養護施設及び乳児院の入所児童は約3割減少している。

Q753 ☑ ☑ 親権の喪失についての請求は、児童相談所長、子の親族及び検察官の他、子、未成年後見人及び未成年後見監督人も家庭裁判所への請求権を有する。

A750 ○ 2023（令和5）年にこども家庭庁が示した「社会的養護の推進に向けて」によると、対象児童は［約4万2千人］とある。

A751 ○ ［新しい社会的養育ビジョン］では、2016（平成28）年の児童福祉法改正により、同法第3条の2の「家庭における養育環境と同様の養育環境において継続的に養育」を実現するための目標値を挙げて、里親委託を推進することにしている。

A752 × 「社会的養育の推進に向けて」（2023（令和5）年）によると、里親・ファミリーホームの児童は4,966人から7,798人と［約1.6倍］に増加しているが、3倍には至っていない。児童養護施設は［約2割の減］で2万3,008人で乳児院は［1割減］の2,351人となっている。

A753 ○ 児童福祉法第33条の7に［児童相談所長］も請求できると定められている。また、2012（平成24）年の民法改正により、［子ども本人］も親権停止、親権喪失の請求ができるようになったのでこの記述は正しい。

Q754
☑ ☑
都道府県が設置運営する児童福祉施設の費用は、全額都道府県が負担することとなっているが、社会福祉法人等が運営する認可施設の運営費用は、乳児院の場合、国が2分の1、都道府県が4分の1、所在地の市町村が4分の1を負担することとなっている。

Q755
☑ ☑
「新しい社会的養育ビジョン」（平成29年 新たな社会的養育の在り方に関する検討会）において、2016（平成28）年の改正児童福祉法の原則と原則を実現するための取り組みとして、市区町村の子ども家庭総合支援拠点の全国展開が示された。

Q756
☑ ☑
児童相談所が里親の認定を行うにあたっては、認定の適否につき要保護児童対策地域協議会の意見を聴く。

Q757
☑ ☑
国立銀行の創設などで知られる渋沢栄一は、1876（明治9）年に初めての公立となる福祉施設を設立した人物でもある。

Q758
☑ ☑
2019（令和元）年に特別養子縁組の養子となる者の上限年齢を6歳から15歳に引き上げ、特別養子縁組の成立手続きを2段階に分けて養親となる者の負担を軽減する民法の改正が行われた。

Q759
☑ ☑
「民法」における特別養子縁組に関して、特別養子縁組をした子どもと実父母との親族関係は、どのような場合にも継続する。

A754 × 乳児院は、都道府県が所管する施設であり、[国]と[都道府県]が[2分の1]ずつを負担することとなっている。なお、民間が運営する認可保育所は国[2分の1]、都道府県[4分の1]、市町村[4分の1]の割合で負担する。

A755 ○ 市区町村を中心とした[子ども家庭総合支援拠点]の全国展開と、人材の専門性の向上について示されたが、2024（令和6）年4月に成立した改正児童福祉法では、市区町村において、子ども家庭総合支援拠点（児童福祉）と子育て世代包括支援センター（母子保健）の設立の意義や機能は維持した上で組織を見直し、全ての妊産婦、子育て世帯、子どもへ一体的に相談支援を行う機能を有する機関[こども家庭センター]の設置に努めることとなった。

A756 × 要保護児童対策地域協議会ではなく、[都道府県児童福祉審議会]の意見を聞いて認定する。

A757 ○ 渋沢栄一は、福祉では、1872（明治5）年にロシア皇太子の訪日を控えてホームレスの人々240人を収容した施設の運営に関わり、その後1876（明治9）年に公立初の福祉施設[東京府立養育院]（現在の東京都養育院）の事務長となり、後に院長になっている。

A758 ○ 国は、[特別養子縁組]を推進することとしており、2019（令和元）年6月7日、[民法]の一部を改正する法律が成立した。

A759 × 特別養子縁組は養親の請求に対し、家庭裁判所の決定により成立する。この際、実父母の法的親族関係も終了する。2020（令和2）年4月1日から民法改正により、[15歳未満]の子どもが養子となることができるようになった。改正前は原則6歳未満であった。

Q760 2016（平成28）年の児童福祉法改正及び児童虐待の防止等に関する法律改正では、児童虐待の疑いがある保護者に対して、再出頭要求を経ずとも裁判所の許可状により、児童相談所による臨検・捜索を実施できるようにした。

☑ ☑

Q761 里親支援専門相談員は、家庭復帰に向けて、親との面会や宿泊、一時的帰宅等を段階的に行う。

☑ ☑

Q762 「新しい社会的養育ビジョン」における社会的養護には、在宅指導措置（児童福祉法第27条第1項第2号）は含まれていない。

☑ ☑

Q763 小規模住居型児童養育事業は、「社会福祉法」に定める第一種社会福祉事業である。

☑ ☑

Q764 施設内で生じた被措置児童等虐待に関する情報提供は、当該施設で生活を送っている他の被措置児童等に対しては行わない。

☑ ☑

Q765 暴力以外の方法を知らずにしつけと称して虐待をしてしまう親に対し、ペアレントトレーニング等を取り入れる。

☑ ☑

Q766 ソーシャルワークのアウトリーチとは、支援において他領域の専門的知識や技術を要するときに、他の専門職から助言を受けることである。

☑ ☑

A760 〇 これまで、児童相談所の出頭要求に応えない保護者には、再出頭要求を行い、それでも応えない場合に［臨検・捜索］を可能としていたが、この改正で［1度目の出頭要求］に応えない場合に裁判所の許可を得て実施できるようになった。

A761 ✕ 家庭復帰に向けて、親との面会や宿泊、一時的帰宅などの段階的な支援を行うのは、［家庭支援専門相談員］である。

A762 ✕ 児童福祉法第27条第1項第2号に基づく［行政処分としての措置］に含むものと明記され、社会的養護の一部と位置付けられている。

A763 ✕ 小規模住居型児童養育事業は通称ファミリーホームと呼ばれている、「社会福祉法」に定める［第二種社会福祉事業］である。

A764 ✕ 施設等の複数の子どもが生活を送る場で被措置児童等虐待が発見された場合、被害を受けた子ども以外の被措置児童に対しても、適切で分かりやすい［経過説明］と細かな［ケア］を実施することが必要と示されている。

A765 〇 「社会的養育の推進に向けて」8.（3）親子関係再構築支援の充実に示されている。［ペアレントトレーニング］は暴力に頼らずに、子どもの問題行動に対して［教育的］に対処できるスキルを身に付けられる術として有効である。

A766 ✕ アウトリーチは、福祉の専門職が支援を必要とする人の元に出かけて行って、必要な支援及び援助を行うことである。なお、他の専門職から助言を受けることは［コンサルテーション］、同じ分野の上司等から助言を受けることは［スーパービジョン］という。

Q767 ☑ ☑ 児童心理治療施設の子どもの治療は、経験主義的アセスメントに基づき、個別のニーズに沿って、説明と同意のもとに行われる。

Q768 ☑ ☑ 乳児院は、「児童福祉法」に定める「乳児」のみを対象とした施設である。

Q769 ☑ ☑ 地域の里親支援、子育て支援への取組など、施設のソーシャルワーク機能を活用し、地域の拠点となる取組を行う。

Q770 ☑ ☑ 里親を希望するIさん（女性50歳）から児童相談所職員に相談があった。職員は、委託される子どもの年齢と里親との年齢の差は45歳までと定められていると説明した。

Q771 ☑ ☑ 里親養育を進めるために厚生労働省は、「フォスタリング機関（里親養育包括支援機関）及びその業務に関するガイドライン」を取りまとめて公表している。

Q772 ☑ ☑ 子どもと里親家庭のマッチングは、フォスタリング業務の中でも里親委託の成否を左右する極めて重要な要素である。

Q773 ☑ ☑ 「社会的養育の推進に向けて」（令和5年4月5日）に示された「家庭と同様の養育環境」は、地域小規模児童養護施設（グループホーム）と小規模グループケア（分園型）である。

Q774 ☑ ☑ 児童福祉法第3条の2に定める「できる限り良好な家庭的環境」とは、施設での家庭的環境であり、施設での生活期間は乳幼児は数か月以内、学童期以降は1年以内、長くても3年とされている。

A767 × 運営指針の治療目標には、「子どもへの治療は、［医学的、心理学的、社会学的］アセスメントに基づき」と記載されている。

A768 × 保健上、安定した生活環境の確保その他の理由により、特に必要のある場合には、［就学前］までの入所が可能となった。

A769 ○ 「児童養護施設運営ハンドブック」には、施設は、それぞれの特色や強みを生かしながら、［地域のニーズ］に応える支援の在り方を模索していく必要があると明記されている。

A770 × 里親委託ガイドラインでは、［養育里親］及び［専門里親］について「年齢の一律の上限は設けない」と定めてある。

A771 ○ 2016（平成28）年の児童福祉法改正、2017（平成29）年の［新しい社会的養育ビジョン］の策定により、里親養育の推進が重要な課題となり、里親を支援する包括的な機関としてフォスタリング機関の在り方を示したガイドラインを2018（平成30）年7月に通知している。

A772 ○ 「フォスタリング機関及びその業務に関するガイドライン」Ⅳの3に述べられている。

A773 × ［家庭と同様の養育環境］として位置付けられているのは、里親と養子縁組、小規模住居型児童養育事業（ファミリーホーム）である。地域小規模児童養護施設と小規模グループケアは、［良好な家庭的環境］と位置付けられている。

A774 ○ 新しい社会的養育ビジョンでは、施設での養育については、「継続的にではなく一時的に生活し」とされ、それは「できる限り良好な［家庭的環境］」としている。

6

社会的養護

7 子どもの保健

出る！出る！

要点チェックポイント

発育期の区分

新生児	［生後28日］まで
乳児	新生児期以降、［1歳］未満
幼児	満1歳以降、［小学校就学前］まで
［学童］	小学校就学後、卒業まで
［生徒］	中学校就学後、卒業まで

合計特殊出生率と出生数の推移

年度	出生率	出生数
2004（平成16）年	［1.29］	111万721人
（中略）		
2011（平成23）年	［1.39］	105万807人
2012（平成24）年	［1.41］	103万7,232人
2013（平成25）年	［1.43］	102万9,817人
2014（平成26）年	［1.42］	100万3,609人
2015（平成27）年	［1.45］	100万5,721人
2016（平成28）年	［1.44］	97万7,242人
2017（平成29）年	［1.43］	94万6,146人
2018（平成30）年	［1.42］	91万8,400人
2019（令和元）年	［1.36］	86万5,239人
2020（令和2）年	［1.34］	84万0,835人
2021（令和3）年	［1.30］	81万1,622人
2022（令和4）年	［1.26］	77万759人

（出典：厚生労働省「令和4年人口動態統計（確定数）の概況」）

粗大運動の発達時期

運動	時期※	運動の内容
首のすわり	4～5か月未満	仰向けにし、両手を持って、引き起こしたとき、首がついてくる。
寝返り	6～7か月未満	仰向けの状態から、自ら、うつぶせになることができる。
ひとりすわり	9～10か月未満	両手をつかず、支えなしで1分以上座ることができる。
はいはい	9～10か月未満	はって移動ができる。
つかまり立ち	11～12か月未満	物につかまって立つことができる。
ひとり歩き	1年3～4か月未満	立位の姿勢をとり、2～3歩歩くことができる。

※ 90%以上の乳幼児が可能になる時期（「平成22年乳幼児身体発育調査」より）

 Scammon（スキャモン）の発育曲線

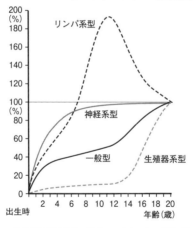

スキャモンの発育型は体組織の発育の4型です。[20歳（成熟時）]の発育を100として、各年齢の値をその100分比で示しています。これは全身の臓器の発育が一様でないことを示しています。

・[一般型]：身長、呼吸器、消化器、腎、心臓、脾、筋肉、骨など
・[神経系型]：脳、脊髄、視覚器など
・[生殖器系型]：精巣（睾丸）、卵巣、子宮など
・[リンパ系型]：胸腺、リンパ節、扁桃腺など

7

子どもの保健

263

主な感染症の出席停止期間

病名	基準
インフルエンザ	発症した後、［5日を経過］し、かつ［解熱後2日（幼児は3日）を経過する］まで
百日咳	特有の［咳が消失する］までまたは、5日間の適正な抗菌性物質製剤による治療が終了するまで
麻疹	［解熱後3日を経過する］まで
風疹	［発疹が消失する］まで
水痘	すべての［発疹が痂皮化する］まで
流行性耳下腺炎（おたふくかぜ）	耳下腺、顎下腺、舌下腺の腫脹が発現した後、［5日を経過し、かつ全身状態が良好になる］まで
咽頭結膜熱	［主要症状消退後、2日経過する］まで
結核	医師が［感染のおそれがない］と認めるまで
髄膜炎菌性髄膜炎	病状により学校医において［感染のおそれがないと認められる］まで
新型コロナウイルス感染症	発症した後［5日を経過］し、かつ、症状が軽快した後［1日］を経過するまで

 予防接種の種類と間隔

分類	先に接種するワクチン	接種間隔
［生ワクチン］（注射）	MR（麻疹風疹混合）、麻疹、風疹、BCG、水痘（定期予防接種　公費）	注射ワクチン同士の場合、前の接種日を0日として27日以上あける
	おたふくかぜ（任意の予防接種　自費）	
［生ワクチン］（経口）	ロタウイルス（定期予防接種　公費）	接種間隔の制限なし
［不活化ワクチン］	DPT-IPV-Hib 五種混合、DPT-IPV 四種混合、ヒブ、肺炎球菌（13価）、不活化ポリオ、DPT 三種混合、DT 二種混合、インフルエンザ（高齢者）（定期予防接種　公費）	接種間隔の制限なし
	子宮頸がん（定期予防接種　公費）	
	インフルエンザ（季節性）A 型肝炎、肺炎球菌（23価）（任意の予防接種　自費）	

分類	先に接種するワクチン	接種間隔
[mRNA ワクチン]	新型コロナウイルス（任意）	接種間隔に制限なし

原始反射の種類

刺激に反応して起こる新生児特有の反射を原始反射という。通常は生後3～4か月頃には消失するが、消失が遅い時には運動発達障害を起こしている場合がある。

名称	反射の内容
[探索反射]	口唇や口角を刺激すると刺激の方向に口と頭を向ける
[吸啜反射]	口の中に指や乳首を入れると吸い付く
[モロー反射]	頭を急に落としたり、大きな音で驚かすと、両上下肢を開いて、抱きつくような動作を行う
[把握反射]	掌や足の裏を指で押すと握るような動作をする
[自動歩行反射]	新生児の脇の下を支えて足底を台につけると、下肢を交互に曲げ伸ばして、歩行しているような動作をする
[非対称性緊張性頸反射]	あおむけに寝かせて頭を一方に向けると、向けた側の上下肢は伸展し、反対側の上下肢は屈曲する

発達障害の種類

名称	症状など
自閉スペクトラム症、自閉症スペクトラム障害	従来の広汎性発達障害（アスペルガー症候群、自閉症など）で、対人的関係障害、言語・コミュニケーション障害、1つの物や行為に[こだわる]という想像力の障害がある。医療機関へは[言語]の発達の遅れで受診することが多いが、様々な程度の症状がある
注意欠如・多動症、注意欠陥/多動性障害（AD/HD）	年齢あるいは発達に不釣り合いな、多動性、不注意、衝動性で特徴づけられる発達障害。[集団]における同調行動が苦手なことが多い
限局性学習症：（SLD）：学習障害（LD）	知的発達の遅れはないが、[聞く]、[話す]、[読む]、[書く]、[計算する]、[論論する]能力のいずれかに困難がある状態

1 子どもの心身の健康と保健の意義

Q775
☑ ☑
出生率とは、出生数を人口で割り 100 をかけたものである。

Q776
☑ ☑
児童虐待の発生予防のために、都道府県が実施主体となって「乳児家庭全戸訪問事業」が行われている。

Q777
☑ ☑
合計特殊出生率が約2.0を下まわった状態が続くと、長期的には人口が減少する。

Q778
☑ ☑
合計特殊出生率は、実際の値から得たものではなく、推計値である。

Q779
☑ ☑
「児童福祉法」による児童とは、満 18 歳に満たない者をいう。

Q780
☑ ☑
乳幼児健康診断は、全て法律に基づき、市区町村において定期健康診査 として実施される。

Q781
☑ ☑
保育所は医療機関との連携が大切であり、保育所職員は、医療機関にある園児のカルテ（診療録）を適宜閲覧できる。

Q782
☑ ☑
「母子保健法」では、乳幼児健康診査を受けた場合、保護者は母子健康手帳に必要事項の記載を受けなければならないとしている。また、それを保育所入所時には持参することが義務付けられている。

Q783
☑ ☑
乳幼児健康診査は、「児童福祉法」に則って実施される。

A775	×	1 年間の出生児数を人口で割り、[1,000] をかけたものである。

A776	×	[乳児家庭全戸訪問事業] は、子育ての孤立化を防ぐために広く一般を対象にした [子育て支援事業] である。

A777	○	合計特殊出生率が [2.08] のとき、人口は増加も減少もしない。それを下まわった状態が続くと、長期的には人口が減少する。

A778	○	合計特殊出生率は、15 歳から 49 歳までの女性の年齢別出生率を合計したもので、1 人の女性が仮にその年次の年齢別出生率で一生の間に産むとした時の子ども数に相当し、推計値である。

A779	○	児童福祉法は、[18 歳未満] の児童に適用されている。

A780	×	[乳幼児健康診断] のうち、1 歳 6 か月健診と 3 歳健診は母子保健法で定められているが、その他は、各自治体で任意に定めている。

A781	×	医療機関との連携は大切だが、個人情報保護の観点から必ず [保護者] を通じて行う必要がある。

A782	×	母子健康手帳は、[妊娠届] をしたものに交付される。保育所入所時に母子健康手帳の提出は推奨されるが、義務付けられていない。

A783	×	乳幼児健診は、[母子保健法] に則って実施される。

Q784
☑ ☑
母子保健法で実施時期の規定がある1歳6か月児と3歳児の健康診査は市区町村が実施している。

Q785
☑ ☑
保育所では、入所時健康診断及び少なくとも1年に2回の定期健康診断を行うことと、母子保健法に定められている。

Q786
☑ ☑
乳児死亡率とは、出生後28日未満の死亡数を出生数で割り1,000をかけたものである。

Q787
☑ ☑
「母子保健法」による新生児とは、出生後30日を経過しない乳児をいう。

Q788
☑ ☑
「児童福祉法」による保育所等訪問支援は、障害児通所支援の一つである。

Q789
☑ ☑
現在の母子保健法には児童虐待防止に関する条文はない。

Q790
☑ ☑
周産期死亡とは、妊娠満22週以後の死産と生後4週未満の新生児死亡を合わせたものをいう。

Q791
☑ ☑
乳幼児身体発育曲線は、文部科学省が10年ごとに行う乳幼児身体発育調査の結果をもとに作成している。

Q792
☑ ☑
母子健康手帳の原形は、1942（昭和17）年から始まった妊産婦手帳にみることができる。

Q793
☑ ☑
2012（平成24）年度新様式では、便色の確認の記録（便色カード）のページが設けられた。

A784　○　1歳以上2歳未満の幼児、3歳以上4歳未満の幼児は、[市区町村] が健康診査を行わなければならない。

A785　×　保育所の定期健康診断は、「児童福祉施設の設備及び運営に関する基準第12条」によって義務付けられている。

A786　×　乳児死亡率とは、[生後1年未満] の死亡数を出生数で割り1,000をかけたものである。

A787　×　新生児とは、[生後28日] を経過しない乳児をいう。

A788　○　障害児通所支援は、「児童発達支援」「放課後等デイサービス」「保育所等訪問支援」「居宅訪問型児童発達支援」がある。

A789　×　[母子保健法] に、「乳児及び幼児に対する虐待の予防及び早期発見に資するものであることに留意する」という記載がある。

A790　×　[周産期死亡] とは、妊娠満22週以後の死産と早期新生児死亡を合わせたものをいう。[早期新生児死亡] とは生後1週未満の死亡のことである。

A791　×　乳幼児の身体発育曲線は、乳幼児身体発育調査をもとに [厚生労働省] が作成する。

A792　○　母子健康手帳の原形は、1942（昭和17）年から始まった [妊産婦手帳] にみることができる。1948（昭和23）年に「母子手帳」として様式が定められ、1965（昭和40）年に母子保健法に基づき [母子健康手帳] に名称が変更された。

A793　○　2012（平成24）年度新様式では、[先天性胆道閉鎖症] の早期発見のため、便色カードのページが設けられた。

2 子どもの身体的発育・発達と保健

Q794
☑ ☑

多くの乳児は、出生後の1年間で出生時と比較して、体重は約4.5倍、身長は約2.5倍になる。

Q795
☑ ☑

新生児期の生理的体重減少においては通常、出生体重の15%程度減少する。

Q796
☑ ☑

ひとりで上手に歩けるようになるのは、生後8か月くらいである。

Q797
☑ ☑

運動機能の発達は、「寝返り→首のすわり→おすわり→はいはい→つかまり立ち→ひとり歩き」の順で進む。

Q798
☑ ☑

3歳時点での発話が、単語5〜6語で、二語文の表出がみられない場合には、言語発達の遅れを疑う。

Q799
☑ ☑

乳児の体重は、健康状態に問題がなければ、出生後少しずつ増加し減少することはない。

Q800
☑ ☑

母乳栄養の6か月児のカウプ指数が21で、太りすぎていて健康によくないので、1日に与える母乳の回数を制限するように指導した。

Q801
☑ ☑

反抗は子どもが心理的自立を図る過程で生じる一過的な現象である。

Q802
☑ ☑

発育を促すホルモンには、成長ホルモンの他に甲状腺ホルモン、副腎皮質ホルモンなどがある。

A794 × 多くの乳児は、出生後の1年間で出生時と比較して、体重は［約3倍］、身長は［約1.5倍］になる。

A795 × 新生児期の生理的体重減少は、生後数日間にみられるもので、その減少率は［5～10％］で通常は10％を超えることはない。

A796 × ひとりで上手に歩けるようになるのは、生後［10か月～1歳3か月］くらいである。

A797 × 運動機能の発達は、［首のすわり］→［寝返り］→［おすわり］→［はいはい］→［つかまり立ち］→［ひとり歩き］の順で進む。

A798 ○ ［言語発達の遅れ］を疑ったときには、聴力の問題か知的機能の問題か、発達障害かを検討する。

A799 × 出生後最初の1週間では、［生理的体重減少］がみられる。

A800 × ［母乳栄養］は消化が良く、太りすぎであっても離乳食を始めれば落ち着くため、心配ないので母乳を減らす必要はない。

A801 ○ 反抗期は、成長過程で多くの子どもでみられ、［心理的自立を達成］するとみられなくなっていく。

A802 × 発育を促すホルモンには、副腎皮質ホルモンではなく、［性ホルモン］がある。

Q803 乳歯は前歯から生えはじめ、その時期はおよそ生後12か月ころである。
☑ ☑

Q804 頭囲は、額の最突出部と後頭部の一番突出したところを通る周径とする。
☑ ☑

Q805 子どもの年齢が低いほど、新陳代謝はおだやかであるので、脈拍数は多く体温は高めである。
☑ ☑

Q806 生後1か月を過ぎたら、戸外の空気に触れさせ積極的に日光浴をさせる。
☑ ☑

Q807 おむつを取り替えるときは、両足を垂直に持ち上げ手早く替える。
☑ ☑

Q808 保育所の子どもの食事の介助では、事故防止のために座っている姿勢にも注意する。
☑ ☑

Q809 2歳未満の身長計測は仰臥位で行い、足蹠面（足のうらの面）を固定し、頭部に移動板を垂直に当てて目盛りを読み取る。
☑ ☑

Q810 機能的な成熟は、末梢から中心部へと向かって起こる。
☑ ☑

Q811 新生児にみられる原始反射は、健康な成人にもみられる。
☑ ☑

Q812 母乳は乳児にとって最も適切な栄養であるが、ビタミンK欠乏の可能性がある。
☑ ☑

A803 ✕ 乳歯が生え出すのは、生後 [約6か月] である。

A804 ✕ 頭囲は、[眉の上] と [後頭部の一番突出したところ] を通る周径とする。

A805 ✕ 子どもの年齢が低いほど、[新陳代謝] は盛んである。

A806 ✕ 生後1か月が過ぎたら、戸外の空気に触れさせてよいが、日光浴は、将来的な [皮膚疾患を予防] するために、なるべく控える。

A807 ✕ 乳児では、両足を垂直に持ち上げると [股関節脱臼] になる危険があるので、なるべく [両足を広げた状態] でおむつを取り替える。

A808 ◯ きちんと椅子に座り、あごを引いた姿勢で食べることが [誤嚥] を起こさないためにも大切である。

A809 ✕ 頭部に移動板ではなく [固定板] をつける。

A810 ✕ 機能的な成熟は、[中心部から末梢] へと向かって起こる。

A811 ✕ 原始反射は、生後 [3か月] 頃までみられ、それ以降にみられるときは、脳性麻痺など発達の異常が考えられる。

A812 ◯ ビタミンKは欠乏の可能性があるため、出生後の哺乳開始時と1か月健診時に投与し、[母乳栄養児] では、生後3か月まで投与する。

7

子どもの保健

Q813 母乳には感染防御因子として IgG が豊富に含まれる。
☑ ☑

3 子どもの心身の健康状態とその把握

Q814 脈拍数は、年齢が低いほど多く、乳児では 150 を超えるのが普通である。
☑ ☑

Q815 乳児の 1 日の体重 1 kg あたりの必要水分量は、成人の約 2 倍である。
☑ ☑

Q816 頭を打った後に嘔吐をしたり、意識がぼんやりしているときは、横向きに寝かせてしばらく様子をみる。
☑ ☑

Q817 アナフィラキシーは、皮膚を含めて 3 つ以上の臓器に急に出る症状である。
☑ ☑

Q818 乳幼児突然死症候群は、夜間に限って睡眠中に生じる疾患である。
☑ ☑

Q819 水痘は特徴的な発しんが重い場合は全身的に出現するが、頭皮にはみられないのが特徴である。
☑ ☑

Q820 風疹では、発疹が出る直前にコプリック斑を認める。
☑ ☑

Q821 流行性耳下腺炎では、必ず両側の耳下腺部が腫れるので、別名「おたふくかぜ」といわれている。
☑ ☑

| A813 | × | 母乳に含まれるのは、分泌型［IgA］である。 |

| A814 | × | 脈拍数は、年齢が低いほど多いが、乳児では［110 〜 130］くらいが普通である。 |

| A815 | × | 乳児は、体の水分量の割合が大きく、［不感 蒸泄］が多く腎臓が未発達で失われる水分が多いため、1日の体重1kg あたりの必要水分量は、成人の［約3倍］である。 |

| A816 | × | 頭を打った後に、激しく嘔吐したり、意識がぼんやりしているときには、［頭蓋内出血］の可能性もあるので、医療機関に連れて行く。 |

| A817 | × | 『アナフィラキシーガイドライン』（日本アレルギー学会）によると、アレルゲンの暴露後に、皮膚症状、呼吸器症状、循環器症状、持続する消化器症状のうち［2つ］の症状が急速にあらわれた場合、アナフィラキシーと診断するとされている。 |

| A818 | × | 乳幼児突然症候群（SIDS）は、［昼寝や昼間のうたた寝］のときにも起こりうる。 |

| A819 | × | 水痘の発しんは、［頭皮］にもみられるのが特徴である。 |

| A820 | × | コプリック斑がみられるのは［麻疹（はしか）］である。 |

| A821 | × | 流行性耳下腺炎（おたふくかぜ）は、片側の耳下腺のみが腫れることや、［顎下］腺が腫れるものなど色々な症状がある。 |

Q822 1型糖尿病は肥満が原因で起こり、比較的早く腎不全になる。

☑ ☑

Q823 咽頭結膜熱は、エコー・ウイルスによって起こり、プールの水を介して感染することが多い。

☑ ☑

Q824 結核は、結核菌が経口感染することによって起こる。乳幼児では発症しても軽症である。

☑ ☑

Q825 先天性風疹症候群は、乳幼児期の風疹罹患によって起こる。

☑ ☑

Q826 睡眠リズムの調節と免疫機能の向上作用をもつメラトニンは、日中に比較的多く分泌される。

☑ ☑

Q827 高熱時には、部屋を十分暖め、厚着をさせて、解熱するまで身体が冷えないようにする。

☑ ☑

Q828 医療的ケア児には、歩ける児から寝たきりの重症心身障害児まで含まれる。

☑ ☑

Q829 「バイタルサイン」とは、窒息を起こした時に、両手を交差させてのど元をつかむような動作のことである。

☑ ☑

Q830 痙攣が起こったら、あおむけに寝かせる。

☑ ☑

Q831 小児がけいれんを起こした時、緊急の処置として、スプーンなどを噛ませ、歯で舌などを傷つけないようにしなければならない。

☑ ☑

A822 ✕ 1型糖尿病は、生活習慣病が原因の2型糖尿病と異なり、[インスリンの欠乏]が原因で起こる。腎不全は1型、2型ともに血糖値のコントロールが悪いと起こることがある。

A823 ✕ 咽頭結膜熱は[アデノウイルス]が原因で、[プール熱]ともいわれるが、これは夏に流行することが多いからで、プールの水を介して感染するわけではない。

A824 ✕ 結核菌は、[空気感染]、[飛沫感染]、[接触感染]であり、乳幼児は発症すると重症になりやすく、結核性髄膜炎となったときは、後遺症も重くなる。

A825 ✕ [先天性風疹症候群]は、妊娠初期の風疹罹患によって起こる。

A826 ✕ メラトニンは[夜間]に分泌される。

A827 ✕ 高熱時には、悪寒が治まったら、[部屋の温度を下げ、薄着]にさせる。

A828 ◯ [医療的ケア児]には、運動障害や知的障害がない子どももいる。

A829 ✕ 窒息したときに両手でのど元をつかむ動作は[チョークサイン]で、「バイタルサイン」は、生命徴候を数値化したもので、呼吸数や脈拍数、血圧などがある。

A830 ✕ 痙攣が起きたときには、[唾液や嘔吐物]が気管に入らないようにするため、顔を[横向き]にし、嘔吐したときには、口の中のものをすぐにかき出す。

A831 ✕ 小児が[けいれん]を起こした時、口に物を入れると嘔吐して窒息する危険性があるので、行わない。

Q832
☑ ☑
血友病は歩いたり走ったりすることで目に見えない足の関節の出血が増えてくるため、運動を伴う活動や遊びを全て制限することの理解を保護者に求める。

. . . .

Q833
☑ ☑
幼児期は、熱性痙攣を起こしやすい。

. . . .

Q834
☑ ☑
発疹でかゆみが強い時は、冷たいタオルで冷やすとよい。

. . . .

Q835
☑ ☑
ウイルスが原因で下痢をしている場合、下痢がおさまれば便の中にウイルスは排出されなくなる。

. . . .

Q836
☑ ☑
子どもが嘔吐したのち、脱水症になることが心配だったので、嘔吐した後なるべく早く経口補水液を飲ませた。

. . . .

Q837
☑ ☑
学童より0、1、2歳児の方が食物アレルギー児は多い。

. . . .

Q838
☑ ☑
RSウイルス感染症は一度かかれば十分な免疫が得られるため、何度も罹患する可能性は低い。

. . . .

Q839
☑ ☑
発達性読み書き障害（発達性ディスレクシア）がある人は、失敗や叱責を受ける経験から、あらゆる面で意欲を失っていることが多い。

. . . .

Q840
☑ ☑
全ての子どもの1％ほどに発達障害があると考えられる。

A832 × 血友病では定期的に［凝固因子］を補充すれば、通常の運動を行ってよい。また、活動や運動制限が必要な時には、医療機関による診断書か生活指導管理表が必要となる。

・・

A833 ○ 6歳までの幼児では、［発熱時］に痙攣を認める熱性痙攣を起こしやすい。

・・

A834 ○ かゆみがある発疹は、入浴後などの［皮膚を温めた後］に悪化する。まず、冷やして様子を見て、かゆみが改善しないときには、医療機関を受診する。

・・

A835 × 感染性の胃腸炎の場合、下痢が治まってもしばらく［原因ウイルスが排出される］ので、便の始末では感染を拡げないように配慮する。

・・

A836 × 嘔吐してすぐに経口補水液を飲ませると、また嘔吐を誘発することがある。嘔吐後、すぐには脱水症にならないので、1時間ほど絶飲時間をおいてから水分摂取を行う。

・・

A837 ○ 食物アレルギーは［低年齢児］に多く、［年齢が上がる］につれて少なくなる。

・・

A838 × ［RSウイルス］は、再感染がしばしばあり、また型の違いもあるので、何度か罹患することがある。

・・

A839 ○ ［発達性読み書き障害（発達性ディスレクシア）］は、［限局性学習症］の読み書きに限定した障害で、自尊感情を損ねられることで二次障害を受けやすい。

・・

A840 × ［自閉スペクトラム症］は1％弱だが、［注意欠如・多動症］は5％以上といわれている。

7

子どもの保健

4 子どもの疾病の予防と適切な対応

Q841 水痘に罹患したら、すべての発疹が痂皮化するまで登園を控える。
☑ ☑

Q842 乳幼児が通常のインフルエンザに罹患したら、発症後最低5日間かつ解熱した後2日を経過するまで登園を控える。
☑ ☑

Q843 インフルエンザ菌b型に対するワクチンは髄膜炎予防に有効である。
☑ ☑

Q844 慢性疾患のある子どもを保育する上で不明の内容は、保護者の了解のもとに、その主治医と連絡を取り合って解決をはかる。
☑ ☑

Q845 食物アレルギーの場合、血液検査で特異的及び非特異的IgEを測定するが、アレルゲンとなる食物摂取制限の決め手にはならない。
☑ ☑

Q846 妊娠中の予防接種は、すべてのワクチンにおいて禁忌であり、受けてはならない。
☑ ☑

Q847 水痘ワクチンは、定期接種として実施されている。
☑ ☑

Q848 百日咳では、特有の咳が消失するまで、または5日間の適正な抗菌性物質製剤による治療が終了するまで登園を控える。
☑ ☑

Q849 全身に発疹が生じる水痘と、神経の走行に沿って皮膚に発疹が生ずる帯状疱疹とは、全く異なるウイルスの感染によって起こる。
☑ ☑

A841 ○ 痂皮化とは、発赤が消失して［かさぶた］となることである。なお水痘とは「みずぼうそう」のことである。

A842 × 通常のインフルエンザに罹患したら、発症後最低［５日間］かつ乳幼児では解熱した後［３日］を経過するまで登園を控える。

A843 ○ インフルエンザ菌b型はヒブともいい、２歳未満の［髄膜炎］の予防でヒブワクチンを接種する。なお、インフルエンザを起こすのは［インフルエンザウイルス］で、インフルエンザ菌ではないことを覚えておこう。

A844 ○ 主治医と連絡を取るときには、［保護者の了解］が必要である。

A845 ○ 血液検査で［IgE］が高値となっていても症状がない場合には、食物摂取制限は行わない。

A846 × 妊娠中であっても、［不活化ワクチン］は接種できる。なお［生ワクチン］の接種はできない。

A847 ○ 2014（平成26）年10月より、［定期接種］となっている。

A848 ○ 百日咳に有効な抗菌薬で［５日間］治療していることが必要である。

A849 × 水痘と帯状疱疹の原因ウイルスは［同じ］で、水痘に罹患して後に帯状疱疹に罹患する。

Q850 ☑ ☑
BCG は、結核に対する予防接種であり、管針で2か所スタンプ式に皮膚に押す。

Q851 ☑ ☑
B型肝炎ウイルス・キャリアの母親の母乳中には、B型肝炎ウイルスが含まれていることがある。

Q852 ☑ ☑
接触によって体の表面に病原体が付着しただけで感染は成立する。

Q853 ☑ ☑
希釈して使用する消毒薬は原液の濃度が異なり換算して作るため、毎週希釈しなおして常備する。

Q854 ☑ ☑
ひっかき傷などは流水できれいに洗い、絆創膏などを貼らずによく乾かすようにする。

Q855 ☑ ☑
感染者は症状がなくても感染源となりうる。

Q856 ☑ ☑
先天性甲状腺機能低下症は通常、新生児マススクリーニングによって発見され、治療できる。甲状腺ホルモン薬を一生服用すれば、一般的には普通の人と同じ生活ができる。

Q857 ☑ ☑
注射生ワクチンを接種した日から次の注射生ワクチン接種を行うまでの間隔は、27日以上あける。

A850　◯　BCG は［結核］に対する予防接種であり、日本では、3×3の管針で2か所スタンプ式に皮膚に押す。

A851　◯　［設問文の通り］である。なお、B型肝炎ウイルス・キャリアの母親の母乳には、乳頭が傷ついていると B型肝炎ウイルスが含まれていることがある。なお、感染予防の処置を行っていれば、［母乳を飲ませてよい］。

A852　×　［皮膚に傷］がある場合を除き、正常な皮膚の表面に病原体が付いただけでは感染しない。よく洗い落とせばよい。

A853　×　希釈して用いる消毒液は、時間が経つと効果が減少するので、［毎日］作り変える。

A854　×　ひっかき傷などがある時は、［血液を介する感染症］などの予防のため、絆創膏などで保護する。

A855　◯　症状のない感染者である［不顕性感染者］からも感染する。

A856　◯　先天性甲状腺機能低下症（クレチン症）は、［新生児マススクリーニング］で発見し、早期治療を開始できれば後遺症は残らない。

A857　◯　注射生ワクチン以外の場合の接種間隔に関しては、制限はない。

7

子どもの保健

😺 **ポイント**　ワクチンの同時接種

同時接種とは、複数のワクチンを一緒に混ぜて接種することではなくワクチンを接種する部位を変えて、1回の診察で複数のワクチンを接種することである。両腕、両腿の4箇所に経口ワクチンを加えて2〜5種類のワクチンを接種することが可能である。

5 子どもの健康と安全

Q858
☑ ☑

窒息を防ぐため、やわらかい布団に寝かせる。

Q859
☑ ☑

まだ寝返りのできない乳児は、世話をしやすいように ベッド柵は上げないでおく。

Q860
☑ ☑

SIDS の予防のためには、乳児の体を冷やさないように、衣類や布団を多めに使用する。

Q861
☑ ☑

十分な監視体制の確保ができない場合は、プール活動の時間を短くして実施する。

Q862
☑ ☑

小児では、熱傷面積が全身の 10%以上占める場合は、救急車を要請する。

Q863
☑ ☑

児童虐待の通告の対象は、「児童虐待を受けたと思われる児童」である。

Q864
☑ ☑

災害に被災後の乳児には、夜泣き、寝つきがわるい、少しの音にも反応する、表情が乏しくなるなどの行動がみられることがある。

Q865
☑ ☑

水の中では汗をかかないため、プール遊びで熱中症は起こらない。

Q866
☑ ☑

やけどで衣服が皮膚に付いている場合は、脱がせてから水などで十分冷やす。

A858 × やわらかい布団で寝かせることは、特に乳児については [窒息] の原因となるので、固い布団に寝かせる。

． ．

A859 × 乳児の [ベッドからの転落] を避けるために、ベッド柵は必ず上げておく。

． ．

A860 × 乳児に衣類や布団を多めにかけると [SIDS] のリスクが高くなる。

． ．

A861 × 十分な監視体制ができない時には、[プール活動] を行わない。

． ．

A862 ○ [10%] 以上の熱傷時には、脱水になりやすいので注意を要する。気道熱傷の場合も、急変する可能性があるので、救急車を要請する。

． ．

A863 ○ 児童虐待の防止等に関する法律（児童虐待防止法）６条に記載されているように、虐待の通告は、虐待の事実が確定した後ではなく、[疑った段階] で通告する。

． ．

A864 ○ 被災後や事故後は [PTSD（心的外傷後ストレス障害）] として乳児にも影響がみられることがある。

． ．

A865 × 熱中症はプールでも起こるので、定期的に [水分補給] が必要である。

． ．

A866 × 衣服を着ているところをやけどしたときには、服を脱がせず、[服の上から水で冷やす]。

７

子どもの保健

Q867
☑ ☑
万が一に備え、保育所内では最低3日分の必需品を備蓄しておくとよい。

Q868
☑ ☑
暖房中は、定期的に窓を開けて空気を入れ替えるようにするが、風邪が流行しているときは、室内が寒くならないよう、換気をしない。

Q869
☑ ☑
「エピペン」を保管する場合は、冷蔵庫で保管する。

Q870
☑ ☑
消毒用アルコールは、ノロウイルスに有効である。

Q871
☑ ☑
遺伝的にアレルギーになりやすい素質の人が、年齢を経るごとに次から次へとアレルギー疾患を発症する場合を「アナフィラキシー」という。

Q872
☑ ☑
「教育・保育施設等における事故防止及び事故発生時の対応のためのガイドライン【事故防止のための取組み】施設・事業者向け」を参考に事故防止、事故発生時の対応を行うのは、「施設・事業者」のみでなく、「地方自治体」も含まれる。

Q873
☑ ☑
小児が呼吸をしていないときには、まず人工呼吸を行う。

Q874
☑ ☑
胸骨圧迫をするときは、小児と成人では回数が異なる。

Q875
☑ ☑
エピペンを処方されている食物アレルギーがある子どもが、喘鳴が出て苦しそうになり、喘息発作と区別がつかない状態になったら、エピペンを使用してはならない。

A867　◯　災害時に保護者や救助が迎えに来るまで、職員と保育している子どもの人数分の［3日分］の水や食料品などの備蓄が必要である。

A868　✕　冬季であっても、風邪が流行しているときには、［定期的に換気］する。

A869　✕　「エピペン」は、［15〜30℃の室温］に保管する。

A870　✕　ノロウイルスの消毒には、［次亜塩素酸ナトリウム］を用いて行う。

A871　✕　年齢を経るごとに次から次へアレルギー疾患を発症する場合は、［アレルギーマーチ］といい、2臓器以上にアレルギー症状が出る場合を［アナフィラキシー］という。

A872　◯　ガイドラインには［地方自治体］も含まれる。事業内保育事業も対象とされている。

A873　✕　呼吸をしていない時には、まず［胸骨圧迫］を行う。［人工呼吸の研修を受けた者］がいる時には、気道確保し、胸骨圧迫30回に人工呼吸を2回行う。

A874　✕　胸骨圧迫をするときは、小児も成人も1分間に［100〜120回］で同じである。

A875　✕　エピペンは、アナフィラキシーを起こしたことがある子どもに処方される。アナフィラキシーかどうか［判断に迷った時］にもエピペンを使用してよい。

Q876
☑ ☑

捻挫をした時、痛がる部位をよく揉んだ。

Q877
☑ ☑

「熱中症予防のための運動指針」によれば、暑さ指数が 28 ～ 30℃で激しい運動をする時の必要最小限の休息は、1 時間に 1 回程度である。

6 保育における保健計画および評価

Q878
☑ ☑

乳幼児健康診査結果は重要であり、保育所は入園児の母子健康手帳を提出させなければならない。

Q879
☑ ☑

「保育所保育指針」では、保健計画の策定が義務付けられている。

Q880
☑ ☑

保健計画の様式は決められており、目標、保健活動内容、留意点、評価等が含まれる。

Q881
☑ ☑

母子健康手帳の 2012（平成 24）年度新様式では、離乳開始前の果汁摂取に関し、それまでの記述が改められた。

Q882
☑ ☑

保健計画の作成に際し、「保健計画の目標の設定」→「保健情報及び資料の収集」→「保健活動の内容の設定」→「保健計画の決定」→「関係機関との連絡・調整」の順に進めるとよい。

A876 × ［捻挫］をした時には、安静にして冷やす。

. . . .

A877 × ［暑さ指数］が28から31の時には、厳重警戒で、10〜20分おきに休憩をとり水分・塩分の補充を行い、暑さに弱い子どもの時には運動を中止することも考慮する。

7

子どもの保健

A878 × 母子健康手帳には個人情報が記載されているので、［保護者の了解］が必要である。

. . . .

A879 ○ 「保育所保育指針」には、保健計画が保育計画と関連して策定することの重要性が記載されている。

. . . .

A880 × 保健計画の様式は定められていない。

. . . .

A881 × 2008（平成20）年から母子健康手帳では、離乳の時期を［5〜6か月］頃に遅らせ、離乳開始前の果汁摂取の記載をなくした。

. . . .

A882 × 保健計画の作成に際し、「保健情報及び資料の収集」→「保健計画の目標の設定」→「保健活動の内容の設定」→「関係機関との連絡・調整」→「保健計画の決定」の順に進めるとよい。

Q883 新生児マススクリーニング検査とは、3歳児健康診査時に行う発達検査である。
☑ ☑

Q884 フェニルケトン尿症は新生児マススクリーニングの検査で見つけることができる。
☑ ☑

Q885 保育所での3歳児以上の健診の項目は、幼稚園でのそれとほぼ同様である。
☑ ☑

Q886 保健計画は、看護師か主任が実行し、子どもの健康増進に努める。
☑ ☑

Q887 保健計画における保健指導は、子どもに関して計画する。
☑ ☑

Q888 妊婦健診や乳幼児健診を受診していない場合、子どもを虐待していることが多い。
☑ ☑

Q889 生活管理指導表は、アレルギー疾患と診断された園児が、保育所の生活において特別な配慮や管理が必要となった場合に限って作成する。
☑ ☑

A883　✕　新生児マススクリーニング検査とは、治療可能な疾患を早期発見するために［生後４～６日目の全ての乳児］に行う検査のことで、主に代謝異常を発見するマススクリーニング検査が行われている。

A884　○　新生児マススクリーニング検査では、先天性代謝異常症の［フェニルケトン尿症］、ガラクトース血症、［メープルシロップ尿症］、ホモシスチン尿症、内分泌疾患の［先天性甲状腺機能低下症（クレチン症）］、先天性副腎過形成を見つけることができる。

A885　○　３歳以上はほぼ同じであるが、０歳児、１歳児では、毎月小児科健診をして、［発育、発達］も評価していることが多い。

A886　✕　保育所保育指針では、保健計画は、［全職員］がその内容を踏まえ、子どもの健康の保持及び増進に努めることになっている。

A887　✕　保健指導は、［保護者］や［職員］に対しても計画して実施する。

A888　○　保健所では、乳幼児健診を受けていないときに、個別連絡をして［虐待］の可能性がないか確認を行うことがある。

A889　○　［保護者］から［主治医］に作成を依頼し、提出してもらう。

7
子どもの保健

合否を分ける一問に挑戦！

Q890
☑ ☑
「トリソミー」とは、染色体異常で、ある染色体が1本多い場合をいう。

Q891
☑ ☑
成長ホルモンは、主にレム睡眠の時に分泌される。

Q892
☑ ☑
乳幼児突然死症候群（SIDS）の日本での発症頻度はおおよそ出生6,000～7,000人に1人と推定され、多くは生後1歳以上で発症する。

Q893
☑ ☑
出生後のアプガースコアが高いほど、重症仮死である。

Q894
☑ ☑
市町村の保健センターで行われる乳幼児健診の受診率は、「令和4年度地域保健・健康増進事業報告の概況」によると約7割である。

Q895
☑ ☑
免疫グロブリンのIgAは、胎盤を通過する。

Q896
☑ ☑
夜尿への対処としては、夜間の排尿誘導が推奨される。

Q897
☑ ☑
定期接種としてのB型肝炎ワクチン接種は、母子感染予防を目的としている。

Q898
☑ ☑
病児保育事業は、制度上、対象者は未就学児に限られている。

| A890 | ○ | 最も多い染色体異常の［ダウン症］は、21番目の染色体が1本多い21トリソミーである。 |

| A891 | × | 成長ホルモンは［ノンレム睡眠］のときに、最も分泌される。 |

| A892 | × | SIDSの発症の多くは生後［1歳未満］である。 |

| A893 | × | 出生後のアプガースコアが［低い］ほど、重症仮死である。 |

| A894 | × | 乳幼児健診の受診率は［9割以上］である。 |

| A895 | × | 免疫グロブリンの［IgG］は胎盤を通過するが、免疫グロブリンの［IgA］は胎盤を通過しない。 |

| A896 | × | ［夜尿］は夜間の排尿誘導により、固定化されるので行わない方がよい。 |

| A897 | × | B型肝炎ワクチンは、2016（平成28）年より乳幼児に定期接種となったが、母子感染予防（垂直感染予防）が目的ではなく、個体から個体への［感染予防（水平感染予防）］を目的としている。 |

| A898 | × | 病児保育事業は、［小学校3年生］までの児童が対象である。 |

🐱 ポイント　アプガースコア

新生児の状態を表すもので、皮膚の色や心拍数、呼吸の状態などを指標として評価を行う。10点満点中7点以上が正常とされ、6点以下は仮死状態に分類される。

Q899 予防接種の同時接種とは、複数のワクチンを混合して接種することである。

☑ ☑

Q900 幼児が転んで擦り傷ができたときには、消毒は特に必要ない。

☑ ☑

Q901 アナフィラキシーを起こして、顔色が悪くなったときには、頭を高くして寝かせる。

☑ ☑

Q902 子どもで最も多い先天性心疾患は、心房中隔欠損である。

☑ ☑

Q903 血友病は遺伝性疾患で父親が保因者であることが多く、保護者の気持ちに寄り添いながら話を聞く。

☑ ☑

Q904 風疹の抗体を持っていない女性の妊娠が判明した時には、子どもが先天性風疹症候群にならないように、早めに風疹の予防接種を行う。

☑ ☑

Q905 発熱を伴うけいれんは熱性けいれんであり、解熱剤を飲ませて様子を見れば短時間で消失する。

☑ ☑

Q906 先天性代謝異常症の早期発見は、新生児期に尿検査のマススクリーニング検査によって行う。

☑ ☑

Q907 昨夜の体温は 38.5℃で解熱剤を 1 回服用し、今朝の体温は 36.8℃で平熱である時は、登園を控える。

☑ ☑

A899 × 同時接種は、1回の診察で、複数の予防接種を [別々の部位に接種する] ことである。

A900 ○ 擦り傷のときは、泥やゴミは [水で洗い流す] 必要はあるが、[消毒] する必要はない。

A901 × アナフィラキシーを起こして顔色が悪くなったときには、血圧が下がっていることを考え、救急車を呼んで [足を高く] して寝かせる。[エピペン] を処方されている場合は、速やかに投与する。

A902 × 子どもで最も多い先天性心疾患は、[心室中隔欠損] である。

A903 × 血友病は [伴性劣性遺伝] で保因者となるのは母親で、男性が発病することが多い。

A904 × 風疹の予防接種は、[生ワクチン] なので、妊娠してからは接種することはできない。[妊娠前] に予防接種をしておく必要がある。

A905 × [発熱] を伴うけいれんは、熱性けいれんの他にも原因があることがある。また、解熱剤でけいれんがおさまることはなく、短時間で消失するとも限らない。

A906 × 先天性代謝異常症の早期発見は、新生児期に [血液検査] のマススクリーニング検査によって行う。

A907 ○ 体温が 37.5℃以上あった時は、解熱剤を使わずに平熱となって 24 時間経過したら登園してよい。

7

子どもの保健

Q908 学校感染症第二種に感染した場合は、保育所においても意見書または登園届の提出が義務付けられている。

☑ ☑

Q909 子どもが意識を失って倒れていたとき、胸部に吐物が付着していたが、蘇生を急ぐべきと考え、AEDの電極をそのまま貼った。

☑ ☑

Q910 気管支喘息と診断されている子どもに対しては、発作が起きないように、外遊びや遠足には参加させない。

☑ ☑

Q911 アナフィラキシーの症状は、じんましん、嘔吐などであり、喘鳴はない。

☑ ☑

Q912 子どもが食事中にむせ込んで誤嚥が疑われたときには、まず水を飲ませる。

☑ ☑

Q913 RSウイルス感染症は、幼少ほど重症になりやすい。

☑ ☑

Q914 生後1か月の乳児が白色便をしたときは、食欲もあり、下痢便でなければ心配しなくてよい。

☑ ☑

Q915 医療的ケア児を保育所で預かる場合は、安全を考慮しできるだけ別室保育をすることが望ましいとされている。

☑ ☑

Q916 食物を食べていない時の口中の酸度はpH6.5〜7.0くらいであるが、pHが上昇することにより、歯が侵されやすい状態になる。

☑ ☑

A908 × 学校感染症第二種に感染した場合は、[出席停止期間] を予め確認しておく必要があるが、意見書または登園届を一律に求めるものではない。

A909 × 濡れている体表に大量の電流が流れ、心臓に十分な電流が届かない危険性があるので、AEDの電極は [濡れている部分を拭いて] から貼り付ける。

A910 × 気管支喘息と診断されている子どもは、発作が起きていないときは、外遊びや遠足にも [参加させる]。

A911 × アナフィラキシーの症状で、[喘鳴] が出た時には、重症に移行して、[アナフィラキシーショック] になる可能性がある。

A912 × 誤嚥を疑ったときには、背中を叩くなどをして、[誤嚥物が排出される] ようにして、落ち着くまで水は飲ませない。

A913 ○ RSウイルス感染症は、[2歳未満] では細気管支炎となって、呼吸困難となることがある。

A914 × 生後1か月で白色便をしたときは、[胆道閉鎖症] の可能性があるので、便を持参して医療機関を受診する。

A915 × 保育所で医療的ケア児の医療的ケアを行う時は、別室で行うこともあるが、それ以外の保育は、他の子どもと一緒の [インクルーシブ保育] が望ましい。

A916 × 口腔内の [pHが低下] すると、歯が侵されやすい状態になる。

栄養に関する基礎知識

糖質	・エネルギー源として重要（[4kcal] ／1g） ・摂取された糖質は唾液・膵液・腸液の作用を受け、[単糖類の形] で体内に吸収され、小腸粘膜上皮細胞に取り込まれる（膜消化） ・余剰分は肝臓や筋肉にグリコーゲンとして貯蔵される ・ガラクトースはぶどう糖と結びついて乳糖を構成し、[脳や神経組織] の構成成分として乳幼児の大脳発育に重要 ・でんぷんは穀類・いも類に多く、ぶどう糖が多数直鎖状に結合した [アミロース] と分枝状に結合した [アミロペクチン] の2種類がある
食物繊維	・炭水化物に分類され多糖類であるが、エネルギー源にならず消化酵素で消化されない ・[水溶性] 食物繊維は、熟した果物やこんにゃく、海藻などに多く、血液中のコレステロール濃度・食後の血糖値の上昇・血圧の上昇などを抑える ・[不溶性] 食物繊維は、腸壁を刺激して蠕動運動を活発にし、便秘の改善や腸内の有害物質を吸収する働きもある
脂質	・効率のよいエネルギー源（[9kcal] ／1g） ・[細胞膜・血液・ホルモン] などの原料となり、脂溶性ビタミンの供給源になる ・飽和脂肪酸は [動物性油脂] に多く常温で固体。多用すると血液中のコレステロールや中性脂肪濃度が上昇し冠動脈疾患や脳血管疾患を誘発する ・不飽和脂肪酸は [植物油] に多く常温で液体 ・[必須脂肪酸] は炭素の二重結合が2箇所以上ある多価不飽和脂肪酸で、体内で合成できず食品から摂取が必要であり、リノール酸とα-リノレン酸がこれにあたる。n－6系とn－3系（いわし・まぐろなどの魚油に多いエイコサペンタエン酸（EPA）とドコサヘキサエン酸（DHA））に存在する ・[リン脂質] は細胞膜を形成する主な成分で、卵黄、大豆に多く含まれるレシチンが代表である。水に馴染みやすい性質があり、乳化剤として働く（マヨネーズなど）

脂質	・[コレステロール]はリン脂質とともに細胞膜を構成し、神経・ホルモンの成分になる。コレステロールが多過ぎると血管壁に沈着して動脈硬化を招く。肝臓で作られる他に食品からも摂取される（鶏卵・レバー・いくらなど）
たんぱく質	・たんぱく質は[筋肉・臓器]の構築材料、[酵素・ホルモン・免疫抗体]の基本成分である ・エネルギー源（[4kcal]/1g）になる ・たんぱく質を構成するアミノ酸は約[20]種。そのうち体内で合成できず、食事から摂取する必要があるものが[必須アミノ酸]である ・アミノ酸価は、それぞれの必須アミノ酸における理想の量に対して、各食品に含まれる量を比較してたんぱく質の栄養価を示す ・アミノ酸価の低い食品を摂取した時には、その食品の制限アミノ酸を多く含む他の食品を一緒に摂取するとたんぱく質の栄養価が高くなることをアミノ酸の[補足効果]という
無機質	・身体機能の調整などの重要な役割を持つ ・体内に多く存在する多量元素は、カルシウム・リン・カリウム・マグネシウム・ナトリウム ・微量元素は鉄・マンガン・ヨウ素・銅・亜鉛・セレン・クロム・モリブデン ・[体内で合成されない]ので食品から摂取する。不足すると欠乏症が発生する ・カルシウムは骨の主成分になるが、[リン]の過剰摂取はカルシウムの吸収を妨げる
ビタミン	・[エネルギー源の代謝]に重要な働きを持ち、体の発育・活動を正常に保つ働きがある ・ビタミンは[体内で合成されない]ので食品から摂取し、不足すると欠乏症を発生する ・[脂溶性ビタミン]のビタミンA・D・E・Kは主に肝臓に蓄積するので、過剰摂取は過剰症を起こす ・βカロテン（緑黄色野菜に多い）のように体内でビタミンAに変換する栄養素をプロビタミンAという ・[水溶性ビタミン]はビタミンB_1・B_2・B_6・B_{12}・C・ナイアシン・葉酸・パントテン酸・ビオチン
水分	・乳児では体重の[80]%、成人で[60]%を占める ・栄養素を溶かして消化・吸収に関与、栄養素や老廃物の[運搬]、[体温保持]、発汗による[体温調節]に働く

授乳期の特徴

母乳栄養の意義	感染抑制作用があり（母乳中に免疫グロブリンAなどを含む）、[アレルギー]を起こしにくく、栄養効率が良い。また、母子関係が深まり、出産後の母体回復に役立つ（授乳は子宮の収縮を促す）。

つづく

乳児の哺乳反射	乳児は、[吸啜] 反射（乳首を強く吸う）・[探索] 反射（乳首に唇が触れるとその方向に顔を向ける）・[捕捉] 反射（乳首が口に入ると唇、舌でとらえる）・[嚥下] 反射（口腔内にたまった乳汁を飲み込む）などの反射能力を備えている
初乳	生後1週間位までの乳。[黄白色] で粘りがあり、たんぱく質・無機質が多く、乳糖が少ない。胎便を促す作用がある
成熟乳	適正な栄養素を含み、淡黄白色、芳香、甘味、乳児の腸内に乳酸菌の繁殖を促す働きがある
授乳回数	新生児1日7～10回、生後1か月は3時間おきに1日6～7回。夜間の授乳は次第になくなる。1回10～15分位で、授乳時間が [長い] 場合は母乳不足の疑いがある。基本的には自律授乳方式で乳児が欲しがるだけ与える
冷凍母乳	母乳中の免疫物質を破壊しないため、解凍は自然解凍・流水解凍後に哺乳瓶を湯せんで温める
育児用ミルク	母乳の成分に近づけてあり、乳幼児に必要な [鉄分] を強化している。各月齢とも同一濃度で用いる
調乳の方法	[無菌操作法] は哺乳瓶や乳首などを鍋で煮沸消毒してから調合する。家庭などで一般的に行われる。[終末殺菌法] は、1日分または何回分かをまとめて調乳する方法で、まとめて作ったミルクをそれぞれの哺乳瓶に注ぎ、蒸し器に入れて加熱消毒後、冷水で冷やして冷蔵庫に保存する。授乳時に適温に温めて使う
フォローアップミルク	1歳頃の育児用ミルクを牛乳に切り替える時期に離乳用・幼児期用ミルクとして用いるもので、[たんぱく質・鉄・ビタミン] などを補う。使用は早くても9か月以降とする
ペプチドミルク	牛乳のたんぱく質を分解して濃度を下げてアレルギー性を低くしたミルク。牛乳アレルギーの乳児用には用いない

 ポイント3

離乳食の進め方と咀嚼能力

離乳開始	離乳開始時期は哺乳反射が消えてくる [5～6] か月頃が適当で、それまでは乳汁だけで健康で正常な発育ができる。その後は乳だけでは、栄養が満たされず、乳児自身も乳以外の食物に関心を示し始める

生後5〜6か月	[つぶしがゆ] から始め、すりつぶした野菜などに進み、慣れてきたらつぶした豆腐・白身魚・卵黄なども試してみる。母乳やミルクは飲みたいだけ与える
生後7〜8か月	1日 [2] 回食で食事のリズムをつけていく。[舌] でつぶせる固さが良く、穀類は全がゆが適する。卵は卵黄1個から全卵1/3個位まで。食後に母乳は欲するままに、ミルクの場合は1日3回程度与える。いろいろな味や舌触りを楽しめるように食品の種類を増やしていく
生後9〜11か月	食事のリズムを大切に、1日 [3] 回食に進めていく。[歯ぐきでつぶせる固さ] が良く、穀類は全がゆから軟飯に進める。全卵は1/2個を目安に。共食を通じて食の楽しい体験を積み重ねる。離乳食の後で 乳は欲するまま、ミルクの場合は1日2回程度与える
生後12〜18か月	1日 [3] 回の食事のリズムを整える。手づかみ食べにより自分で食べる楽しみを増やす。歯ぐきで噛める固さの調理形態が良い。穀類は軟飯から徐々にご飯に進む。全卵は1/2〜2/3個位が目安。[18か月] 位が離乳食完了時期となる。(母乳やミルクを飲まなくなる)
乳歯と咀嚼	奥歯の第2乳臼歯が生えて、乳歯 [20] 本が揃うのは [3] 歳頃で、この頃に乳歯による咀嚼が十分できるようになる。個人差がある

8 子どもの食と栄養

ポイント④ 学校給食法第二条に示される 7 つの学校給食の目標

（学校給食の目標）
第二条　学校給食を実施するに当たっては、義務教育諸学校における教育の目的を実現するために、次に掲げる目標が達成されるよう努めなければならない。
一　適切な栄養の摂取による健康の保持増進を図ること。
二　日常生活における食事について正しい理解を深め、健全な食生活を営むことができる判断力を培い、及び望ましい食習慣を養うこと。
三　学校生活を豊かにし、明るい社交性及び協同の精神を養うこと。
四　食生活が自然の恩恵の上に成り立つものであることについての理解を深め、生命及び自然を尊重する精神並びに環境の保全に寄与する態度を養うこと。
五　食生活が食にかかわる人々の様々な活動に支えられていることについての理解を深め、勤労を重んずる態度を養うこと。
六　我が国や各地域の優れた伝統的な食文化についての理解を深めること。
七　食料の生産、流通及び消費について、正しい理解に導くこと。

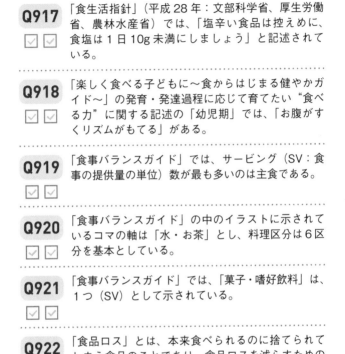

1 子どもの健康と食生活の意義

Q917
☑ ☑
「食生活指針」（平成28年：文部科学省、厚生労働省、農林水産省）では、「塩辛い食品は控えめに、食塩は1日10g未満にしましょう」と記述されている。

Q918
☑ ☑
「楽しく食べる子どもに～食からはじまる健やかガイド～」の発育・発達過程に応じて育てたい"食べる力"に関する記述の「幼児期」では、「お腹がすくリズムがもてる」がある。

Q919
☑ ☑
「食事バランスガイド」では、サービング（SV：食事の提供量の単位）数が最も多いのは主食である。

Q920
☑ ☑
「食事バランスガイド」の中のイラストに示されているコマの軸は「水・お茶」とし、料理区分は6区分を基本としている。

Q921
☑ ☑
「食事バランスガイド」では、「菓子・嗜好飲料」は、1つ（SV）として示されている。

Q922
☑ ☑
「食品ロス」とは、本来食べられるのに捨てられてしまう食品のことであり、食品ロスを減らすための例として、陳列されている商品を奥からとらずに、賞味期限が切れるのが早い順番に買うことがあげられる。

Q923
☑ ☑
「食生活指針」による記載では、「適度な運動とバランスのよい食事で、適正体重の維持を」とある。

A917 × 食生活指針では、「食塩の多い食品や料理を控えめにしましょう。食塩摂取量の目標量は、[男性で1日8g未満、女性で7g未満]」と示している。

A918 ○ 幼児期は「食べる[意欲]を大切に、食の[体験]を広げよう」が目標であるため、食事の時間にお腹がすくようにリズムがもてるようにする。

A919 ○ 食事バランスガイドのコマの形の1番上の段は主食を表し、身体活動量が普通の1日[2,000〜2,400]kcalの人は主食を[5〜7]つ摂るのが目標となる。

A920 × コマの軸は「水・お茶」とし、十分に摂取することが大切である。また、料理区分は主食、副菜、主菜、牛乳・乳製品、果物の[5]区分である。

A921 × [菓子・嗜好飲料]はコマをまわすためのヒモと考える。SVで数えるのではなく、適度に楽しく摂取して1日[200]kcal以内にするように心がけるとよい。

A922 ○ 「食品[ロス]」とは、本来食べられるのに捨てられてしまう食品のこと。食品[ロス]を減らすための例として、陳列されている商品を奥からとらずに、[賞味期限]が切れるのが早い順番に買うことがあげられる。[賞味期限]は、日持ちが比較的長い食品に、「すべての品質が十分に保持」されている期限を示している。

A923 ○ 食生活指針の10の柱の一つ。普段から体重を量り、食生活に気をつけ意識して身体を動かし、無理な減量はやめる。特に若い女性の[やせ]、高齢者の[低栄養]に気をつける。

Q924
☑ ☑
「令和元年国民健康・栄養調査」では、「1〜6歳」における朝食の欠食率は、男性女性とも10%を超えている。

Q925
☑ ☑
「平成27年度乳幼児栄養調査」（厚生労働省）に関する記述で、毎日、朝食を「必ず食べる」と回答した子どもの割合は、約60%であった。

Q926
☑ ☑
「平成27年度乳幼児栄養調査結果の概要」（厚生労働省）における離乳期に関する記述で、離乳食について困ったことは、「特にない」と回答した者の割合が最も高かった。

Q927
☑ ☑
「平成27年度乳幼児栄養調査結果の概要」（厚生労働省）における「現在子どもの食事で困っていること」では、「偏食する」が2〜3歳未満では一番多い。

Q928
☑ ☑
「楽しく食べる子どもに〜食からはじまる健やかガイド〜」によると、食に関わる活動を計画したり、積極的に参加したりすることができるのは学童期である。

Q929
☑ ☑
「妊娠前からはじめる妊産婦のための食生活指針」では、鉄や葉酸を多く含む食品を組み合わせて摂取に努める必要があると示している。

Q930
☑ ☑
「平成27年度乳幼児栄養調査結果の概要」（厚生労働省）によると、授乳期の栄養方法は10年前に比べ、母乳栄養の割合が増加し、生後1か月では50%を超えていた。

A924 × 「令和元年国民健康・栄養調査」では「1〜6歳」における朝食の欠食率は、男性[3.8]％、女性[5.4]％である。「15〜19歳」においては、男性[19.2]％、女性[5.9]％で1〜6歳より増加していることから、朝食の欠食は成長期の食生活の課題である。

. . . .

A925 × 毎日、朝食を「必ず食べる」と回答した子どもの割合は[93.3]％であり、保護者が朝食を食べる割合は81.2％であった。保護者が朝食を必ず食べる場合、朝食を食べる子どもは95.4％と高率であった。

. . . .

A926 × 離乳食について困っていることは、[作るのが負担、大変]との回答が33.5％と一番高く、次いでもぐもぐ、かみかみが少ない（丸のみしている）、食べる量が少ないと続く。

. . . .

A927 × 2〜3歳未満では[遊び食べをする]が41.8％と一番多い。「偏食する」は、「むら食い」につづいて3番目である。

. . . .

A928 × 食に関わる活動を計画したり、積極的に参加したりすることができるのは[思春期]である。思春期は、一緒に食べる人を気遣い、楽しく食べることができる時期である。

. . . .

A929 ○ 妊娠時には胎児の成長に伴い[鉄分]が不足する傾向にあり、貧血症状に注意が必要である。同様に[葉酸]も胎児の身体づくりに欠かせない栄養素であるので非妊娠時よりも付加量を加えて摂取する必要がある。

. . . .

A930 ○ 授乳期の栄養方法は母乳栄養の割合が[増加]し、生後1か月では51.3％、生後3か月では54.7％であった。混合栄養を含めると母乳を与えている割合は生後1か月で96.5％であった。

8

子どもの食と栄養

Q931 献立は、一般にご飯と汁物（スープ類）に主菜と副菜1〜2品をそろえると、充実した内容で、栄養的にも優れた献立となる。

☑ ☑

2 栄養に関する基本的知識

Q932 カルシウムは、骨ごと食べられる小魚に多く含まれる。

☑ ☑

Q933 グリコーゲンは肝臓や筋肉に含まれる二糖類である。ブドウ糖は糖類の構成成分として重要な単糖類であり、血液中にも存在する。

☑ ☑

Q934 炭水化物には、ヒトの消化酵素で消化されやすい糖質と消化されにくい食物繊維がある。

☑ ☑

Q935 水溶性ビタミンは、過剰に摂取しても健康障害（過剰症）のリスクはないとされている。そのためすべての水溶性ビタミンにおいて耐容上限量は設定されていない。

☑ ☑

Q936 魚油に多く含まれる多価不飽和脂肪酸は、動脈硬化と血栓を防ぐ作用がある。

☑ ☑

Q937 ビタミンDは、カルシウムの吸収を促進する。

☑ ☑

A931　○　[一汁三菜]の言葉のように献立を考えると、栄養素が偏ったり不足することなく摂取できる。

A932　○　[カルシウム]は骨や歯の形成や神経の興奮伝導に関わる重要な栄養素であり、不足するとくる病や骨粗しょう症等の原因になる。日本人に[不足しがちな栄養素]である。[牛乳]や骨ごと食べられる[小魚]に多く含まれる。

- - - - - - - - - - - -

A933　×　グリコーゲンは肝臓や筋肉に含まれる[多糖類]である。ブドウ糖（[グルコース]とも呼ばれる）の記述は正しい。

- - - - - - - - - - - -

A934　○　炭水化物には、ヒトの消化酵素で消化されやすい[糖質]と消化されにくい[食物繊維]がある。炭水化物は、[炭素（C）]、[水素（H）]、[酸素（O）]からなる化合物で、[糖質]と[食物繊維]の総称である。

- - - - - - - - - - - -

A935　×　水溶性ビタミンの[ナイアシン・ビタミン B_6・葉酸]の3つの栄養素は1歳以上に[耐容上限量]が設定されている。なお、葉酸については「通常の食品以外に含まれる葉酸に適用」とされている。

- - - - - - - - - - - -

A936　○　[多価不飽和脂肪酸]の一つである魚油には、エイコサペンタエン酸（EPA）とドコサヘキサエン酸（DHA）があり、動脈硬化や血栓を防ぐ作用があるので注目される。

- - - - - - - - - - - -

A937　○　ビタミンDは、[カルシウム]の吸収を促進する。不足すると子どもの[くる病]などを引き起こす可能性がある。

8
子どもの食と栄養

Q938 たんぱく質は、体内の酵素、ホルモン、免疫体の成分であるが、エネルギー源として利用されない。

☑ ☑

Q939 カリウムは、浸透圧の調節に関わり、野菜類に多く含まれる。

☑ ☑

Q940 妊娠期・授乳期の食事摂取基準では、胎児の骨形成不全を予防するため、妊娠期にはカルシウム必要量が高まると記載されている。

☑ ☑

Q941 唾液中には、でんぷん分解酵素のプチアリンが含まれる。

☑ ☑

Q942 「日本人の食事摂取基準（2020 年版)」（厚生労働省）において、食物繊維は 3 歳以上で目安量が示されている。

☑ ☑

Q943 たんぱく質は、血液中において、脂肪や鉄などの栄養素を運搬する役割も果たしている。

☑ ☑

Q944 「日本人の食事摂取基準（2020 年版)」において、ナトリウムは多量ミネラルの一つであり、食塩相当量が併記されている。

☑ ☑

Q945 鉄は、微量ミネラルの一つであり、食品ではレバーや赤身の肉に多く含まれている。体内では血液中のヘモグロビンを構成している。

☑ ☑

A938 × たんぱく質は1gで［4］kcal のエネルギー源となる。他にエネルギー源になる栄養素は、［炭水化物（糖質）］（1g あたり4kcal）と［脂質］（1g あたり9kcal）である。

. . . .

A939 ○ ［カリウム］は［浸透圧］の維持、筋肉の機能維持、神経の興奮・伝達に関与する働きがある他に、腎臓でナトリウムの再吸収を抑制して、尿中への排泄を促進する働きがある。カリウムは［野菜］や果物に多く含まれる。

. . . .

A940 × 妊娠期においては、腸管における［カルシウムの吸収率］が高まるためカルシウム必要量は非妊娠期と同じである。

. . . .

A941 ○ 唾液中には、［でんぷん］分解酵素の［プチアリン］が含まれる。［プチアリン］は新生児に少なく、生後3か月ぐらいまでは［でんぷん］の消化力は弱い。

. . . .

A942 × 「日本人の食事摂取基準（2020 年版）」において［食物繊維］は3歳以上で［目標量］が示されている。小児期の食習慣が成人後の循環器疾患に影響する可能性を考慮して設定されている。

. . . .

A943 ○ ［たんぱく質］は酸素・脂肪・脂肪酸・鉄などを血液中で［運搬する］役割を持つ。

. . . .

A944 ○ ［ナトリウム］は過剰摂取が心配され、［1］歳以上の各年齢区分ごとに目標量として食塩相当量（g/ 日）が示されている。

. . . .

A945 ○ 鉄では、動物性食品に含まれる［ヘム鉄］は、野菜や海藻に含まれる［非ヘム鉄］よりも体内への吸収率が良い。血液中のヘモグロビンが減少すると貧血になる。

Q946
☑ ☑

ビタミンB_1は、糖質、脂質、たんぱく質の代謝の補酵素として作用する。不足が進むと、口内炎、口角炎、皮膚炎などがあらわれ、極度に不足すると成長も阻害される。

Q947
☑ ☑

たんぱく質は、構成元素として炭素（C）、水素（H）、酸素（O）のほかに、窒素（N）を約50％含むことを特徴としている。

Q948
☑ ☑

脂質の分子構造において、炭素間に二重結合をもつ脂肪酸を不飽和脂肪酸という。

Q949
☑ ☑

妊娠期間中の推奨体重増加量は、妊娠前の体格別に設定されている。

Q950
☑ ☑

「6つの基礎食品群」において、緑黄色野菜は第3群に分類されている。

Q951
☑ ☑

水溶性ビタミンであるビタミンCは、鉄の吸収を促進するので、鉄を含む食品と一緒に摂取するとよい。

A946　✕　設問文の内容はビタミン B_2 に相当する。[ビタミン B_1] は [糖質] の代謝の補酵素となる。不足すると [脚気] になり、倦怠感・食欲不振などが問題となる。

. . . .

A947　✕　たんぱく質の構成元素は、主に [炭素] (C) 50～55%、[水素] (H) 6.9～7.3%、[酸素] (O) 19～24%、[窒素] (N) 15～16%。炭水化物と脂質は主には炭素・水素・酸素で構成されており、たんぱく質のみが窒素を含む。

. . . .

A948　○　炭素間に二重結合を持つ脂肪酸を [不飽和脂肪酸] という。脂肪酸には、[飽和脂肪酸] と不飽和脂肪酸があり、分子構造において炭素間に二重結合を持つか持たないかで区別する。

. . . .

A949　○　妊娠期間中の推奨体重増加量は、妊娠 [前] の [体格] 別に設定されている。
[低体重（やせ）]：BMI18.5 未満の場合は、推奨体重付加量 [12～15] kg
[ふつう]：BMI18.5 以上 25.0 未満の場合は、推奨体重付加量 [10～13] kg
[肥満（1度)]：BMI25.0 以上 30.0 未満の場合は、推奨体重付加量 [7～10] kg
[肥満（2度以上)]：BMI30.0 以上の場合は、[個別対応]（上限5kgまでが目安）

. . . .

A950　○　[カロテン] を含む [緑黄色野菜] は、[6つの基礎食品群] においては [第3群] に分類される。第1群はたんぱく質、第2群はカルシウム、第4群はビタミンC、第5群は糖質性エネルギー、第6群は脂肪性エネルギーを多く含む食品である。

. . . .

A951　○　[水溶性ビタミン] のビタミンCは、鉄の吸収を促進するので、鉄を含む食品と一緒に摂取するとよい。レモン、イチゴ、キウイ、ピーマン、ブロッコリー等に多く含まれる。

8　子どもの食と栄養

Q952 乳児の脂質（％エネルギー）の目安量は、他の年齢区分と比較して最大の割合となっている。

☑ ☑

Q953 糖質に関する記述で、麦芽糖（マルトース）は、さとうきびに存在する。

☑ ☑

Q954 ミネラルに関する記述で、ヨウ素は、甲状腺ホルモンの構成成分であり、昆布に多く含まれる。

☑ ☑

Q955 「日本人の食事摂取基準（2020年版）」では、摂取不足の回避を目的として推奨量が設定されている。推奨量は、半数の人が必要量を満たす量である。

☑ ☑

Q956 プロビタミンDともいわれるカロテンは、緑黄色野菜に多く含まれる。

☑ ☑

Q957 消化酵素の働きに関する記述で、二糖類の麦芽糖は、小腸粘膜において「マルターゼ」によって分解される。このような消化を「膜消化」という。

☑ ☑

Q958 ビタミンの生理機能に関する記述で、ビタミンKは血液凝固因子の活性化に必要なビタミンで、母乳栄養児は欠乏に陥りやすい。

☑ ☑

A952 〇 乳児の脂質（％エネルギー）の目安量は、男女とも 0 ～ 5（月）[50] ％、6 ～ 11（月）[40] ％で、他の年齢区分（1 歳以上で男女とも 20 ～ 30％）と比較して最大である。

A953 ✕ [麦芽糖]（マルトース）は麦芽（大麦を発芽させたもの）や水あめやさつまいもに存在する。甘みは砂糖より少ないが旨味がある。吸収が早くエネルギー源となる。

A954 〇 [ヨウ素] の欠乏症には [甲状腺機能障害] がある。甲状腺機能が低下すると発育障害・体のむくみ・脈拍低下などの症状が現れる。ヨウ素は昆布やヒジキなどの海藻類に多く含まれる。

A955 ✕ [推奨量] は、[推定平均必要量] を補助する目的で設定され、ほとんどの人が充足している量とされる。摂取不足を回避する目的で設定され、半数の人が必要量を満たす量とされるのは [推定平均必要量] である。

A956 ✕ プロビタミンとは生体内でビタミンに変わる物質のことをいう。設問文では、プロビタミン D ではなく [プロビタミン A] が正しい。プロビタミン A である [β カロテン] は効率よくビタミン A に変わる。ほうれん草や人参に多く含まれる。

A957 〇 ぶどう糖が 2 分子結合したものを麦芽糖といい、腸液の消化酵素 [マルターゼ] の働きで分解が進む。小腸粘膜で消化酵素の働きにより分解された栄養素が、小腸粘膜上皮細胞に取り込まれることを [膜消化] という。

A958 〇 [ビタミン K] は脂溶性ビタミンであり、[血液凝固因子] の活性化に必要で、母乳栄養児は欠乏に陥りやすいため乳児にはビタミン K の経口投与が行われる。

8

子どもの食と栄養

Q959 エネルギー源として利用されなかった糖質は、グリコーゲンや脂肪に変えて、体内に蓄積される。

☑ ☑

3 子どもの発育・発達と食生活

Q960 幼児期では、間食は、発育・発達状況や生活状況等に応じて、1日全体の概ね 10 ～ 20％程度の量を目安にする。

☑ ☑

Q961 学童期・思春期の体格の判定は、性別・年齢別・身長別の標準体重に対しての肥満度を算出し、肥満度が 30％以上の場合を肥満傾向児とする。

☑ ☑

Q962 母乳育児の利点として、小児期の肥満やのちの2型糖尿病の発症リスクの低下が報告されている。

☑ ☑

Q963 オキシトシンは子宮の筋肉を収縮させて、子宮の回復を促す。

☑ ☑

Q964 乳児は、出生直後から、探索反射、捕捉反射、吸啜反射、嚥下反射といった一連の哺乳に関する反射によって乳汁を摂取するが、これらは大脳の発達にともない次第に消失していく。

☑ ☑

Q965 乳児が乳首を吸う吸てつ反射とその刺激は、間脳視床下部を経て脳下垂体へと伝わる。下垂体前葉からプロラクチンが分泌されて乳汁の合成が促進され、下垂体後葉からオキシトシンが分泌され、乳汁を放出して射乳が起こる。

☑ ☑

A959　O　糖質は、消化酵素の働きでブドウ糖などの単糖類に「分解、消化吸収されて」エネルギーになる。また［グリコーゲン］（ブドウ糖が多数結合したもの）として筋肉や肝臓などに蓄えられる。余剰分は、［内臓脂肪や皮下脂肪］に変化して蓄積される。

A960　O　幼児期は［胃袋］が小さく、消化機能も未熟であるため、不足分を間食で補う必要があるが、1日のエネルギーの［10〜20］％を目安にする。

A961　×　学童期・思春期の体格の判定は、［性別］・［年齢］別・［身長］別の［標準］体重に対しての肥満度を算出し、肥満度が［20］％以上の場合を［肥満傾向児］、［−20］％以下の者を［痩身傾向児］としている。

A962　O　母乳育児の利点として、小児期の［肥満］やのちの［2型］糖尿病の発症リスクの低下が報告されている。

A963　O　母乳分泌時（乳児の［吸てつ］）によって［オキシトシン］（ホルモン）が分泌され、子宮を収縮させ、子宮の［回復］に役立っている。

A964　O　次第に［大脳］が発達してくると、一連の哺乳反射が消えて自分の意思で動かすことができる随意動作が行えるようになり離乳期に入る。

A965　O　乳児が乳首を吸う［吸てつ］反射とその刺激は、間脳視床下部を経て脳下垂体へと伝わる。下垂体前葉から［プロラクチン］が分泌されて［乳汁］の合成が促進され、下垂体後葉から［オキシトシン］が分泌され、乳汁を放出して射乳が起こる。

Q966
☑ ☑
第1乳臼歯が生える頃には、本格的な咀しゃくができるようになる。

Q967
☑ ☑
乳児の消化機能で、唾液には、糖質、脂肪、たんぱく質を分解する酵素が含まれている。

Q968
☑ ☑
初乳には、たんぱく質、無機質が多く含まれ、各種の免疫物質を含んでいる。

Q969
☑ ☑
フォローアップミルクは、母乳または乳児用調製粉乳の代替品ではなく、使用するのであれば、生後9か月以降とする。

Q970
☑ ☑
生後9〜11か月頃は離乳後期に入り、共食を通じて食の楽しい体験を積み重ねる。摂食機能の目安としては舌と上あごで潰していくことができるようになる。

Q971
☑ ☑
幼児期の肥満への対応は、成長期であるため、極端な食事制限は行わない方がよい。

Q972
☑ ☑
幼児期は、消化吸収、代謝能力など個人差が小さく、まだ未熟な時期である。

Q973
☑ ☑
「平成27年度乳幼児栄養調査結果の概要」(厚生労働省)では、「子どもの食事で特に気をつけていること」(2〜6歳児)は、「特にない」と回答した保護者の割合は約5割であった。

A966 ✕ 食物を噛み砕く働きをする第1乳臼歯が生えるのは1歳4か月前後である。この時期はまだ全乳歯は生え揃わないため［咀しゃく能力］は十分でない。

A967 ✕ ［唾液］には［糖質］を分解する消化酵素アミラーゼが含まれている。脂肪・たんぱく質の分解には働かない。

A968 ○ ［初乳］とは［生後1週間］ぐらいまでの母乳をいい、設問文にあるような働きの他に、胎便の排出を促す作用もあり、新生児に適した要素を備えている。

A969 ○ ［フォローアップミルク］は一般にたんぱく質と無機質が多く、脂肪を少なくした離乳用・幼児期用ミルクである。使用する場合は［9］か月頃からがよいとされる。

A970 ✕ 離乳後期の食べ方の目安は、食事リズムを大切に一日3回食に進めていく。摂食機能の目安は［歯ぐき］で潰すことができるようになる。舌と上あごで潰していくのは離乳中期である。

A971 ○ 幼児期の成長期には、必要な栄養素を十分に摂取しなければならないので極端な［食事制限］を行わずに、嗜好物の偏りを正して運動させるなど工夫する。

A972 ✕ 幼児期における発育の速度は［個人差］が大きい。細菌に対する抵抗力が弱いなど未成熟であることを理解しなければならない。

A973 ✕ 子どもの食事で特に気をつけていること（2〜6歳児）では、［栄養バランス］72％、［一緒に食べること］69.5％、［食事のマナー］67％の順であり、「特にない」と回答した保護者の割合は1.7％であった。

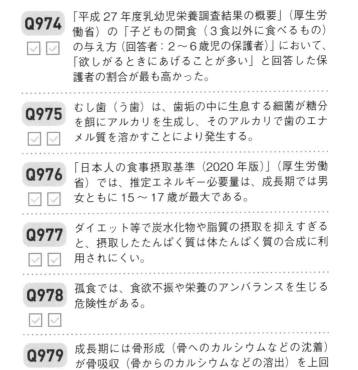

Q974
☑ ☑ 「平成 27 年度乳幼児栄養調査結果の概要」（厚生労働省）の「子どもの間食（3 食以外に食べるもの）の与え方（回答者：2 〜 6 歳児の保護者）」において、「欲しがるときにあげることが多い」と回答した保護者の割合が最も高かった。

Q975
☑ ☑ むし歯（う歯）は、歯垢の中に生息する細菌が糖分を餌にアルカリを生成し、そのアルカリで歯のエナメル質を溶かすことにより発生する。

Q976
☑ ☑ 「日本人の食事摂取基準（2020 年版）」（厚生労働省）では、推定エネルギー必要量は、成長期では男女ともに 15 〜 17 歳が最大である。

Q977
☑ ☑ ダイエット等で炭水化物や脂質の摂取を抑えすぎると、摂取したたんぱく質は体たんぱく質の合成に利用されにくい。

Q978
☑ ☑ 孤食では、食欲不振や栄養のアンバランスを生じる危険性がある。

Q979
☑ ☑ 成長期には骨形成（骨へのカルシウムなどの沈着）が骨吸収（骨からのカルシウムなどの溶出）を上回り骨量は増加する。

Q980
☑ ☑ 「授乳・離乳の支援ガイド」（2019 年厚生労働省）の「授乳等の支援のポイント」の一部では、出産直後から、母乳は決まった時間に飲ませられるように支援することを示している。

A974 × 「平成27年度乳幼児栄養調査結果の概要」（厚生労働省）の「子どもの間食（3食以外に食べるもの）の与え方（回答者：2〜6歳児の保護者）」において、「[時間]を決めてあげることが多い」と回答した者の割合が56.3％と最も高かった。子どもの間食として、甘い飲み物やお菓子を1日にとる回数は、どの年齢階級も「[1]回」と回答した者の割合が最も高かった。

A975 × むし歯は、歯垢の中に生息する細菌が糖分を餌に[酸]を生成することが原因であり、その酸が歯のエナメル質を溶かすことで発生する。

A976 × [推定エネルギー必要量]は、男性では[15〜17歳]が最大であるが、女性では[12〜14歳]が最大となる。半分の人が必要量を満たす量として示されている。

A977 ○ [たんぱく質]は1g摂取すると[4]kcalのエネルギー源になるが、身体を構成する成分としての働きが重要なので、炭水化物・脂質がエネルギー源として不足しないように摂取する。

A978 ○ [孤食の増加]が問題になっている。孤食により、料理数が少なく栄養バランスを崩す場合が多い。また、食欲不振になる場合や過食による肥満になる場合もある。

A979 ○ 骨は吸収と形成を常に繰り返しており、成長期には骨形成が骨吸収を上回って骨量は[増加]する。骨量は[20]歳までに最大値を獲得するが、その後減少する。

A980 × 母乳育児を進めるポイントでは、「[赤ちゃんが欲しがる時、母親が飲ませたい時]には、いつでも母乳を飲ませられるように支援しましょう」とある。

Q981 ☑ ☑ 「授乳・離乳の支援ガイド」（2019 年厚生労働省）によると、離乳後期は、歯ぐきでつぶせる固さのものを与える。

Q982 ☑ ☑ 「令和4年度学校保健統計調査」（文部科学省）によると、小学校の女子では、年齢が上がるにつれて、肥満傾向児の出現率が増加する。

Q983 ☑ ☑ 「授乳・離乳の支援ガイド」（2019 年厚生労働省）には離乳と離乳の支援に関して、生後5、6か月頃は、つぶしがゆから始め、すりつぶした野菜やつぶした豆腐・白身魚、全卵などを試してみると記載されている。

Q984 ☑ ☑ 乳児用調製液状乳（液体ミルク）は、未開封であれば常温保存が可能である。

Q985 ☑ ☑ 高齢期における過剰栄養は、身体機能低下を誘導し、フレイル（虚弱）を引き起こす。

Q986 ☑ ☑ 「授乳・離乳の支援ガイド」（2019 年厚生労働省）によると、はちみつは、乳児ボツリヌス症を引き起こすリスクがあるため、1歳を過ぎるまでは与えない。

Q987 ☑ ☑ 学童期の心身の特徴と食生活に関する記述で、学童期は、成長に不可欠なカルシウムや鉄の摂取に留意する。

A981 ○ ［離乳後期］とは［9〜11か月］頃になる。全粥から軟飯、柔らかく煮た野菜や煮魚、柔らかく細かくした肉、豆腐、全卵2分の1くらいが食べられるようになる。

A982 ○ 「令和4年度学校保健統計調査」によると、小学校の女子では、年齢が上がるにつれて肥満傾向児の出現率が［増加］している。6歳児では［5.5］%であるが11歳児では［10.5］%であった。

A983 × 生後5〜6か月頃の離乳食を始める頃は、つぶしがゆから始め、すりつぶした野菜やすりつぶした豆腐、白身魚などを試してみるという点は適切だが、［全卵］は7か月を過ぎた頃からが適する。

A984 ○ ［液体ミルク］は、未開封であれば［常温保存］が可能である。販売各社により期間は異なり6か月〜18か月の長期保存ができる。調整の必要がなく、そのまま使用できる利点がある。開封後は保存期間は短いので注意する。

A985 × 高齢期における過剰栄養は、［メタボリックシンドローム］に相当するようであれば健康上好ましくないので気を付けなければいけないが、身体機能低下を誘導して、フレイルを引き起こすことはない。

A986 ○ ［はちみつ］の中にはボツリヌス菌が混入している場合があるが、乳児は消化管の発達がまだ未熟なため、［1歳未満］でははちみつの摂取を［控える］。

A987 ○ 学童期の6年間で、男女ともに平均で身長が30cm前後伸びる。成長の著しい時期であるから不足しがちな［カルシウムや鉄］の摂取は特に心掛けたい。

8 子どもの食と栄養

Q988 ローレル指数は、学童期の体格を評価するのに用いられることがある。
☑ ☑

Q989 幼児は、成人に比べてからだが小さく、胃の容量も小さいが、体重1kgあたりのエネルギー必要量は、成人より多い。
☑ ☑

4 食育の基本と内容

Q990 食育基本法では、様々な経験を通じて「食」に関する知識と食を選択する力を習得し、健全な食生活を実践することができる人間を育てる食育を推進することが求められている。
☑ ☑

Q991 食育基本法において食育は、学校、保育所、地域において積極的に推進されなければならないと定められており、家庭での、子どもの食育における保護者の役割については規定されていない。
☑ ☑

Q992 「保育所保育指針」第3章「健康及び安全」2「食育の推進」において食事の提供を含む食育計画を全体的な計画に基づいて作成し、その評価及び改善に努めることが求められている。
☑ ☑

Q993 保育所における食育に関する指針の食育のねらいの中の「食と文化」とは、食べ物を皆で分け、食べる喜びを味わうことである。
☑ ☑

Q994 「食育基本法」では肥満とともに過度の痩身志向も問題とし、心身の健康に及ぼす影響についての知識の啓発等必要な施策を講ずることとしている。
☑ ☑

A988　○　［ローレル指数］は［学童期の体格］を評価するのに用いられ、体重（kg）÷身長（m）³×10 で求める。主に小学生の児童や中学生の生徒の体格指数に用いられ、生後３か月～５歳位まではカウプ指数で表す。

A989　○　［成長期］の幼児では、体重１kg あたりのエネルギー必要量は成人の［２倍以上］になり、たんぱく質・カルシウム・リン・ビタミンD等、骨や筋肉を作り出す栄養素も重要となる。

A990　○　食育を通して、生涯における食生活の基礎を学ぶことが重要である。食に関する知識が身に付けば、［食を選択する力］が備わる。

A991　×　［父母］その他の［保護者］は、家庭が食育の重要な役割を担っていることを認識して子どもの［食育の推進］を行わなければならないと定めている。

A992　○　「保育所保育指針」第３章「健康及び安全」２「食育の推進」において食事の提供を含む［食育計画］を全体的な計画に基づいて作成し、その［評価］及び［改善］に努めることが求められている。

A993　×　「食べ物を皆で分け、食べる喜びを味わうこと」は、保育所における食育に関する指針の食育のねらいの中の［いのちの育ちと食］に相当する。

A994　○　食育基本法の前文に、近年の問題として、栄養の偏り・［肥満や生活習慣病の増加］・［過度の痩身志向］・食の安全上の問題・食の海外への依存・伝統ある食文化の喪失などが挙げられている。

Q995 「第 4 次食育推進基本計画」（令和 3 年農林水産省）は、令和 3 〜 5 年度までの計画である。
☑ ☑

Q996 保育所保育指針では、保育所に看護師が配置されている場合は、食育に関して専門性を生かした対応を図ること、と示されている。
☑ ☑

Q997 食育の基本となる目標と内容を保育の場で具体化するには、養護と教育を一体として展開する必要がある。
☑ ☑

Q998 「第 4 次食育推進基本計画」（令和 3 年農林水産省）は、4 つの重点事項を柱に、SDGs の考え方を踏まえ、食育を総合的かつ計画的に推進する。
☑ ☑

5 家庭や施設における食事と栄養

Q999 計量スプーンの小さじ 1 は、調味料の重量 15 g を量りとることができる。
☑ ☑

A995　×　「第 4 次食育推進基本計画」は、[2021（令和 3）〜 2025（令和 7）年度] までのおおむね 5 年間を期間とした計画である。国民の健全な食生活の実現と環境や食文化を意識した持続可能な社会の実現を目指し、国民運動として食育を推進する。

A996　×　保育所の給食は外部委託の場合もあるが、[栄養士] が配置されている場合は専門性を生かした [食育] などにも対応を図る。子ども達が食を楽しみ食に関心を高めて心身の成長につなげたい。

A997　○　保育所における食育では、[養護的側面と教育的側面] が切り離せるものではなく、毎日の生活や遊びを通して、食育の実践が行われている。こうした中で乳幼児期の子どもの心とからだの成長が進み、将来への土台が構築されていく。

A998　×　[第 4 次食育推進基本計画] は、次の [3 つ] の [重点項目] を柱にしている。1，生涯を通じた心身の健康を支える食育の推進。2，持続可能な食を支える食育の推進。3，新たな日常やデジタル化に対応した食育の推進。更に [SDGs] の考え方を踏まえて推進する。

A999　×　計量スプーンの [小さじ 1 は体積 5 cc（ml）] を量ることができる。物質により体積 5 cc の重量は異なるので、調味料などの体積を量る時に使う。大さじ 1 は、体積 15cc である。

Q1000
☑ ☑
小規模施設においても、大量調理施設衛生管理マニュアルの考えを踏まえ、衛生管理を徹底することが求められる。

Q1001
☑ ☑
「保育所における食事の提供ガイドライン」における食事の提供の「評価のポイント」では、「調理員や栄養士の役割が明確になっているか」という記述がある。

Q1002
☑ ☑
食中毒予防のため、冷蔵庫は10℃以下、冷凍庫は－15℃以下に維持する。詰め過ぎにも注意し、目安は8割程度とする。

Q1003
☑ ☑
残った食品は、早く冷えるように浅い容器に小分けして保存する。

Q1004
☑ ☑
「食品による子どもの窒息・誤嚥事故に注意！」（令和3年1月、消費者庁）によると、乳幼児に豆やナッツ類を与える場合は、小さく砕いて与える。

Q1005
☑ ☑
児童福祉施設では、「食事摂取基準」を活用して食事計画を策定する場合には、個人を対象とすることを基本にしている。

Q1006
☑ ☑
焼く、揚げる、炒めるなど水を利用しない加熱操作を湿式加熱という。

A1000 　○　大量調理施設衛生管理マニュアルは同一食材を使用し、1回300食以上または1日750食以上を提供する調理施設を対象とするが、食中毒予防のため、[小規模施設] においても同様の管理が求められる。

- -

A1001 　○　食に関わる人（調理員や栄養士）が子どもの喫食状況・残食などの評価を踏まえて [調理を工夫する] など、役割を明確にしているかを評価する。

- -

A1002 　×　冷蔵庫は [10℃] 以下、冷凍庫は [－15℃]以下に維持する。詰め過ぎにも注意して目安は[7割] 程度とする（厚生労働省が示す、「家庭でできる食中毒予防の6つのポイント」から）。

- -

A1003 　○　残った食品は、早く冷えるように [浅い容器]に小分けして保存する。「家庭でできる食中毒予防の [6つ] のポイント」における、ポイント6「残った食品」では、「残った食品は早く冷えるように [浅い容器] に小分けして保存しましょう。」と記載されている。

- -

A1004 　×　子どもに [豆] や [ナッツ類] を与える場合に小さく砕いた場合でも気管に入り込んでしまうと、肺炎や気管支炎になるリスクがあるため、[5歳以下] には与えない。

- -

A1005 　○　児童福祉施設では異なった年齢の子どもが一緒に生活するので、個人の性・年齢・身体活動レベルに応じて、[個人を対象] にして「食事摂取基準」を活用することが基本となる。

- -

A1006 　×　焼く・揚げる・炒めるなど水を利用しない加熱操作を [乾式加熱] といい、水以外を媒体として熱を伝える。対して茹でる・煮る・蒸す・炊くなど水を媒体に熱を伝える操作を [湿式加熱]という。

8

子どもの食と栄養

Q1007
☑ ☑

「学校給食法」に示された「学校給食の目標」では、食生活が自然の恩恵の上に成り立つものであることについての理解を深め、生命及び自然を尊重する精神並びに環境の保全に寄与する態度を養うこととしている。

Q1008
☑ ☑

「食品による子どもの窒息・誤嚥事故に注意！」（令和3年1月、消費者庁）によると、ミニトマトやブドウ等の球状の食品を乳幼児に与える場合は、4等分にする、調理して軟らかくするなどして、よく噛んで食べさせる。

Q1009
☑ ☑

食中毒の原因となる物質には、細菌、ウイルス、食品自体に含まれる自然毒、食品に含まれる化学物質などがある。

Q1010
☑ ☑

「乳児用調製粉乳の安全な調乳、保存及び取扱いに関するガイドライン」では、「乳児用調製粉乳の調乳に当たっては、使用する湯は60℃以上を保つこと」とされている。

Q1011
☑ ☑

「楽しく食べる子どもに～食からはじまる健やかガイド～」（平成16年　厚生労働省）では、学童期に育てたい「食べる力」として、「自分の食生活を振り返り、評価し、改善できる」をあげている。

Q1012
☑ ☑

「児童福祉施設における食事の提供ガイド」（平成22年：厚生労働省）の「調理実習（体験）等における食中毒予防のための衛生管理の留意点」に関する記述では、加熱をする場合には十分に行い、中心温度計で、計測、確認、記録を行うとある。

A1007 ○ 「学校給食法」第二条に示された「学校給食の
[目標]」は [7つ] ある。その中の1つに、食
生活が [自然] の恩恵の上に成り立つものであ
ることについての理解を深め、[生命] 及び [自
然] を尊重する精神並びに環境の保全に寄与す
る態度を養うこととしている。

. . . .

A1008 ○ 子どもに [ミニトマト] や [ブドウ] 等の球状の食
品を丸ごと食べさせた場合にのどに詰まって窒息する
リスクがあるので、4 等分する、調理して軟らかくす
るなどしてよく噛んで食べさせる。

. . . .

A1009 ○ 食中毒の中で細菌が原因となる場合は、気温が
高く細菌が育ちやすい [夏] などの季節に多く、
ウイルスよる食中毒は [冬] に流行する。他に
もフグやキノコのように [自然毒] や食品に含
まれる化学物質が食中毒の原因になる。

. . . .

A1010 ✕ 乳児用調製粉乳にあたっては、使用する湯は
[70] ℃以上を保つこととされている。これは、
食が遅い乳児や、調整した粉ミルクを冷蔵する
ことが容易にできないような温暖な地域の乳児
であっても、[細菌の感染のリスクを減少させ
ることができる] からである。

. . . .

A1011 ○ 「楽しく食べる子どもに〜食からはじまる健や
かガイド〜」（平成 16 年　厚生労働省）では、
学童期に育てたい「食べる力」として、「自分
の食生活を振り返り、[評価] し、[改善] でき
る」をあげている。

. . . .

A1012 ○ 実習に先立って、予め加熱条件（①加熱前の食
材の温度②大きさ③加熱温度④加熱時間など⑤
加熱後の中心温度）を検討する。実習時には記
録する。[中心温度] の測定は最も温度が上が
りにくそうな場所で測定する。

8

子どもの食と栄養

6 特別な配慮を要する子どもの食と栄養

Q1013
☑ ☑
クレチン症は、小児期にみられるビタミンDの欠乏症であり、骨が軟らかい、脊柱・四肢などの発育不全、異常な湾曲など、骨の形成異常が主な症状である。

Q1014
☑ ☑
卵アレルギーの場合、基本的に鶏肉は除去する必要はない。

Q1015
☑ ☑
食物アレルギーであっても、離乳食の開始を遅らせる必要はない。

Q1016
☑ ☑
唇で食物を取り込む機能や嚥下機能が不十分な小児の食事調理では、なめらかなペースト状で、とろみのある状態に調理するとよい。

Q1017
☑ ☑
食べる機能に障害がある小児の食事と介助において、食べる機能の発達を促すために、食事介助では、声かけをしたり食物を見せてから口に運んだりして、子どもの能動的な動きを引き出すことを心がける。

Q1018
☑ ☑
乳児の病的でない便秘の場合、かんきつ類の果汁やヨーグルトがその改善に効果的であることが多い。

Q1019
☑ ☑
大豆アレルギーの場合、大豆油は基本的に使用できない。

A1013　× クレチン症は、[先天性甲状腺機能低下症] であり、栄養素の欠乏症ではない。なお設問文の内容は [くる病] が疑われる。

. . . .

A1014　○ 鶏卵アレルギーであっても、鶏肉と鶏卵は [アレルゲン] が異なるため、鶏肉を除去する必要はない。

. . . .

A1015　○ 食物アレルギーの発症を心配して、離乳の開始や特定の食物の摂取開始を遅らせても、食物アレルギーの [予防効果] があるという科学的根拠はないことから、生後5～6か月頃から離乳を始めるように情報提供を行う。

. . . .

A1016　○ 食品を [ペースト状] にして、[とろみ] をつけると舌の上でまとまりやすくなり、飲み込みやすくなる。少しずつ口に入れて [誤嚥] を防ぐ。

. . . .

A1017　○ 自らが食べる意欲を引き出し、食べたいと思う気持ちが湧くように介助者は [声かけ] をしたり、子どもにとって何を食べるのかを [目で確認させたりする] 行為は大切である。

. . . .

A1018　○ [かんきつ類] に含まれるペクチンは食物繊維の1つであり、便の水量を調節し排泄を促す作用を持つ。また [ヨーグルト] には整腸作用があり、乳酸菌が腸の働きを整える。

. . . .

A1019　× [大豆油] は精製されており、大豆アレルギーを持っていても基本的に除去はせずに使用する。また、[みそ] や [しょうゆ] は発酵の過程でアレルゲンの大部分が分解されるため摂取可能なことが多い。

8　子どもの食と栄養

Q1020 ☑ ☑
子どもの食物アレルギーに関しては、そば、ピーナッツは誘発症状が重篤になる傾向がある。

Q1021 ☑ ☑
体調不良の子どもの食事では、消化の良い豆腐や白身魚などを与える。

Q1022 ☑ ☑
障害のある子どもに対する食事調理の配慮として、食べものを飲み込みやすく調整するために、調理に使用する食品として、くず粉や寒天などがある。

Q1023 ☑ ☑
障害のある子どもの食生活では、座位不安定で車椅子などを使用する場合は、誤嚥を防ぐために、頭が後屈しないように配慮する。

Q1024 ☑ ☑
障害をもつ小児にとっては、食行動そのものが、機能的なリハビリテーションの役割をもっている。

Q1025 ☑ ☑
体調不良の子どもの食事では、水分補給には、白湯、ほうじ茶や、小児用電解質液等を用いる。

Q1026 ☑ ☑
摂食に障害がある小児への食事介助では、食べ物を口に入れる際は、小児の口の高さと同じか、それより低い位置から、スプーンを水平に持っていき、真っすぐに入れるようにする。

Q1027 ☑ ☑
摂食に障害がある小児への食事介助では、障害が重症で食事時間が長時間になる場合は、食事が苦痛にならないように、低エネルギー、低たんぱく質の食品を少量与えることを心がける。

A1020 ⚪ そばとピーナッツのアレルギーは［アナフィラキシーショック］を起こす場合があり、死に至ることもあるので注意が必要である。

A1021 ⚪ ［体調不良］のときには、消化の良いものを与える。［豆腐］や［白身魚］は適する。他にも食物繊維の少ない食品や脂肪の少ない食品を選び、小さく切って柔らかく煮て与えるとよい。

A1022 ⚪ 口の中でばらばらになる物は飲み込みにくいので、［舌の上でまとまる］ような工夫をする。調理にはくず粉や寒天の利用も適する。

A1023 ⚪ 頭を後方に反らすと、咀嚼や嚥下に必要な筋肉が緊張するので、首の筋肉をリラックスさせて頭を［前かがみ］にするように配慮する。

A1024 ⚪ 食事をするという行為は、さまざまな筋肉を使い、毎回違った状況に対応する能力を必要とする。毎日、毎回の積み重ねが機能的な［リハビリテーション］につながる。

A1025 ⚪ ［体調不良］のときでも、［水分補給］を心がけなければならない。発熱・嘔吐・下痢などの症状がある場合や、食欲がない場合など水分が不足して脱水症状を起こす場合がある。脱水で失われやすいミネラル分を含み身体に吸収されやすい電解質液がよいが、白湯やほうじ茶などでもよい。

A1026 ⚪ 介助者は障害のある小児と同じ目の高さに位置し、小児の口より［低い位置］からスプーンを運ぶと、身体を反らさずに摂食でき、［誤嚥］の可能性も下がるので望ましい。

A1027 ✕ 介助者は摂食に障害のある小児に対し、食事時間が長くならないように、［少量］で［高エネルギー・高たんぱく質］の食品を摂取できるように心がける。低エネルギー、低たんぱく質の食品ではない。

8

子どもの食と栄養

Q1028
☑ ☑
とろみ調整食品（増粘剤）は、加熱することなくとろみがつけられるものがある。

Q1029
☑ ☑
鶏卵アレルギーは卵黄のアレルゲンが主原因であり、オボムコイド以外は加熱や調理条件によってアレルゲン性は低下する。

Q1030
☑ ☑
「食品による子どもの窒息・誤嚥（ごえん）事故に注意！」（令和３年１月　消費者庁）の窒息・誤嚥事故防止では、節分の豆まきは個包装されたものを使用するなど工夫して行い、子どもが拾って口に入れないように、後片付けを徹底するとしている。

Q1031
☑ ☑
障害のある子どもの摂食と食事指導に関する記述で、食物をスプーンですくう時にこぼれないように、浅めの皿が使いやすい。

Q1032
☑ ☑
子どもの食物アレルギーに関する記述で、乳幼児期に食物アレルギーを発症した子どもは、その後、ぜん息、アレルギー性鼻炎、アトピー性皮膚炎などを高頻度に発症する、いわゆるアレルギーマーチをたどるリスクが高いといわれている。

🐱 **ポイント**　特定原材料と推奨品目

アレルギーの原因となる食品のうち、食品表示法で表示義務のある特定原材料は８品目ある。加工食品にはアレルギー表示として、微量であっても含まれている時には表示し、原材料として使った場合や、原材料を作る時に使った場合にも必ず表示がある。なお、推奨品目（特定原材料に準ずるもの）は、20品目ある。

特定原材料	卵・乳・小麦・そば・落花生・えび・かに・くるみ
推奨品目	あわび・イカ・いくら・オレンジ・キウイ・牛肉・さけ・サバ・大豆・鶏肉・豚肉・マカダミアナッツ・もも・やまいも・りんご・ゼラチン・バナナ・カシューナッツ・ごま・アーモンド

A1028 ○ ［とろみ調整剤］を用いると、加熱せずにとろみがつけられる種類もあり、簡単に粘度の調整ができて調理の手間がかからないものもある。

. . . .

A1029 × 乳幼児に多い食物アレルギーの代表が卵・牛乳・小麦だが、鶏卵アレルギーは［卵白のアレルゲン］が主原因である。オボムコイドは卵の主なアレルギー原因となる。

. . . .

A1030 ○ 「食品による子どもの窒息・誤嚥（ごえん）事故に注意！」（令和3年1月　消費者庁）の窒息・誤嚥事故防止では、節分の［豆まき］は個包装されたものを使用するなど工夫して行い、子どもが拾って口に入れないように、［後片付け］を徹底するとしている。［豆］や［ナッツ類］など、硬くてかみ砕く必要のある食品は［5歳］以下の子どもには食べさせないことが原則。

. . . .

A1031 × 障害のある子どもが自分で皿から食物をすくって口に運ぶ際にも使いやすいように道具を工夫する。浅めの皿は、こぼれやすいので［深さのある皿］が使いやすい。すくいやすいように底が傾斜している専用の皿もある。

. . . .

A1032 ○ ［アレルギーマーチ］（アレルギーの行進）とは、乳幼児期に食物アレルギーを発症した子どもは、その後次々とアレルギー性疾患を発症するリスクが高いことを表している。

Q1033 「食生活指針」による記載には、「間食や夜食はやめましょう」と示している。

Q1034 「食育基本法」に定められた食育に関する基本理念として、伝統的な食文化、環境と調和した生産等への配意及び農山漁村の活性化と食料自給率の向上への貢献がある。

Q1035 「児童福祉施設における食事の提供ガイド」（平成22年：厚生労働省）によると、子どもの発育・発達状況、栄養状態、生活状況等について実態を把握（調査）し、その結果を分析、判定して栄養管理の目標を明確にする。

Q1036 むし歯の原因菌は、ミュータンス連鎖球菌である。

Q1037 WHO（世界保健機関）とUNICEF（国連児童基金）は、共同で「母乳育児を成功させるための10か条」を発表している。

Q1038 乳児の胃に分泌されるリパーゼは、胃酸などの作用で凝固した乳汁中のたんぱく質に働いて、トリペプチドやジペプチドに消化する酵素である。

Q1039 「日本人の食事摂取基準（2020年版）」における、体重1kg当たりの基礎代謝量である基礎代謝基準値（kcal/kg体重/日）は、男性・女性ともに6～7歳のほうが3～5歳よりも高い値である。

A1033 ✕ 「食生活指針」による記載には、「間食や夜食は[とりすぎない]ようにしましょう」とある。

………………………………………………………………

A1034 ○ 「食育基本法」に定められた食育に関する基本理念として、伝統的な[食文化]、環境と調和した生産等への配意及び農山漁村の活性化と[食料自給率]の向上への貢献がある。

………………………………………………………………

A1035 ✕ 「子どもの発育・発達状況、栄養状況、生活状況等について実態を把握([アセスメントの実施])し、その結果を分析、判定して栄養管理の目標を明確にする」が正しい。様々な子どもの特性を理解することが重要である。

………………………………………………………………

A1036 ○ むし歯の原因菌は[ミュータンス連鎖球菌]である。この菌は[酸]を産生する力が強く、歯の表面に付着する力も強いので、病原性の高い細菌である。口の中の菌が糖分から酸を作り出し、その酸が歯を溶かす。

………………………………………………………………

A1037 ○ [母乳育児を成功させるための10か条]は、1989年に世界中の全ての産科施設に対して出した[WHO](世界保健機関)と[UNICEF](国連児童基金)の[共同声明]である。

………………………………………………………………

A1038 ✕ リパーゼは、[十二指腸]で[脂質]を分解する働きを持つ酵素である。トリペプチドはアミノ酸が3つ結合した物質でジペプチドはアミノ酸が2つ結合した物質である。

………………………………………………………………

A1039 ✕ 1日の[基礎代謝量]は成長期には年齢とともに増加する(男性は15〜17歳、女性は12〜14歳まで)が、[基礎代謝基準値]は年齢が高くなるとともに低くなる。

Q1040 「日本人の食事摂取基準（2020年版）」では、エネルギーの摂取量及び消費量のバランスの維持を示す指標として、体格（BMI）を採用している。

☑ ☑

Q1041 母乳栄養児は人工栄養児に比べ、乳幼児突然死症候群（SIDS）の発症率が高いとされている。

☑ ☑

Q1042 哺乳反射による動きが完全に消失した後に、離乳食を開始する。その時期はおよそ生後5か月になった頃が適当である。

☑ ☑

Q1043 舌の動きは、離乳開始頃は蠕動（前後）運動が主であるが、7～8か月頃は上下に、9か月を過ぎる頃からは左右にも動かすことができるようになる。

☑ ☑

Q1044 「日本人の食事摂取基準（2020年版）」では、10～11歳のたんぱく質の食事摂取基準（推奨量：g/ 日）は、男性・女性ともに同じである。

☑ ☑

Q1045 日本の節句に食べる料理や食品は、人日の節句では、かゆ・せり・なずなを食べ、重陽の節句では栗ご飯やきく酒を用意する。

☑ ☑

Q1046 食育基本法に関する記述では、基本理念の一つに、「食品の安全性の確保等における食育の役割」が掲げられている。

☑ ☑

A1040 ○ 「日本人の食事摂取基準（2020年版）」では、目標とする体格（BMI）の範囲を、年齢別に4つの年齢区分に分けて示している。肥満だけでなく、特に高齢者では、［フレイルの予防］が重要とされている。

A1041 × 乳幼児突然死症候群（SIDS：Sudden Infant Death Syndrome）とは、何の予兆や既往歴もないまま乳幼児が死に至る原因のわからない病気で、窒息などの事故とは異なる。予防方法は確立していないが、［母乳栄養児］の方が、［人工栄養児］よりも発生率が低いことがわかっている。

A1042 × 哺乳反射とは、意思とは関係ない反射的な動きであり、生後4〜5か月から少しずつ消え始める。離乳食を開始するのは5〜6か月頃となる。［哺乳反射が完全に消失してからではない］。

A1043 ○ 乳首を強く吸う吸啜反射が弱まり始めると、自分の意思で口を動かすようになる。それに伴って［舌が動かせる範囲］も広がり、前後から上下、左右の順に動かせるようになる。

A1044 × 10〜11歳のたんぱく質の食事摂取基準（推奨量：g/日）は［男性45g］、［女性50g］である。推奨量で男女が同じ数値を示すのは1〜9歳までである。

A1045 ○ ［人日の節句］は1月7日にあたり、七草がゆを食べる習慣がある。かゆの中にせりやなずな等を入れる。［重陽の節句］は9月9日にあたり、栗ご飯やきく酒を用意して無病息災や長寿を願う。

A1046 ○ 基本理念は［7］つ挙げられている。設問文の内容はその中の一つに相当する。

Q1047 食育基本法において、子どもたちに対する食育は、生涯にわたって健全な心と身体を培い豊かな人間性をはぐくんでいく基礎となるものとして、「食育は乳幼児、児童及び生徒に対して行う」と定めている。

Q1048 食育基本法に関する記述では、「食育を、生きる上での基本であって、知育、徳育及び体育と同等であると位置付ける」と示されている。

Q1049 食育基本法第2条の一部において食育は、「食に関する感謝の念を養い、生涯にわたって豊かな食生活を実現することにより、国民の健康寿命の延長と豊かな人間形成に資することを旨として、行われなければならない」と示している。

Q1050 「日本人の食事摂取基準（2020年版）」では、十分な科学的根拠が得られず、推定平均必要量と推奨量が設定できない場合には目安量を設定すると記載されている。

Q1051 特定保健用食品（トクホ）は、表示されている効果や安全性については都道府県が審査を行い、食品ごとに消費者庁長官が許可している。

Q1052 ノロウイルスの予防として、二枚貝などの食品の場合は、中心部が85〜90℃で90秒以上の加熱が有効である。

Q1053 児童福祉施設における調製粉乳の安全な調乳、保存及び取扱いに関するガイドラインでは、調乳後6時間以内に消費されなかった粉ミルクは、全て廃棄するとある。

A1047　×　食育は［あらゆる世代］の国民に必要なもので
　　　　　あり、子どもたちに対する食育について乳幼児、
　　　　　児童及び生徒に対して行うとは定めていない。

A1048　×　食育基本法では、食育を、［生きる上での基本］
　　　　　であって、知育、徳育及び体育の［基礎］とな
　　　　　るべきものと位置付けている。

A1049　×　食育は、食に関する［適切な判断力］を養い、
　　　　　生涯にわたって［健全な食生活］を実現するこ
　　　　　とにより、国民の［心身の健康の増進］と豊か
　　　　　な人間形成に資することを旨として、行われな
　　　　　ければならない。

A1050　○　［推定平均必要量］は半数の人が必要量を満た
　　　　　す量、［推奨量］はほとんどの人が充足してい
　　　　　る量とされている。［目安量］は一定の栄養状
　　　　　態を維持するのに十分な量であり、推定平均必
　　　　　要量・推奨量を推定できない場合の代替え指標
　　　　　である。

A1051　×　［特定保健用食品（トクホ）］は、表示されてい
　　　　　る効果や安全性については国の厳正な審査の評
　　　　　価の基に［消費者庁長官］が許可を出している。

A1052　○　［ノロウイルス］は生カキなどの二枚貝が原因
　　　　　物質であることが多い。［中心部を 85 〜 90℃
　　　　　で 90 秒以上］の加熱が有効であるので、調理
　　　　　の際には温度管理に気を付ける。二次感染にも
　　　　　注意する。

A1053　×　このガイドラインでは、調乳後［2］時間以内
　　　　　に消費されなかった粉ミルクは、全て［廃棄］
　　　　　するとある。

8
子どもの食と栄養

Q1054 カレーやシチューで起こる食中毒は、サルモネラ菌によるものが多い。

☑ ☑

Q1055 食中毒の原因菌とその原因食品として最も適切な組み合わせは、「セレウス菌（嘔吐型）―生肉」である。

☑ ☑

Q1056 障害がある小児の食事調理では、食物を飲み込みやすく調節するために、ゼラチンを用いる場合がある。「日本食品標準成分表」によると、ゼラチンの主成分はたんぱく質である。

☑ ☑

Q1057 障害のある子どもの食生活では、口唇でうまくスプーンの上の食べものを取り込めない場合は、まずはスプーンは深さの浅いものを用いて、摂食機能が高まるにつれて、だんだんと深さを増していくようにする。

☑ ☑

Q1058 「食品表示法」において、表示されている栄養成分は、熱量、たんぱく質、脂質、炭水化物、食物繊維、ナトリウム（食塩相当量で表示）である。

☑ ☑

Q1059 体調不良の子どもへの食事の与え方は、吐き気、嘔吐がある場合は、それがおさまってから水分を少しずつ与える。

☑ ☑

Q1060 「令和元年国民健康・栄養調査報告」（厚生労働省）によると、女性のやせ（BMI < 18.5kg / ㎡）の割合は、20 代では 20％を超えている。

☑ ☑

A1054 ✕ カレーやシチューで起こる食中毒は、[ウェルシュ菌]（空気が嫌いな細菌）によるものが多い。煮込み料理では鍋底の[酸素濃度]が低くなるのでウェルシュ菌が発生する恐れが高くなる。

A1055 ✕ [セレウス菌]は[土壌細菌]の1つで自然環境や農畜水産物などに広く分布するが、生肉での感染はあまりみられない。耐熱性の毒素を持ち、炒飯などの米飯やめん類が原因食品となることが多い。

A1056 ◯ ゼラチンは家畜の骨や皮（主に牛や豚のコラーゲン）から抽出して作られ、85％以上が[たんぱく質]である。必須アミノ酸も多く含んでいて栄養価も高い。

A1057 ◯ 障害のある子どもの食生活では、口唇の動きや舌で食べ物を[喉の奥に送る]動きに問題がある場合もあるが、スプーンは[浅い]方が取り込みやすい。

A1058 ✕ [食品表示法]において、表示が義務付けられている[栄養成分]は、熱量、たんぱく質、脂質、炭水化物、ナトリウム（食塩相当量で表示）の[5つ]である。食物繊維と飽和脂肪酸は表示を推奨されている。

A1059 ◯ 吐き気、嘔吐がある場合には、摂取した水分をもどしてしまう場合がある。子どもの体調をよく観察し、[吐き気や嘔吐がおさまって]から水分を与えるとよい。

A1060 ◯ [20代の女性のやせ]の割合は、20.7％であり、30代の16.4％よりも高い。また、15～19歳は21.0％であった。若年女性のやせは、[骨量減少]や[低出生体重児出産リスク]と関連がある。

出る！出る！
要点チェックポイント

 コードネーム

「コードネーム」とは［**和音（コード）＋名前（ネーム）**］である。
「コードネーム」がわかるためには、まず英語音名を覚えておく必要がある。
「英語音名」は音の名前をアルファベットで表したものである。

ド	レ	ミ	ファ	ソ	ラ	シ
［C］	［D］	［E］	［F］	［G］	［A］	［B］

Fの音が半音高くなった音は「F♯」と書いて「エフシャープ」と読む。同じように、Eの音が半音低くなった場合は「E♭」と書いて「イーフラット」と読む。

● **コードネームの種類**
コードネームには［**メジャーコード**］、［**マイナーコード**］、［**セブンスコード**］などいくつか種類がある。

メジャーコード（長三和音）	ある音の上に半音4個＋半音3個の音を積み重ねた和音 ※右記コード表を参照。ここでは「C」の音の上にできたメジャーコードなので「シーメジャー」と読み、アルファベットの「C」を大文字で書く
マイナーコード（短三和音）	ある音の上に半音3個＋半音4個の音を積み重ねた和音 「C」の音の上にできたマイナーコードは「シーマイナー」と読み、「Cm」と小文字の「m」をつけて書く
ディミニッシュコード（減三和音）	ある音の上に半音3個＋半音3個の音を積み重ねた和音

● **コード表の例**

メジャーコード
C ド・ミ・ソ

マイナーコード
Cm ド・♭ミ・ソ

ディミニッシュコード
Cdim ド・♭ミ・♭ソ

オーギュメントコード（増三和音）	ある音の上に半音4個＋半音4個の音を積み重ねた和音	オーギュメントコード Caug ド・ミ・♯ソ
セブンスコード	多くのコードネームは第1音・第3音・第5音の3つの音で構成されているが、第6音や第7音がつくコードもある。第7音がつくコードをセブンスコードといい、メジャーコードの第5音に半音3個の音を積み重ねて構成する。セブンスコードを実際に弾くとき4つの音を弾くのは大変なので、ふつうは下から3番目の音（第5音）を省いて弾く	セブンスコード C₇ ド・ミ・(ソ)・♭シ メジャーセブンスコード CM₇ ド・ミ・(ソ)・シ
メジャーセブンスコード	メジャーコードの第5音に半音4個の音を積み重ねた和音	

ポイント❷ 速度用語

楽曲全体の速度を示すときには速度用語を用いる。

最も遅いもの	Grave	グラーヴェ	［重々しくゆっくりと］
	Largo	ラルゴ	［幅広くゆるやかに］
	Lento	レント	［ゆるやかに］
	Adagio	アダージョ	［ゆるやかに］
	Larghetto	ラルジェット	［ラルゴよりやや速く］
	Andante	アンダンテ	［歩くような速さで］
	Andantino	アンダンティーノ	［アンダンテよりやや速く］
	Moderato	モデラート	［中くらいの速さで］
	Allegretto	アレグレット	［やや快速に］
	Allegro	アレグロ	［快速に］
	Vivace	ヴィヴァーチェ	［活発に速く］
最も速いもの	Presto	プレスト	［急速に］

●部分的な速度の変化には次のような標語を用いる

Accelerando（略して accel.）アッチェレランド	［だんだん速く］する
Ritardando（略して rit.）リタルダンド	［だんだんゆっくり］にする

つづく

Rallentando（略して rall.）ラレンタンド	［だんだんゆっくり］にする
Piu mosso ピウ モッソ	［今までより速く］
Meno mosso メノ モッソ	［今までより遅く］

Piu は　よりいっそう、Meno は　より少なく、の意味。
他に Assai 十分に、Molto きわめて、Poco 少し、Poco a Poco 少しずつ、Sempre 常に、などの付加語がある。

● まぎらわしい記号

| A tempo
アテンポ | 曲中で一度速さが変化したものを［元の速さ］にする |
| Tempo primo（Tempo Ⅰ）
テンポ プリモ | 曲中の途中で速さがいろいろ変化した後で［一番はじめの速さに戻す］記号 |

※ A tempo は速さが少し変わった後、すぐ前の速さに戻し、Tempo primo はすぐ前の速さではなく曲の冒頭の速さに戻す。

● 強弱記号

楽曲全体や一部分を強くしたり弱くしたりする際は強弱記号を用いる。

ppp	ピアノピアニッシモ	［できるだけ］弱く
pp	ピアニッシモ	［とても］弱く
p	ピアノ	［弱く］
mp	メゾピアノ	［やや弱く］
mf	メゾフォルテ	［やや強く］
f	フォルテ	［強く］
ff	フォルティッシモ	［とても］強く
fff	フォルテフォルティッシモ	［できるだけ］強く

● 強さを次第に変化させる記号

crescendo（cresc. とも書く）	クレッシェンド	だんだん［強く］
decrescendo（decresc. とも書く）	デクレッシェンド	だんだん［弱く］
diminuendo（dim. とも書く）	ディミヌエンド	だんだん［弱く］

曲想を表す標語

楽曲の性格や表情を表すためにいろいろな言葉（通常イタリア語）が用いられる。非常に種類が多いがよく用いられるものをあげておく。

a capella	アカペッラ	［教会風に、無伴奏で］
agitato	アジタート	［せきこんで、激しく］
amabile	アマービレ	［愛らしく］
animato	アニマート	［元気に］
cantabile	カンタービレ	［歌うように］
comodo	コモド	［気楽に］
con brio	コンブリオ	［生き生きと］
con moto	コンモート	［動きをつけて］
dolce	ドルチェ	［柔らかに］
legato	レガート	［なめらかに］
marcato	マルカート	［はっきりと］
risoluto	リゾルート	［決然と］
sostenuto	ソステヌート	［音を十分保って］

主な童謡の作詞者・作曲者

童謡の曲名	作詞	作曲
［かなりや］	西條八十	成田為三
［赤い鳥小鳥］	北原白秋	成田為三
里ごころ	北原白秋	中山晋平
青い眼の人形	［野口雨情］	［本居長世］
十五夜お月さん	野口雨情	本居長世
七つの子	野口雨情	本居長世
赤い靴	野口雨情	本居長世
［てるてる坊主］	浅原鏡村	中山晋平
肩たたき	西條八十	中山晋平
［赤とんぼ］	三木露風	山田耕筰
くつがなる	清水かつら	弘田龍太郎
［うれしいひなまつり］	山野三郎	河村光陽
［ちいさい秋みつけた］	サトウハチロー	中田喜直
夏の思い出	江間章子	中田喜直
かわいいかくれんぼ	［サトウハチロー］	［中田喜直］
［どんぐりころころ］	青木存義	梁田 貞

347

楽曲・歌の種類・教育法

楽曲の種類	楽曲とは続けて演奏される音楽のまとまりのこと。舞曲、組曲、ソナタなど様々な種類がある。なかでも舞曲は踊りのリズムを取り入れたもので地域によって特徴が出ている。	
	メヌエットや**ワルツ**など	3拍子の舞曲
	マーチ	2拍子や4拍子の行進曲
	サンバや**チャチャチャ**など	中南米の踊りのリズムをもった2拍子の現代舞曲

唱歌（しょうか）	［学校の音楽の時間］に教わる歌。明治維新以降、主に小中学校の音楽教育のためにつくられた歌。明治以降に作られた日本の唱歌には外国曲に詞をつけたものが多数ある（蛍の光、ちょうちょうなど）
わらべうた	子どもが［遊びながら歌う］、古くから歌い継がれてきた歌。**伝承童謡**ともいう。5音音階（4番目7番目の音を抜いたヨナ抜き音階）でできているものが多い
童謡	明治以降になって［子どもに歌われること］を目的に作られた歌曲
赤い鳥童謡運動	［鈴木三重吉］が唱歌を**批判**し子どもの感性を育むための話や歌を世に広める一大運動を宣言。大正7年に創刊された子ども向け雑誌［赤い鳥］から、このような運動は赤い鳥童謡運動とよばれるようになった
コダーイシステム	**ハンガリー**の作曲家［コダーイ・ゾルタン］が創案した音楽教育システム。自国のあそびうたを基本においたソルフェージュやハンドサインが特徴
リトミック	スイスの音楽教育家［エミール・ジャック・ダルクローズ］が創案した音楽教育。**身体を使って音楽を感じとる**ことを基本にした教育
モンテッソーリ教育法	イタリアの教育家［マリア・モンテッソーリ］が創案した教育法。子どもの中の**自発性を尊重**しているのが特徴

描画の発達段階

発達段階	別名	時期	描き方の特徴
[なぐり がき期]	錯画期・ 乱画期	[1] 歳 〜 [2] 歳半	無意識の表現。むやみにこすりつける ようにして描く。手の運動の発達によ り、点、縦線、横線、波線、渦巻き円 形など次第に描線が変わる。この描線 のことを、[なぐりがき（スクリブル）] という。
[象徴期]	命名期・ 記号期・ 意味づけ期	[2] 歳 〜 [3] 歳半	渦巻きのように描いていた円から、[1 つの円] を描けるようになる。描いた ものに意味（名前）をつける。
[前図式 期]	カタログ期	[3] 歳 〜 [5] 歳	そのものらしい形が現れる。人物でも 木でも一定の図式で表現され、頭に浮 かぶままに羅列的断片的な空間概念で 描く。からだを描かず頭から直接手足 が出る [頭足人] がみられる。
[図式期]	知的リア リズム期	[4] 歳 〜 [9] 歳	見えるものを描くのではなく、[知って いること] を描く（知的リアリズム）。 次第にある目的をもって、あるいは実 在のものとの関係において記憶を再生 させ、[覚え書きのような図式] で表 現する。

9
保育実習理論

 幼児の描画の特徴

表現名	別名	描き方の特徴
並列表現		花や人物を基底線の上に並べたように描く
アニミズム 表現	擬人化 表現	動物や太陽、花などを [擬人化] し目や口を描く
レントゲン 表現	透視 表現	車の中や家の中など見えないものを [透けたよ うに] 描く
拡大表現		自分の興味・関心のあるものを [拡大] して描く
展開表現	転倒 式描法	道をはさんだ両側の家が倒れたように描くなど、 ものを [展開図のように] 描く
積み上げ式 表現		遠近の表現をうまくできないので、ものを上に [積み上げたように] 描いて遠くを表す
視点移動表現	多視点 表現	横から見たところ上から見たところなど、[多視 点から見たものを一緒に] 描く
異時同存表現		[時間の経過] を1つの絵の中に描く

描画の技法

名称	別名	説明
[デカルコマニー]	合わせ絵	二つ折りした紙の片方の面においた色を折り合わせて写しとる技法
[ドリッピング]	たらし絵・吹き流し・	紙の上に多めの水で溶いた水彩絵の具をたっぷり落とし、紙面を傾けてたらしたり、直接口やストローで吹いて流したりする技法
[スパッタリング]	飛び散らし	絵の具の付いたブラシで網をこすり、霧吹きのような効果を出す技法（ブラッシングともいう）や、絵の具の付いた筆自体を振って散らす技法
[バチック]	はじき絵	クレヨンで線や絵を描き、その上から多めの水で溶いた水彩絵の具で彩色して下のクレヨンの絵を浮き上がらせる技法
[フロッタージュ]	こすりだし	ものの表面の凹凸の上に紙を置いて鉛筆、コンテ、クレヨンなどでこすり、写しとる技法
[スクラッチ]	ひっかき絵	下地にクレヨンの明るい色を塗って、その上に暗い色（クレヨンの黒）を重ねて塗り、画面を釘などの先のとがったものでひっかいて描いて下地の色を出す技法
[コラージュ]	貼り絵	紙や布などを使ってつくる貼り絵
[フィンガーペインティング]	指絵の具	フィンガーペインティングは、できた絵を重要視するのではなく自由に感触を楽しんだり、指で絵の具をなすりつける行為そのものを楽しむ造形遊びのひとつ。子どもの心が開放される
[マーブリング]	墨流し	水の表面に作った色模様を紙に写しとる技法
[ステンシル]		下絵を切りぬいた版を作り、その版の孔（穴）の形に絵の具やインクを刷りこみ、紙に写しとる技法
[スタンピング]	型押し	ものに直接絵の具やインクをつけて、紙に押し当てて型を写しとる技法

絵画の構成美の要素

名称	別名	説明
[ハーモニー]	調和	よく似た性質をもった形や色を組み合わせて安定している構成
[バランス]	均衡	複数の類似形態によって釣り合いが取れている構成
[シンメトリー]	相称	1点や直線を境にして上下、左右が対称で統一感のある構成
[コントラスト]	対照	性質が違うものが組み合わされ、強い感じを出す構成
[リズム]	律動	同じ形や色の繰り返しと規則的流れによって、動きの感じを表す構成
[グラデーション]	階調	形や色が一定の割合でだんだん変化していく構成
[リピテーション]	繰り返し	同じ形や色を規則的に連続して繰り返す構成
[ムーブメント]	動勢	流れや動きの方向性を持ち躍動感が感じられる構成
[アクセント]	強調	一部に変化をつけ、全体をひきしめる構成
[プロポーション]	比率	大きさや形の割合（比率）のこと

版画の種類

版の形式	特徴	版種
[凸版]	版の凸部分にインクをつけ、紙の上からばれんなどでこすって刷る	木版画
		紙版画
		スチレン版画
		スタンピング
[凹版]	版の凹部分にインクをつめ、凹部分以外の不要なインクをふき取って、プレス機などで凹部分のインクを刷る	エッチング
		ドライポイント
[孔版]	版にインクの通る穴をあけ、下の紙にインクを刷りこむ	ステンシル
		シルクスクリーン
[平版]	平らな面にインクがつく面とつかない面をつくり、刷る	マーブリング
		デカルコマニー
		リトグラフ
		オフセット

保育実習理論

ポイント⑪ 12色相環

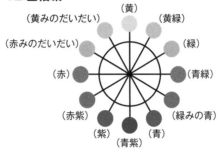

12色相環で互いに向かい合っている色同士を［補色］という。
補色同士を混ぜると［無彩色］になる。

ポイント⑫ 画材の種類と特性

名称	主成分	形状	特徴
クレヨン	ロウと顔料	先が尖っていて細い	主成分にロウが含まれているので硬く、線描きに適している。また、混色ができないのでスクラッチ等の技法に適している
パス（オイルパステル）	油脂と顔料	先が平らで太い	主成分に油脂が含まれているので柔らかく、ぬり絵など広い面を塗ることに適している。混色が可能
コンテ	顔料と水性樹脂など	直方体	鉛筆とソフトパステルの中間ぐらいの硬さ。こすってぼかすことができる。形をいかして角や面を使って描くことができる。完成後は定着液をかける
パステル（ソフトパステル）	顔料と水性樹脂など	直方体や円柱	さらさらと粉っぽく固着力が低いため完成後は定着液などで色を定着させる必要がある。ぼかすことができる。混色に限りがあるので色数が多い
鉛筆	黒鉛（炭素）と粘土	細く長い先端を削りとがらせる	細く硬い。鉛筆の種類はいろいろあるが、Hが多くなるほど芯が硬くて薄くなり、Bが多くなるほど芯が柔らかく濃くなる

主な粘土の種類

粘土の種類	主な成分	特性
土粘土	土の粉	粘土本来の感触が楽しめる。形成も自由で幼児が扱いやすい。粉からだんだん水を足していくといろいろな感触が楽しめる。また、乾燥させて陶芸や素焼き（テラコッタ）にすることもできる
油粘土	油脂	他の粘土のように乾燥しても硬くならない。保管しやすい
紙粘土	パルプ	軽くて扱いやすい。乾くと固形化する。乾燥すると絵の具で着色できる
小麦粉粘土	小麦粉	柔らかく伸びがよい。着色を食紅などですれば口に入れても安心なので低年齢の幼児にも使用できる

※その他、樹脂粘土、軽量粘土（微小中空球樹脂粘土）、木粉粘土、石粉粘土、陶土粘土（オーブン粘土）などがある。

主な紙の種類

和紙	［半紙］	昔の手すき和紙の寸法を半分に切った大きさの和紙のこと主に墨を使って描く際に使う
	［障子紙］	障子に使う紙であるが、安くて丈夫なので折染めや絵を描く際に使う
	［花紙］	半紙より薄手の色のついた紙で飾りに使う花を作るなどに使う
洋紙	［新聞紙］	可塑性に優れているので幼児が造形しやすい。縦の方向に破りやすい
	［画用紙］	描画や工作など造形活動全般に使う
	［ケント紙］	表面が滑らか。ポスターカラーなど厚塗りの場合や工作などにも使う
	［模造紙］	大判の薄めの洋紙。大きいものを描く際に使う
板紙	白板紙 白ボール紙	表面が白く加工され裏面は古紙（鼠色）のボール紙。工作に使いやすい。裏に方眼があるタイプを工作用紙と呼ぶ
	マニラボール紙	上質の白ボール紙
	黄色板紙（黄ボール紙）	昔のボール紙。わらなどが原料なので黄土色をしている。もろい
	色板紙（色ボール紙）	白ボール紙やマニラボール紙に色がついているもの。カラー工作用紙などともいう
	段ボール 片段ボール	片面が波状で片面が板状の段ボールのこと
	段ボール	両面が板状で中に波状の段ボールを挟んでいるタイプの段ボールのこと

乳幼児期の言葉の発達過程

喃語期 （なんご）	3か月～ 11か月	「クー」「クク」というような「クーイング」や「ア・エ・ウ」などの音や「ブー」などの喃語を自発的に発する。だんだん話しかけられている言葉がわかるようになる。9か月頃から簡単な言葉が理解でき、自分の意思や欲求を身振りなどで伝えようとする
片言期	1歳～1歳半	発音しやすい音に意味が結合して、「マンマ」「ワンワン」などの一語文が増加する。情緒の表現がはっきりしてくる
命名期	1歳半～2歳	物の名前を言う。「イヤ」などの拒否を表す言葉を盛んに使う。二語文が出現し、「マンマ、ホチイ」などの欲求表現が可能になる
羅列期	2歳～2歳半	語彙（ごい）の増加に伴い、知っている単語を並べて羅列したような表現が増える。「これ何？」という質問が増加する
模倣期	2歳半～3歳	人の言葉を模倣する。自分のしたいこと、してほしいことを言葉で言う
成熟期	3歳～4歳	話言葉の基礎ができ、他者との伝え合いができるようになる。「なぜ？」「どうして？」の質問や「これがいい」と選択することなどが増加する
多弁期	4歳～5歳	生活空間や経験の広がりに伴い語彙も増え、文法力・理解力・表現力がつき、すらすら話せるようになる。たくさんおしゃべりする
適応期	5歳～	自己中心的なおしゃべりから、話している相手との対話が可能となる。経験したことを思い出して話せる

表現遊びの種類

名称	説明
［素話 （すばなし）］	絵本や紙芝居などを使わず語ってお話をする
［紙芝居］	紙の絵を見せながら演じ手が語ってお話をする
［ペープサート］	紙人形劇のこと。人や動物の絵を描いた紙に棒をつけたものを動かして演じる。表と裏で別の絵（顔の表情が変わるなど）が描いてある物を動かしながらお話を展開する
［パネルシアター］	パネル布（ネル地）を貼った板が舞台。絵が描いてあるPペーパー（不織布）を付けたりはがしたりしてお話を展開する。Pペーパーにはポスターカラーなどの絵の具で色を付ける
［エプロンシアター］	エプロンが舞台。演じ手がエプロンをつけて人形を使ってお話を展開する。ポケットやマジックテープなどのしかけにより、人形がいくつも出てきたり、エプロンにくっついたりする

名称	説明
[オペレッタ]	小さいオペラという意味。「音楽劇」「歌芝居」といわれる、主に幼稚園や小学校の発表会などで上演される創作オペレッタのこと。簡単な歌や踊りを入れた劇のことで、幼児にも親しみやすく演じやすい
[人形劇]	マリオネットやパペットなどの人形を使ってお話を展開する
[影絵]	影をスクリーンに投影するもの。紙や木で人や動物の形を作ったり、手で影を作ったりする。紙などで作った場合は穴をあけて色セロファンなどを通せばいろいろな色を付けることができる。割りピンなどで手足などの関節が動くように作ることもある

絵本各部の名称

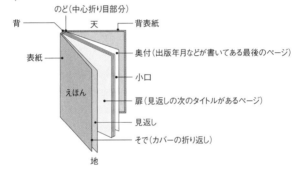

のど(中心折り目部分)
背
天
背表紙
表紙
奥付(出版年月などが書いてある最後のページ)
小口
えほん
扉(見返しの次のタイトルがあるページ)
見返し
そで(カバーの折り返し)
地

読み聞かせについて

- 子どもが絵本の世界に入り想像を膨らませるのを邪魔しないように配慮する
- 絵本のストーリーや展開を事前に理解しておいたり、表紙や裏表紙にも物語が含まれていることを理解しておく
- 部屋の明るさや、読み手の背景はシンプルにするなど、絵本を読む場所の環境を整える
- 目の前の子どもに合わせて柔軟に、物語に寄り添ってその絵本に合った読み方を探す
- 静かにさせるためが目的で絵本を読むのではないので、臨機応変に子どもとのやりとりを楽しむ

1 保育所における保育と実習・保育者論

Q1061
☑ ☑
「承諾や拒否を表す片言や一語文を話したり、言葉で言い表せないことは指差しや身振りなどで示したりして、親しい大人に自分の欲求や気持ちを伝えようとする」は、3歳以上の「言葉」に関する記述である。

Q1062
☑ ☑
3歳以上児では、仲間と遊び、仲間の中の一人という自覚が生じ、ごっこ遊びや一斉活動も見られるようになる。

Q1063
☑ ☑
乳児の玩具を選ぶときは、遊びを通して感性の発達が促されるように音質、形、色、大きさなど子どもの発達状態に応じて適切なものを選ぶ必要がある。

Q1064
☑ ☑
保育所実習では、保育士の子どもへの関わり方や援助の方法、言葉づかいだけでなく、保育士同士の連携も含めて観察する。

Q1065
☑ ☑
保育士等による自己評価に当たっては、子どもの活動内容やその結果だけでなく、子どもの心の育ちや知識、取り組む過程などにも十分配慮するよう留意する必要がある。

Q1066
☑ ☑
乳児保育においては、職員間の連携や嘱託医との連携を図り、適切に対応することが大切であり、また栄養士及び看護師等が配置されている場合は、その特殊性を生かした対応を図ることが求められる。

| A1061 | × | 設問文は「保育所保育指針」第2章「保育の内容」2「[1歳以上3歳未満児]の保育に関わるねらい及び内容」エ「言葉」に関する記述である。 |

. . . .

| A1062 | × | 3歳以上児では、[集団的な遊び]や[協同的な活動]が見られるようになる。この時期においては、[個の成長]と[集団としての活動]の充実が図られるようにしなければならない。 |

. . . .

| A1063 | × | 乳児の玩具は[感覚の発達]を促されるものとなるよう工夫しなければならない。また、子どもが[探索意欲]を満たして自由に遊べるように身の回りのものについては、常に十分な点検を行うことも求められる。 |

. . . .

| A1064 | ○ | 保育を展開する上で、他の[保育士等]や保護者等との[連携]が十分に図られていたかについても検証することが大切である。 |

. . . .

| A1065 | × | 「知識」という箇所が誤りである。保育士等は自己評価を通して、子どもの[内面の育ち]を捉える。活動内容やその結果のみでなく、どのようにして興味や関心をもち、取り組んできたのか、その[過程]を理解することが重要である。 |

. . . .

| A1066 | × | 乳児保育においては、[職員間]、[嘱託医]との[連携]が必要である。また、[栄養士]及び[看護師等]が配置されている場合は、その[専門性]を生かした対応を図ることが求められる。特殊性という言葉が誤りである。 |

9

保育実習理論

Q1067
☑ ☑
全体的な計画は、保育所保育の全体像を包括的に示すものとし、これに基づく指導計画、保健計画、食育計画等を通じて、各保育所が創意工夫して保育できるよう、作成されなければならない。

Q1068
☑ ☑
実習先の子どもを街中で見かけた時には、積極的に声をかけ、その子どもの保育所での様子などを保護者に伝え、子どもへの接し方を改善するよう指導する行動は、実習生として正しい。

Q1069
☑ ☑
職員は、研修で得た知識及び技能をもとに各自で保育を行うため、職員間の連携を密にする必要はない。

Q1070
☑ ☑
保育カンファレンスでは、保育士、看護師、調理員、栄養士等とは職務内容が異なるので、それぞれが担う業務に対しての意見は控える。

Q1071
☑ ☑
保育所児童保育要録は、最終年度の子どもについて作成する。

Q1072
☑ ☑
保育士等は、子ども相互の関係づくりや互いに尊重する心を大切にし、集団における活動を効果あるものにするよう援助することが大切である。

Q1073
☑ ☑
保育実習生が実習のなかで学ぶべき点として、「保育の計画・観察・記録及び自己評価等について主観的に理解する」ことが挙げられる。

Q1074
☑ ☑
「保育所保育指針」に新しく取り入れられた「幼児期の終わりまでに育ってほしい姿」は、幼児教育の考え方であり、小学校の教員からは共通理解されにくいので、小学校とは共有しない。

A1067　○　保育所は、全体的な計画に基づき、具体的な保育が適切に展開されるよう、子どもの生活や発達を見通した［長期的な指導計画］と、それに関連しながら、より具体的な子どもの日々の生活に即した［短期的な指導計画］を作成しなければならない。

. . . .

A1068　×　保護者と園との［信頼関係］を損ねることも考えられるため、実習生が保護者に子どもの保育園での様子を伝えたり、子どもへの接し方を指導したりする行動は控えなければいけない。

. . . .

A1069　×　研修で得た知識及び技能を他の職員と共有することにより、保育所全体としての保育実践の質及び専門性の向上につなげていくことが求められており、［職員間の連携］は必要である。

. . . .

A1070　×　保育カンファレンスでは、［参加者全員］から多様な意見を出していく必要がある。

. . . .

A1071　○　保育所児童保育要録は、［最終年度］の子どもについて作成すること、また作成にあたっては、施設長の責任の下、［担当の保育士］が記載することになっている。

. . . .

A1072　○　設問文は、「保育所保育指針」第1章「総則」1「保育所保育に関する基本原則」（3）「保育の方法」にある。

. . . .

A1073　×　保育実習の目標は、実習を通して「保育の計画・観察・記録及び自己評価等について［具体的］に理解する」ことである。

. . . .

A1074　×　「幼児期の終わりまでに育ってほしい姿」は、子どもの姿を小学校へわかりやすく伝えたり、小学校生活へのスムーズな移行に活用したりするため、［小学校との連携］時に共有することが大切である。

9
保育実習理論

Q1075 保育士がもつべき倫理観を記載した「全国保育士会
☑☑ 倫理綱領」には、「子どもの最善の利益の尊重、子
どもの発達保障、保護者との協力、チームワークと
自己評価、利用者の代弁、地域の子育て支援、専門
職としての責務」の7つが行動指針として示されて
いる。

．．

Q1076 保育士は、子ども自らが環境に関わり、自発的に活
☑☑ 動し、様々な経験を積んでいくことができるよう環
境を構成し、工夫して保育しなければならない。

．．

Q1077 「保育所保育指針」によると3歳未満児の保育の実
☑☑ 施については、個の成長と、子ども相互の関係や協
同的な活動が促されるよう配慮する必要があると記
載されている。

2 児童福祉施設における保育と実習

Q1078 実習記録には、正確性を記すために、ケース記録に
☑☑ 書かれているままに実習記録に転記する。

．．

Q1079 里親支援専門相談員は、里親家庭への訪問や電話相
☑☑ 談を行う必要がある。

．．

Q1080 乳児の自主性を尊重しつつ、将来自立した生活を営
☑☑ むために必要な知識及び経験を得ることができるよ
うに乳児院では支援を行わなければならない。

．．

Q1081 2歳半のO君は、自分より弱い子に対して乱暴なの
☑☑ で、担当職員は乱暴の度に躾として「乱暴したら遊
ばない、ベッドで座って反省する」ことを教えてい
た。

A1075　✕　「全国保育士会倫理綱領」には、「子どもの最善
の利益の尊重、子どもの発達保障、保護者との
協力、[プライバシーの保護]、チームワークと
自己評価、利用者の代弁、地域の子育て支援、
専門職としての責務」の8つが行動指針として
示されている。

. . . .

A1076　○　保育所は、[人的環境]、[物的環境]、[自然や
社会の事象] などの環境が相互に関連し合い、
子どもの生活が豊かなものとなるように留意し
なければならない。

. . . .

A1077　✕　3歳未満児については、[一人一人の生育歴]、
心身の発達、活動の実態等に即して[個別的]
な計画を作成することが必要であり、記載内容
は3歳以上児の内容である。

9
保育実習理論

A1078　✕　実習生も[守秘義務]があるため、実習記録に
ケース記録に書かれている個人情報を書くこと
はできない。

. . . .

A1079　○　里親委託後も、子どもとの関係がうまくいかな
くなるなど様々な状況が起こりうる。里親支援
専門相談員は、里親と子どもの関係を見守り、
必要な場合には[適切に介入していく]ことが
求められている。

. . . .

A1080　✕　[児童養護施設] に関する記述で、乳児院のこ
とではない。

. . . .

A1081　✕　「遊ばない」「座って反省」など、[罰] を与え
ることで躾をしていくかかわり方は不適切であ
る。乱暴しないで遊ぶことの[楽しさ]が伝わ
るように躾を行うかかわりが大切である。

Q1082

実習生Mさんは児童養護施設で実習中である。実習が始まった頃は、小学生女児Sちゃんと穏やかに接することができていたが、実習がしばらく経過したある日、Sちゃんがぬいぐるみを投げたことを注意したところ、「お姉さん嫌い！お姉さんもどうせ私のこと嫌いなんでしょ！」と言って泣き出した。MさんはSちゃんの言動について、その日の実習終了時に実習指導者に相談した。

Q1083

実習日誌の記録について、Aさんは、職員から「日誌には、実習後でも子どもを確認できるように正確な名前で書いておくことが重要」と説明された。

Q1084

バイスティックの7原則の一つである『受容』の原則とは、相談者・利用者のありのままを受け入れ、認めるということである。

Q1085

児童心理治療施設においては、児童が入所した日から、医師又は嘱託医が適当と認めた期間、児童を観察室に入室させ、その心身の状況を観察しなければならない。

Q1086

福祉型児童発達支援センターで実習中のOさんは、実習2日目に通所しているQ君（5歳 男児 自閉症）と手をつなごうとしたところ、腕を噛まれた。Oさんは、Q君を刺激しないようにこれ以上Q君と関わらないようにすることが望ましい。

Q1087

母子生活支援施設における生活支援は、その自立の促進を目的とし、かつ、母子の私生活を尊重して行わなければならない。

Q1088

「児童養護施設運営ハンドブック」（平成26年 厚生労働省）に示された実習生受入れに関する記述には、実習生にとって最も大切なことは、子どもたちがおかれている現実にどれだけ寄り添い、子どもたちの心の機微にどれだけ触れることができるかであると書かれている。

A1082　○　実習生が見聞きすること、体験することは、子どもたちの［一部］であり、すべてではない。それぞれに生い立ちがあり、施設にいる事情がある。今見たことだけにとらわれるのではなく、子どもを取り巻く環境を知ることができれば、また違った視点で子どもに向き合うことができる。そのためにも、実習中に感じたことは、実習担当者に［報告］・［相談］を行い、学びのために視野を広げる機会とすることが望ましい。

A1083　×　施設に入所する子どもは様々な事情があり、名前などの個人情報が流出することで児童の権利を侵害することもあるので、［個人情報の保護］の立場からイニシャルなどにして記入する。

A1084　○　バイスティックの7原則は、［個別化、統制された情緒的関与、受容、意図的な感情表出、自己決定、非審判的態度、秘密保持］である。

A1085　×　［乳児院］のことに関する設問である。

A1086　×　実習生としてOさんがとるべき対応として、Q君が噛んだ前後の様子を考えて、なぜ噛んだのか、次に同じような場面になったらどうするかを考察したり、担当職員に相談したり、職員がどのようにQ君に関わっているかよく観察することが望ましい。

A1087　○　設問文の内容は、［母子生活支援施設］での生活支援の目的についての文章である。

A1088　○　施設実習は、子どもの生活の場に外部の者が入り込んで学びを得るという機会となるため、子どもとの関わりのなかで、日常業務や観察・記録・ケース検討等の援助技術を修得し、そこで培った学びや気付きを［真摯に受けとめる］ことが重要であるとも記されている。

9

保育実習理論

Q1089
☑ ☑
実習で知り得た児童の個人情報は、福祉現場の理解を深めてもらうため、家族や知人に話しても構わない。

Q1090
☑ ☑
児童のニーズを見つけ出して、適切な支援計画を立てるために情報収集して分析することをアセスメントを取るという。

Q1091
☑ ☑
児童自立支援計画書は、社会的養護の施設で義務付けられている統一の支援計画書である。このような支援計画を立てることをプランニングという。

Q1092
☑ ☑
子ども虐待などの子どもの危機に専門職が介入する支援を「インターベンション」という。

Q1093
☑ ☑
児童発達支援センターで実習していた時、Dちゃんが突然Y君の頭をたたき始めた。Y君の被害を止めるためにDちゃんに「たたくなら私をたたいて」と言って、落ちつくまでたたかせた。

Q1094
☑ ☑
社会的養護には、育てられる側であった子どもが親となり、今度は子どもを育てる側になっていくという世代を繋いで繰り返されていく子育てのサイクルへの支援が求められる。

3 音楽に関する技術

Q1095
☑ ☑
M.M. の意味は「今までより速く」である。

A1089 × 「指定保育士養成施設の指定及び運営の基準について」の中で、「実習施設における子どもの人権と最善の利益の考慮、プライバシーの保護と［守秘義務］等について理解する」ことが目標として掲げられている。実習生の家族であっても実習生の守秘義務は守らなければならない。

A1090 ○ 児童相談所で行われる診断のための調査は、［アセスメント］に当たる。アセスメントを基に児童票が作成される。施設は、児童相談所が作成した児童票を基に支援計画を立てることになっている。

A1091 ○ 児童自立支援計画書は、［児童本人］の希望や意見、［保護者］の意見を尊重して策定することとなっている。

A1092 ○ インターベンションは［福祉的介入］を示す。その中でも「危機介入」は［クライシス・インターベンション］という。

A1093 × このような場合は、Dちゃんのたたく行為を止めさせるために抱きしめて、［興奮が静まる］のを待ち、収まった後に、興奮したことについてゆっくりと一緒に［振り返り］を行い、興奮したDちゃんの気持ちを共有することが大切である。

A1094 ○ 児童養護施設運営指針の2（2）「社会的養護の原理」⑥「ライフサイクルを見通した支援」の文章の一部である。

A1095 × M.M.（エムエム）は［メトロノームの記号］を表している。M.M. ♩＝ 100（四分音符を1分間に 100 個打つ速さ）などと表記されることもある。

9 保育実習理論

Q1096 portamento の意味は「音を十分に長く伸ばす」である。
☑ ☑

Q1097 Tempo primo の意味は「もとの速さで」である。
☑ ☑

Q1098 Accelerando の意味は「自由に」である。
☑ ☑

Q1099 ポルカは速いリズムの2拍子の曲である。
☑ ☑

Q1100 Moderato は「中くらいの速さ」の意味である。
☑ ☑

Q1101 ＞や∧の意味は「だんだん小さく」である。
☑ ☑

Q1102 Adagio の意味は「せきこんで」である。
☑ ☑

🐱 **ポイント** 反復記号

繰り返して演奏する場合に用いる記号である。Da Capo（D. C.）、Dal Segno（D.S.）、⊕（coda）などの記号についても確認しておくこと。

演奏順 アイウイエ

A1096 × portamento（ポルタメント）の意味は［音をなめらかに移す］である。

A1097 × Tempo primo の意味は「最初の速さで」である。「もとの速さで」を意味するのは A tempo である。この２つは紛らわしく出題頻度が高いので、しっかり覚えてほしい。

A1098 × Accelerando の意味は［だんだん速く］である。「自由に」を表す楽語は「ad libitum（アドリビトゥム）（※［ad lib アドリブ］ともいう）」。綴りが似ている Allargando（アラルガンド:［強くしながらだんだん遅く］の意味）もあわせて覚えよう。

A1099 ○ ポルカは２拍子の［踊りの曲］である。３拍子の曲にはワルツなどがある。

A1100 ○ Moderato は「中くらいの速さ」の意味。よく楽譜の最初に記されているので覚えてほしい。

A1101 × ＞や∧（アクセント）の意味は［その音を特に強く］である。「だんだん小さく」は［decresc.（デクレッシェンド)]、または、[dim.（ディミヌエンド)]である。

A1102 × Adagio の意味は［ゆるやかに］である。「せきこんで」を表す楽語は［agitato（アジタート)]である。

9 保育実習理論

Q1103

☑ ☑

D.C. の意味は「初めに戻る」である。

Q1104

☑ ☑

sf の意味は「急に強く」である。

Q1105

☑ ☑

rit の意味は「だんだんゆっくり」である。

Q1106

☑ ☑

次の楽譜の演奏順序は ABCDCDABEF である。

Q1107

☑ ☑

次の音楽用語の読み方はタイである。

Q1108

☑ ☑

次の２つの和音は属七の和音（ドミナントセブンス）である。

Q1109

☑ ☑

次のコードは D である。

A1103 〇 D.C. は［ダ・カーポ］と読み、「初めに戻る」を表す。よく混同されるのが D.S.（ダル・セーニョ）で、こちらは曲中の［セーニョマークに戻る］という意味。

A1104 ✕ sf は［スフォルツァンド］と読み、アクセントのように「この記号のついた音を［特に強く］」の意味である。「急に」を表す記号は［subito（スビト、スービト）］であり、subito f（スビト　フォルテ）と表記すると「急に　強く」の意味になる。

A1105 〇 rit は［リタルダンド］と読み、Ritardando を略した表記である。同じ意味の rall（Rallentando の略、［ラレンタンド］と読む）も合わせて覚えよう。

A1106 ✕ ［ABCDABCDABEF］の順に演奏するのが正しい。

A1107 ✕ この記号は［スラー］。音程の異なる音をなめらかに演奏する、の意味。「同じ高さの２つの音符をつなぐ」意味の［タイ］と混同しやすい。

A1108 ✕ 属七の和音は属音（第Ⅴ音）の上に作られた七の和音で構成音は４つである。V_7 と表記する。長三和音の短３度上に音を重ねて作られ、セブンス・コードとよばれる。左の和音は下から「ファ・ラ・ド・♭ミ」で構成された F_7 のコード。右の和音（ド・♭ミ・ソ・♭シ）は短七の和音 Cm_7。なお、構成する音の数が４つある和音は、しばしば第５音を省略する。右の和音では、第５音ソが省略され、ド、♭ミ、♭シの３音になっているので注意したい。属七の和音は G_7 である。

A1109 ✕ この楽譜はト音記号であり、コードが構成されている音は、下から（ファ・ラ・レ）となり［Dm］のコード（レ・ファ・ラ）であることがわかる。ちなみに D のコードはレ・♯ファ・ラの長三和音である。

Q1110
☑ ☑

次のコードは F である。

. . . .

Q1111
☑ ☑

Andante の意味は「元気に」である。

. . . .

Q1112
☑ ☑

大太鼓や小太鼓は膜鳴楽器である。

. . . .

Q1113
☑ ☑

移調とは、曲の途中で調が変化することである。

. . . .

Q1114
☑ ☑

滝廉太郎作曲の「お正月」は、明治時代に作曲された。

. . . .

Q1115
☑ ☑

ニ長調の階名「ソ」は、音名「ト」である。

A1110 × ヘ音記号の楽譜であることに注意したい（ト音記号で読むとFコードになる）。コードの構成音は、下から（ド・ミ・ラ）となり、[Am]のコード（ラ・ド・ミ）であることがわかる。

A1111 × Andanteは（アンダンテ）と読み、「歩くような速さで」の意味。「元気に」はanimato（[アニマート]）である。

A1112 ○ 大太鼓や小太鼓は、膜を張り、その振動によって音を出す膜鳴楽器（まくめいがっき）。ドラム、ボンゴ、ティンパニ、タンバリン、でんでん太鼓、能楽用の大鼓（おおづつみ）・小鼓、歌舞伎用の大太鼓（おおだいこ）、宗教用の神楽太鼓も膜鳴楽器である。

A1113 × 曲の途中で調が変化することは[転調]という。移調は原曲すべての調を移すことを指す。

A1114 ○ 明治34年刊行の「幼稚園唱歌」に「お正月」が含まれている。

A1115 × ニ長調の調号は♯2つ（レ・ミ・♯ファ・ソ・ラ・シ・♯ド）。階名ソは、5番目の音に該当するので、ニ長調の始まりの音（レ）から5番目の音ラを指す。ラを表す音名は「イ」となる。※階名はドレミファソラシドを使うが、音名は国によって異なる名称（日本音名は「ハニホヘトイロハ」）になるので注意したい。

Q1116 サクソフォーン（サックス）は木管楽器である。
☑ ☑

Q1117 伊澤修二は、大正期の赤い鳥童謡運動に参加した作曲家である。
☑ ☑

Q1118 ト長調の属調はイ長調である。
☑ ☑

Q1119 ト長調を長2度下に移調したものはイ長調である。
☑ ☑

Q1120 2音でできている「わらべうた」は、上の音で終わることが多い。
☑ ☑

Q1121 西條八十作詞による「かなりや」は「赤い鳥」童謡運動の中で誕生した。
☑ ☑

Q1122 ソーラン節は千葉県発祥の民謡である。
☑ ☑

Q1123 「おつかいありさん」は4分の2拍子の曲である。
☑ ☑

Q1124 能は、歌舞伎など日本の伝統芸能の源流をなすものである。
☑ ☑

A1116 ○ 金管楽器と間違えやすいサクソフォーン（サックス）だが、素材ではなく、音を出すしくみで区別する。金管楽器はマウスピースに唇をあて、[閉じた唇の振動] によって音を出す。木管楽器は、[リード]（楽器に用いられる薄片、振動して音源となる）を使って音を出す。フルートも金管楽器と間違えやすいが、唄口に吹き込んだ息を [エア（空気）リード] にして音を出すため、木管楽器に分類される。

A1117 × 伊澤修二は明治時代の音楽教育者。[小学唱歌集] を編さんした。

A1118 × 属調は [5つ上の調] を指すのでト、イ、ロ、ハ、ニと5つ数える。正解はニ長調。

A1119 × ト長調の長2度下は [ヘ長調]。イ長調は長2度 [上] の調である。

A1120 ○ 2音で構成されるわらべうたは、上の音で曲が終わることが多い。わらべうた自体は、2音の曲や「なべなべそこぬけ」のように3音、「あんたがたどこさ」のように4音で構成されているものもある。

A1121 ○ 「かなりや」は雑誌「赤い鳥」で発表された童謡で、西條八十が作詞し、[成田為三] が作曲した。

A1122 × ソーラン節は [北海道] の民謡。千葉県の代表的な民謡は [大漁節] がある。

A1123 ○ 「おつかいありさん」は4分の [2] 拍子の曲である。似ている題名の「ありさんのおはなし」は4分の [3] 拍子の曲。主な4分の3拍子の曲は、[ぞうさん] [うみ] [こいのぼり] [山のワルツ] などがある。

A1124 ○ 能は [室町時代] より演じ受け継がれてきた舞台芸術。現存する舞台芸術の中では世界最古とされている。

Q1125 「赤い鳥」は大正時代に鈴木三重吉が創刊した雑誌である。

Q1126 音楽用語の decresc. と dim. は、同じ意味である。

Q1127 8分の9拍子は複合拍子である。

Q1128 マザー・グースは、イギリスの伝承童謡集のことである。

Q1129 次の4分の4拍子のリズムは、「春の小川」の歌い始めの部分である。

Q1130 次の4分の3拍子のリズムは、「まっかな秋」の歌い始めの部分である。

Q1131 「ありさんのおはなし」の歌いだしのリズムは である。

Q1132 ヘ長調の曲を短3度下げたとき、B♭のコードは G になる。

Q1133 8 va alta の意味は「8度高く」である。

A1125 ○ 「赤い鳥」は大正時代に鈴木三重吉が［北原白秋］らと創刊した子ども向けの雑誌である。

. . . .

A1126 ○ decresc.（デクレッシェンド）も dim.（ディミヌエンド）も意味は「だんだん弱く」である。

. . . .

A1127 ○ 拍子には2・3・4拍子の［単純拍子］と6・9・12拍子の［複合拍子］、5拍子などの混合拍子がある。

. . . .

A1128 ○ マザー・グースは、イギリスの伝承童謡集のことである。イギリスではナーサリーライムと呼ぶ童謡もあるが、ナーサリーライムは新作も含めた童謡を指す。

. . . .

A1129 × このリズムは「春がきた」の冒頭である。「春の小川」も4分の4拍子の曲で、

と始まる。

. . . .

A1130 × 「まっかな秋」は、4分の4拍子の曲で、

で始まる。設問の曲は「赤とんぼ」である。

. . . .

A1131 × この曲は［気のいいあひる］。3拍子の曲は近年よく出題されるので、あわせて覚えたい。

. . . .

A1132 ○ ヘ長調の曲を短3度下げると、鍵盤［4］つ分下なので【ヘ（ファ）】【ホ（ミ）】【♭ホ（♭ミ）】【ニ（レ）】となり、レから始まるニ長調になる。B♭から短3度下は同様に鍵盤［4］つ分下となり、♭シ、ラ、♭ラ、ソとなり、ソから始まるコード・G（ソ・シ・レ）となる。

. . . .

A1133 ○ 8 va alta は ottava alta と表記し［オッターヴァアルタ］と読む。8度低くは［ottava bassaaオッターヴァ　バッサ］。

4 造形に関する技術

Q1134 すべての色は有彩色と無彩色に分けられる。

☑ ☑

Q1135 有彩色の色の三要素とは、色相・明度・彩度である。

☑ ☑

Q1136 補色の色同士を混ぜると有彩色になる。

☑ ☑

Q1137 12色相環の黄と、互いの色を引き立て合う補色関係の色は赤である。

☑ ☑

Q1138 絵の具の色は混ぜれば混ぜるほど明るさが減って黒に近づく。

☑ ☑

Q1139 光の三原色は、赤・青・緑である。

☑ ☑

Q1140 青のように暖かく感じる色のことを暖色という。

☑ ☑

Q1141 赤に白を混ぜれば混ぜるほど明度と彩度が上がる。

☑ ☑

Q1142 コントラストとは、中心軸に対して右と左を同じ要素で構成する方法である。

☑ ☑

A1134　○　色には［有彩色］（色みのある色）と［無彩色］（白・灰色・黒など色みのない色）がある。

. . . .

A1135　○　有彩色の色の三要素とは、［色相］・［明度］・［彩度］である。ちなみに無彩色の色の要素は明度のみである。

. . . .

A1136　×　補色の色同士を混ぜると［無彩色］になる。

. . . .

A1137　×　補色同士の組み合わせはお互いの色を引き立てあい、お互いの色の［彩度］が高くなって見える。黄の補色は［青紫］である。

. . . .

A1138　○　絵の具の色は混ぜれば混ぜるほど明るさが減って［黒］に近づく。このことを減算混合（混合するほど暗い色になる）という。ちなみに光は、加算混合（混合するほど明るい色になる）であり、光の三原色を混合すると［白］になる。

. . . .

A1139　○　光の三原色は、［赤］・［青］・［緑］である。色料の三原色は、［赤紫（マゼンタ）］・［緑青（シアン）］・［黄（イエロー）］である。

. . . .

A1140　×　［赤］・［赤橙］・［黄橙］のように暖かく感じる色のことを暖色という。青緑・緑青・青のように冷たく感じる色のことを寒色という。寒色と暖色の中間にある色（黄色・黄緑・緑と青紫・紫・赤紫）を中性色という。

. . . .

A1141　×　白は［無彩色］なので［明度］は上がるが彩度は下がる。

. . . .

A1142　×　［コントラスト］とは、性質が違うものが組み合わされ、強い感じを出す構成のことである。中心軸に対して左右が対称の構成は［シンメトリー］という。

9
保育実習理論

Q1143 グラデーションとは色や形が規則的漸次移行する状態をいう。

☑ ☑

Q1144 一般に、両刃のこぎりには、縦引き用と横引き用の刃がついている。

☑ ☑

Q1145 げんのうで釘を打つときは打ち終わりに丸い面を使う。

☑ ☑

Q1146 段ボール紙は水に強く、濡れても丈夫なので屋外の制作活動に適している。

☑ ☑

Q1147 画用紙の「四つ切」や「八つ切」とは、紙の厚みのことである。

☑ ☑

Q1148 トレーシングペーパーとは不透明な色紙のことである。

☑ ☑

Q1149 クレヨンとパス（オイルパステル）のうち、線描きに適しているのはパスである。

☑ ☑

Q1150 クレヨンの主成分は顔料とロウである。

☑ ☑

Q1151 水性アクリル絵の具は、金属やプラスチック、ガラスなどにも描くことができ、乾くと耐水性になる。

☑ ☑

A1143 ○ ［グラデーション］とは色や形が規則的漸次移行する状態をいう。

A1144 ○ 両刃のこぎりには、縦引き用と横引き用の刃がついている。ちなみに、［縦引き用］の刃は、木目に沿って切るときに使い、［横引き用］の刃は、木目を断つようにして切るときに使う。

A1145 ○ げんのうは、金槌の中で両面とも平らだが、片方がやや曲面になっているもののことで、最後の打ち込みに丸い面の方で打つと木に［打ち跡が残りにくい］。

A1146 × 段ボールは紙なので［水に弱い］という性質がある。いろいろな厚さがあるので用途によって使い分けるとよい。

A1147 × 紙の厚みではなく、［大きさ］のことである。全判（四六判）788mm × 1091mmの画用紙を4つに切ったものを四つ切画用紙、8つに切ったものを八つ切画用紙という。四つ切画用紙の半分の大きさが八つ切画用紙である。

A1148 × トレーシングペーパーとは、複写（トレース）するための［薄い半透明の紙］のことである。

A1149 × 線描きに適しているのは硬い［クレヨン］である。パスは柔らかいので［混色］、［ぬり絵］に適している。

A1150 ○ クレヨンの主成分は、顔料とロウであり、パス（オイルパステル）の主成分は［顔料］と［油脂］である。

A1151 ○ 水性アクリル絵の具は、［乾くと耐水性］になるので、いろいろな物に描くことができる。水の量の加減によって透明水彩、不透明水彩のどちらの雰囲気も出すことができる。

Q1152 ☑ ☑ 水溶性の不透明絵の具の一種で、光沢はないが色彩は鮮明で、塗り重ねなどで透明水彩絵の具や油絵の具と異なった効果が得られるものをカラーインクという。

Q1153 ☑ ☑ 一般に、新聞紙には紙の目があり、直線的に破りやすい方向がある。

Q1154 ☑ ☑ 陶芸の制作工程は、成形→乾燥→本焼き→絵付け→釉薬がけ→素焼き→完成である。

Q1155 ☑ ☑ 土粘土は土・泥・水の感触が得られ、水の加減で固さの味わいが変わる。さらに全身を使っての大きな立体づくりから、指先での小さな造形までも楽しめる。

Q1156 ☑ ☑ フィンガーペインティングは指絵の具ともいう。

Q1157 ☑ ☑ マーブリングとは、水の表面に作った色模様を紙に写しとる技法である。

Q1158 ☑ ☑ 紙や布などを使って作る貼り絵のことを「デカルコマニー」という。

Q1159 ☑ ☑ 凸凹のあるものの表面に薄い紙をのせて鉛筆やクレヨンで上からこすり、材質の地肌を写しとる方法を「フロッタージュ」という。

A1152 ✕ 設問文はカラーインクの説明ではなく、[ガッシュ]の説明である。

. . . .

A1153 ○ 新聞紙は[縦の方向]に[直線的]に破りやすい。

. . . .

A1154 ✕ 陶芸の制作工程は、[成形] → [乾燥] → [素焼き] → [絵付け] → [釉薬がけ] → [本焼き] →完成 である。土粘土を成形して乾燥させたものを焼くことを「素焼き」といい、その後絵付けや釉薬をかけた後焼くことを「本焼き」という。

. . . .

A1155 ○ 粘土は[可塑性]に優れているので幼児にとって使いやすい素材である。粘土には油粘土・紙粘土・小麦粉粘土・土粘土などがある。

. . . .

A1156 ○ フィンガーペインティングは、できた絵を重要視するのではなく自由に感触を楽しんだり、[指で絵の具をなすりつける行為]そのものを楽しむ造形遊びの一つである。子どもの心が開放される。

. . . .

A1157 ○ [マーブリング]には、水に溶けないで水面に流れ模様を作りやすい墨や油性の絵の具を使用するとよい。

. . . .

A1158 ✕ 紙や布などを使って作る貼り絵のことを[コラージュ]という。紙を二つ折りにして片方に絵の具をつけ、重ね合わせて手でこすると偶然に模様ができる方法を、[デカルコマニー]という。

. . . .

A1159 ○ [フロッタージュ]は、凸凹のあるものの表面に薄い紙をのせて鉛筆やクレヨンで上からこすり、材質の地肌を写しとる方法のことである。

Q1160 ☑ ☑ 下地にクレヨンなどの明るい色を塗って、その上に暗い色（クレヨンの黒など）を重ねて塗り、画面を先のとがったものでひっかいて形を描く（下地の色を出す）方法を「バチック」という。

Q1161 ☑ ☑ 一般的な版画や版の技法と、版の種類において、ステンシルは、凹版である。

Q1162 ☑ ☑ 身のまわりにあるもの（びんのふたや消しゴムなど）に絵の具をつけて、紙などに押して写す方法を「ステンシル」という。

Q1163 ☑ ☑ 折った紙を絵の具に浸して模様を染める折り染めでは光沢のある紙や厚い紙は使わない方がよい。

Q1164 ☑ ☑ レントゲン表現は、例えば家の外形を描きながら、壁が透明であるかのように、中の人物等を描くような絵のことである。

Q1165 ☑ ☑ 画面の下方に地面を象徴するような1本の線が現れ、家や木や人等がそこから立ち上がるように描かれている絵にあるこの下方の線を基底線という。

A1160 × 下地にクレヨンなどの明るい色を塗って、その
上に暗い色（クレヨンの黒など）を重ねて塗り、
画面を先のとがったものでひっかいて形を描く
（下地の色を出す）方法を［スクラッチ］という。
［バチック］は、クレヨンで線や絵を描き、その
上から多めの水で溶いた水彩絵の具で彩色して
下のクレヨンの絵を浮き上がらせる技法である。

A1161 × 穴をあけた版型に色を刷りこませるステンシル
は、凹版ではなく、［孔版］であるので誤り。
その他、幼児の造形活動でよく使用される技法
のマーブリング、デカルコマニーなどは［平
版］、スタンピング、スチレン版画、紙版画、
木版画などは［凸版］の部類に入る。凹版は
エッチングやドライポイントなど版の溝以外の
インクをふき取り、凹部分のインクだけを刷る
ものである。

A1162 × ステンシルではなく、［スタンピング］という。
ステンシルは、切り抜いた型紙の穴からタンポ
などで絵の具やインクなどを刷りこませる技法
のことである。

A1163 〇 ［折り染め］では障子紙などコーティングされ
ていない［色水を吸いやすい紙］を使うとよい。
また、角をそろえて規則正しく交互に山折り谷
折りした紙を染めるときれいな模様ができる。
乾いた紙だとはっきりとした模様になり、あら
かじめ紙を湿らせてから染めるとぼかしの効果
が出る。

A1164 〇 ［レントゲン表現］とは、家の外壁が透明であ
るかのように、家の中の人物を描く表現である。

A1165 〇 基底線とは、［画面の位置関係を表す線］のこ
とで、4〜9歳頃の［図式期］（［知的リアリズ
ム期］）にみられる特徴である。

Q1166 スクリブルとは錯画期にみられる特徴で、別名なぐりがきともいう。
☑ ☑

Q1167 遠くの家などを積み上げて描く表現を多視点表現（視点移動表現）という。
☑ ☑

Q1168 描画表現の発達については、発達の指標と考え、年齢段階に達するための技術指導を行う。
☑ ☑

Q1169 子どもの描画の発達の傾向を順番に並べると、A左右や、上下の線から、やがて渦巻き型の線を描くようになる。⇒B丸い形に目や口を描き、手や足のような線を描く。⇒C終結した円が描けるようになり、描いたものに意味をつけるようになる。⇒D画面の下の部分に1本の線（基底線）がみられるようになり、その上に人や花などを描く。⇒E羅列的表現が多く、動物は擬人化され、太陽や花に目や口が描かれ、アニミズムの傾向を示す。の順である。
☑ ☑

Q1170 顔から直接手や足が出ているような人物画を頭足人といい、図式期にみられる特徴である。
☑ ☑

Q1171 描いた線から偶然できた形と具体的なイメージが結びつき、その形に名前を付けるようになるのは2歳～3歳半に見られる錯画期である。
☑ ☑

| A1166 | ○ | ［スクリブル］は［錯画期］にみられる特徴で、別名はなぐりがきである。 |

| A1167 | × | 多視点表現ではなく、［積み上げ表現］という。遠近の表現がまだできないので遠くにある物を上に積み上げたように描く。多視点表現とは、立体的な物を上から見たり横から見たり視点を移動させながら画面の中に一緒に描くことである。 |

| A1168 | × | 描画表現の発達段階は、大まかな発達の年齢区分はあるが、個人差があり、また、子どもが自然と成長していく過程であるため、その年齢段階に達していないからといって技術指導をするものではない。 |

| A1169 | × | 子どもの描画の発達の傾向を順番に並べると、A［なぐりがき期］（錯画期）⇒C［象徴期］（命名期）⇒BとEは両方とも［前図式期］⇒D［図式期］の順に発達する。 |

| A1170 | × | 顔から直接手や足が出ているような人物画（頭足人）は［前図式期］にみられる特徴である。また、前図式期はカタログのように描くので、別名［カタログ期］ともいう。 |

| A1171 | × | できた形に名前を付けるのは［象徴機能］が発達したからであり、これは2歳〜3歳半に見られる［象徴期］（意味づけ期）の説明である。 |

9

保育実習理論

5 言語に関する技術

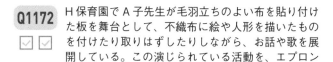

Q1172
☑ ☑
H保育園でA子先生が毛羽立ちのよい布を貼り付けた板を舞台として、不織布に絵や人形を描いたものを付けたり取りはずしたりしながら、お話や歌を展開している。この演じられている活動を、エプロンシアターという。

. . . .

Q1173
☑ ☑
R保育園の5歳児クラスの子どもたちが、はがき大の画用紙1枚にクレヨンで動物などの絵を描いた。そして、担任のS先生が準備していた割りばしの上半分に、子どもたちがその画用紙を貼り合わせ、割りばしの下半分を持手にした人形を作った。このような人形を使った劇をペープサートという。

. . . .

Q1174
☑ ☑
「おおかみと7ひきのこやぎ」は、グリム童話である。

. . . .

Q1175
☑ ☑
「かいじゅうたちのいるところ」は、バージニア・リーバートンの創作である。

. . . .

Q1176
☑ ☑
「三びきのやぎのがらがらどん」は、スイスの昔話絵本である。

. . . .

Q1177
☑ ☑
「さよなら さんかく また きて しかく」は、回文である。

A1172　✕　設問文の説明はエプロンシアターではなく、[パネルシアター]である。エプロンシアターとは、胸当てエプロンを着て、背景などを貼り付けたエプロンが[ステージ]になり、エプロンのポケットからフェルトなどでつくった登場人物や物などを出しながら話を展開していく方法のことである。

. . . .

A1173　◯　[ペープサート]とは、割りばしの上半分に絵を描いた画用紙を貼り合わせ、割りばしの下半分を持手にした人形を作って行う人形劇のことである。

. . . .

A1174　◯　「おおかみと7ひきのこやぎ」は、グリム童話である。その他に、[ヘンゼルとグレーテル]、[赤ずきん]、[ブレーメンの音楽隊]などもグリム童話である。

. . . .

A1175　✕　「かいじゅうたちのいるところ」は、[モーリス・センダック]の創作である。バージニア・リーバートンは、[ちいさいおうち]、[いたずらきかんしゃちゅうちゅう]の作者である。

. . . .

A1176　✕　「三びきのやぎのがらがらどん」は、[ノルウェー]の昔話である。

. . . .

A1177　✕　これは、前の言葉から連想される言葉をつなげていく「言葉遊び歌」である。「回文」とは、上から読んでも下から読んでも同じ言葉になる文句のこと。たとえば「しんぶんし」「うたうたう」「たいやきやいた」などがある。

9

保育実習理論

Q1178

☑ ☑

「絵本や物語などに親しみ、興味をもって聞き、想像をする楽しさを味わう」は「保育所保育指針」第2章3の「3歳以上児の保育に関するねらい及び内容」エ「言葉」の内容である。

. . . .

Q1179

☑ ☑

絵本の読み聞かせをする場合、読み手の背景はシンプルにする。

. . . .

Q1180

☑ ☑

絵本の見返しの部分は重要でないので読み聞かせには関係ない。

. . . .

Q1181

☑ ☑

紙芝居を演じる際、場面に応じて抜き方のタイミングを工夫する。

. . . .

Q1182

☑ ☑

「①言葉遊びや言葉で表現する楽しさを感じる。②人の言葉や話などを聞き、自分でも思ったことを伝えようとする。③絵本や物語等に親しむとともに、言葉のやり取りを通じて身近な人と気持ちを通わせる」は「保育所保育指針」の第2章2「1歳以上3歳未満児の保育に関わるねらい及び内容」エ「言葉」の（ア）「ねらい」である。

. . . .

Q1183

☑ ☑

「保育士等や友達と気持ちを通わせる中で、絵本や物語等に親しみながら、正しい言葉や表現を身に付け、遊んだことや考えたこと等を言葉で伝えたり、相手の話を注意して聞いたりし、言葉による伝え合いを楽しむようになる」は「保育所保育指針」第1章4（2）「幼児期の終わりまでに育ってほしい姿」のケ「言葉による伝え合い」である。

A1178 ○ 「保育所保育指針」、第2章「保育の内容」、3
[[3歳以上児]の保育に関するねらい及び内
容]、（2）「ねらい及び内容」、エ「言葉」、（イ）
「内容」の⑨を抜粋したものである。

A1179 ○ 部屋の明るさや、読み手の背景はシンプルにす
るなど、絵本を読む場所の環境を整える。

A1180 × 絵本の見返しの部分は［絵本の世界］に入る入
口と読み終わった後の余韻に浸る重要なページ
なのでゆっくりと開いて子どもたちに見せる。

A1181 ○ 感情を込める場面ではゆっくり抜き、驚きを演
出したい場面では一気に抜く、また期待をもた
せたい場面では途中で止めるなど、場面によっ
て抜き方のタイミングを工夫する。

A1182 ○ 「保育所保育指針」、第2章「保育の内容」、2
[[1歳以上3歳未満児]の保育に関わるねらい
及び内容]、（2）「ねらい及び内容」、エ「言
葉」、（ア）「ねらい」を抜粋したものである。

A1183 × 「保育士等や友達と［心］を通わせる中で、絵
本や物語等に親しみながら、［豊かな］言葉や
表現を身に付け、［経験したこと］や考えたこ
と等を言葉で伝えたり、相手の話を注意して聞
いたりし、言葉による伝え合いを楽しむように
なる」が「保育所保育指針」第1章4（2）「幼
児期の終わりまでに育ってほしい姿」のケ「言
葉による伝え合い」の一部である。

9

保育実習理論

Q1184
☑ ☑

標識や文字の役割に気付き、自らの必要感に基づき
これらを活用し、興味や関心、感覚をもつようにな
ることは「幼児期の終わりまでに育ってほしい姿」
の「思考力の芽生え」の内容である。

Q1185
☑ ☑

「子どもの表現は、遊びや生活の様々な場面で表出
されているものであることから、それらを積極的に
受け止め、様々な表現の仕方や感性を豊かにする経
験となるようにする」は3歳以上児の領域「表現」
の「内容の取扱い」の一部である。

Q1186
☑ ☑

「身近な環境と十分に関わる中で美しいもの、優れ
たもの、心を動かす出来事などに出会い、そこから
得た感動を他の子どもや保育士等と共有し、様々に
表現することなどを通して養われるようにするこ
と」は「3歳以上児の保育に関するねらい及び内容」
オ「表現」の一部である。

Q1187
☑ ☑

休日保育は、通常保育とは勤務する保育士の人数が
異なるため、休日保育を想定した避難訓練を計画す
る必要はない。

Q1188
☑ ☑

家庭生活ではあまり使用しない言葉について理解で
きない子どもも、保育士等や友達と一緒に行動する
ことを通して、次第にその言葉を理解し、戸惑わず
に行動できるようになっていくのは、「1歳以上3
歳未満児の保育に関する内容」エ「言葉」に関する
記述である。

Q1189
☑ ☑

養育とは、子どもが自分の存在について「生まれて
きてよかった」と意識的・無意識的に思い、自信を
持てるようになることを基本の目的とする。そのた
めには安心して自分を委ねられる大人の存在が必要
となる。

A1184 ✕ 設問文は「幼児期の終わりまでに育ってほしい姿」の「数量や図形、標識や文字などへの関心・感覚」の内容である。

. . . .

A1185 ✕ 設問文は［1歳以上3歳未満児］の「表現」の内容の取扱いの一部である。

. . . .

A1186 〇 表現する［意欲］を十分に発揮させることができるように、遊具や用具などを整えたり、様々な素材や表現の仕方に親しんだり、他の子どもの表現に触れられるよう配慮したりし、表現する［過程］を大切にして［自己表現］を楽しめるように工夫することも大切である。

. . . .

A1187 ✕ 災害が発生したときの対応については、、保育所の生活において、［様々な時間］や［活動］、［場所］で発生しうることを想定し、それに備えることが大切である。

. . . .

A1188 ✕ 設問文は、理解する［語彙数］が急激に増加し、知的興味や関心も高まってくる「3歳以上児の保育に関する内容」エ「言葉」に関する記述である。

. . . .

A1189 〇 児童養護施設運営指針第Ⅰ部の5「養育のあり方の基本」（3）「養育を担う人の原則」に示されている文章である。

Q1190

☑ ☑

児童養護施設のグループホームで生活をしているU
さん（高校2年生、女児）が、担当のP保育士に高
校卒業後は進学をしたいと言うと、家族の経済的な
事情もあるため、就職する方向で検討した方が良い
と言われて悩んでいると、実習生のGさんは相談を
受けた。Gさんは相談内容について、Q実習指導者
に伝えても良いかUさんに確認した。

Q1191

☑ ☑

実習先で中学生男子のW君が、決められた衣類の洗
濯をしないので「ルールを守らないといけない」と
話してルールを守ることを理解させ洗濯をさせた。

Q1192

☑ ☑

乳児院での実習を始めることになったOさんは、
「安全」について考えるように職員から課題を出さ
れ、最初の一日の可能な限り多くの時間を子ども目
線で物を見て関わることに努力した。

Q1193

☑ ☑

主として知的障害のある児童を入所させる施設で実
習を始めた女性のXさんは、初対面の特別支援学校
高等部の男子Sさんが手を握ってきて距離が近いと
思ったが拒否してはいけないと思ってそのまま握ら
せていた。

Q1194

☑ ☑

次の曲を4歳児クラスで歌ってみたところ、一番低
い音が不安定で歌いにくそうであった。そこで完全
4度上の調に移調することにした。その場合ア・
イ・ウの音は鍵盤の位置③⑫⑧となる。

Q1195

☑ ☑

前問（Q1194）の楽譜を完全4度上に移調したもの
はト長調となる。

A1190 ○ この出来事を一人で抱え込まずに、実習指導者に見聞きしたことを報告し、対応を職員に委ねるのは適切である。また、Uさんに確認を取っているのも、Uさんの意向を尊重している対応であり適切であると判断できる。

A1191 × 衣類の洗濯では決められたルールに基づいて行うことを話して理解させるのではなく、洗濯により清潔で気持ちの良い生活を送ることの大切さを理解できるよう助言することが大切である。

A1192 ○ 子どもにとっての危険は、［子どもの目線］で様々なことを見て初めて気づくこともあるので、子どもの目線でよく見て確認することは大切である。

A1193 × 入所児童との距離は［適切にとる必要］がある。特に、知的に遅れがある場合には認知力が弱いことから誤解したり、適切な関係を維持できなくなる恐れがあるので、初対面の時に適切な距離を伝えることが必要である。

A1194 × この曲は［アルプス一万尺］で［ハ長調］となる。完全4度上の調はヘ長調となり、ア・イ・ウの音は鍵盤［①⑩⑪］となる。

A1195 × ［ヘ長調］である。ト長調は完全［5］度上の調である。

Q1196
☑ ☑

次の曲を4歳児クラスで歌ってみたところ、最高音が歌いにくそうであった。そこで完全4度下げて歌うことにした。その場合 A、B、C の鍵盤の位置は、それぞれ、⑮、⑪、⑥となる。

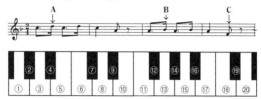

Q1197
☑ ☑

コードネーム C#dim にあてはまる鍵盤の位置は①⑤⑨である。

Q1198
☑ ☑

次の和音は「長三和音」である。

Q1199
☑ ☑

コダーイシステムはアメリカで生まれた教育法である。

Q1200
☑ ☑

m.s. は「％に戻る」の意味である。

Q1201
☑ ☑

声明は「しょうみょう」と読み、日本の仏教音楽の一つである。

A1196　○　この曲は「雪」ヘ長調。完全４度（鍵盤５つ分）下に移調⇒主音（調が始まる音）を完全４度下げて考える。ヘ長調の主音［ファ］から完全４度下は［ド］。よって［ド］から始まる［ハ長調］と考えられる。楽譜のＡ：レ⑳から鍵盤５つ下は［ラ⑮］、Ｂ：♭シ⑯→［ファ⑪］、Ｃ：ファ⑪→［ド⑥］となる。

A1197　×　dim は短３度＋短３度で構成される減三和音。またＣに♯がついているのでシーシャープディミニッシュと読む。正解は［②⑤⑧］。

A1198　×　長三和音は根音から第３音が長３度（鍵盤５つ分）、第３音から第５音が短３度（鍵盤４つ分）を重ねたもので構成される。設問の和音は短３度＋長３度の短三和音。

A1199　×　コダーイは［ハンガリー］の作曲家。コダーイシステム（コダーイメソッド）は自国のわらべうたを使用するのが特徴である。

A1200　×　m.s. は［マーノ・シニストラ］と読み、［左手で］の意味。𝄋 を使うのは［D.S.］（ダル・セーニョ）。

A1201　○　声明は［仏典］に節をつけたものである。ド・レ・ファ・ソ・ラの５音からなる。

Q1202

☑ ☑

クラベスは弦楽器である。

Q1203

☑ ☑

水色の画用紙の中に丸い青色の画用紙を置くと、丸い青色の画用紙はより鮮やかに見えた。このことを補色対比という。

Q1204

☑ ☑

青緑色の背景の舞台に飾った赤いチューリップが目立って見えた。このことを明度対比という。

Q1205

☑ ☑

レオ・レオニの絵本「スイミー」は、スタンピングの技法が使われている。

Q1206

☑ ☑

ドキュメンテーションとは、イタリアのレッジョ・エミリア市の幼児学校が学びの可視化をするのに用いた方法で、近年では日本の保育でも注目が集まっている。

Q1207

☑ ☑

コンテで絵を描いた後、消えないように定着液をかける。

Q1208

☑ ☑

ローエンフェルド（Lowenfeld, V.）は、子どもの描画の発達として自己表現の最初の段階（なぐりがきの段階）、再現の最初の試み（様式化前の段階）、形態概念の成立（様式化の段階）、写実的傾向の芽生え（ギャング・エイジ）等の段階があるとした。

| A1202 | × | クラベスは打楽器である。楽器の種類には他に「金管楽器」［木管楽器］［弦楽器］などがある。 |

| A1203 | × | 同じ色でも周りの彩度が低いと［鮮やか］に見え、周りの彩度が高いと［鈍く］見えるのは［彩度対比］である。補色対比は補色同士を並べるとお互いが引き立てあい［鮮やか］に見えることである。 |

| A1204 | × | ［補色対比］の説明である。補色同士が並ぶとお互いを引き立て、本来の色より［鮮やか］に見える。このことを［補色対比］という。明度対比は、同じ明度の色でも明るい色の中で暗く、暗い色の中では明るく見えることをいう。 |

| A1205 | ○ | レオ・レオニは、いろいろな技法を使って絵本を制作した。代表作『スイミー』は［スタンピング］の技法、『フレデリック』は［コラージュ］の技法が使われている。 |

| A1206 | ○ | 表現活動で有名なレッジョ・エミリア市の幼児学校は、グループでの長期にわたる［プロジェクト型の保育］を行っている。ドキュメンテーションは、そのプロジェクト活動の様子をまとめてパネル展示し［可視化］することで、子どもたちが［体験を振り返り、次の活動に活かせる］ようにしている。 |

| A1207 | ○ | コンテは粉っぽいので、こすってぼかすことができるが、その分、［紙から取れやすい］。描いた後は［定着液］をかけて紙から取れないようにする。 |

| A1208 | ○ | アメリカの教育心理学者であるローエンフェルドは、子どもの描画の発達として、「自己表現の最初の段階（なぐりがきの段階）」、「再現の最初の試み（様式化前の段階）」、「形態概念の成立（様式化の段階）」、「写実的傾向の芽生え（ギャング・エイジ）」などの段階があるとし、その後「疑似写実的段階」、「決定の時期」に続くとした。 |

9

保育実習理論

MEMO

MEMO

購入者特典のご案内

　『福祉教科書 保育士 出る！出る！一問一答 2025 年版』から、出題頻度の特に高い問題 300 問を、**Web アプリ**にて提供しております。スマホで勉強できるので、スキマ時間を活用しての学習に、ぜひ、お役立てください。

※ Web アプリは 2024 年 11 月頃の公開予定です。

Web アプリ URL

https://www.shoeisha.co.jp/book/present/9784798187365

　読者特典をご利用になるには、お持ちのスマートフォン、タブレット、パソコンなどから上記の URL にアクセスしてください。画面の指示に従い、アクセスキーを入力して進んでください。なお、アクセスキーは、半角英字で、大文字、小文字を区別して入力してください。

アクセスキー：370 ページ Q1111 の「A」から始まる英字
　　　　　　　（7 文字）を入力してください

著者プロフィール

■ 白川 佳子 (しらかわ よしこ)

科目「保育の心理学」担当。共立女子大学にて「教育心理学」「教育相談の理論と方法」「保育内容（言葉）」などの教鞭をとる。専門は発達心理学。保幼小接続についての研究をしている。共立女子大学家政学部教授。

■ 柴田 賢一 (しばた けんいち)

科目「保育原理」担当。常葉大学にて「保育内容総論Ⅰ」「教育原理」「教育学」「教育実習指導」を担当。常葉大学保育学部保育学科教授。

■ 香﨑 智郁代 (こうざき ちかよ)

科目「子ども家庭福祉」「保育実習理論 - 保育所における保育と実習／保育者論」担当。九州ルーテル学院大学において幼稚園教育実習、保育実習関連科目の教鞭をとる。九州ルーテル学院大学人文学部人文学科保育・幼児教育専攻教授。

■ 永野 典詞 (ながの てんじ)

科目「社会福祉」担当。九州ルーテル学院大学において社会福祉、子ども家庭福祉などの社会福祉関連科目の教鞭をとる。九州ルーテル学院大学人文学部人文学科保育・幼児教育専攻教授。

■ 釜田 史 (かまた ふみと)

科目「教育原理」担当。愛知教育大学教育学部准教授。

■ 谷井 史恵 (たにい ふみえ)

科目「社会的養護」「保育実習理論 - 児童福祉施設における保育と実習」担当。児童養護施設勤務を経て、現在はソーシャルワーカーとして子育て相談や虐待再発防止対応の活動に努めている。ライフワークでは、子育て家族支援団体 SomLic で活動しており、虐待予防の観点からペアレント・トレーニングの普及に取り組んでいる。

■ 小林 美由紀 (こばやし みゆき)

科目「子どもの保健」担当。小児科医。白梅学園大学で「子どもの保健」「子どもの保健と安全」、白梅学園大学大学院で「生態学的発達学」「小児保健演習」の教鞭をとる。白梅学園大学名誉教授。

■ 林 薫 (はやし かおる)

科目「子どもの食と栄養」担当。白梅学園大学で「子どもの食と栄養論」「子どもの食と栄養」「家庭」などの教鞭をとる。専門は小児栄養学。白梅学園大学子ども学部子ども学科教授。

■ 笹氣 真歩 (ささき まほ)

科目「保育実習理論 - 音楽に関する技術」担当。きらら音楽学院講師。弘徳学園東北こども福祉専門学校非常勤講師。演奏団体「ドレミファピアチェーレ」を立ち上げ参加型クラシックコンサート活動も行う。共著に『テーブルリトミック』（笹氣出版印刷）がある。

■ 松村 弘美 (まつむら ひろみ)

科目「保育実習理論 - 造形に関する技術・言語に関する技術」担当。プランニング開・アトリエ自遊楽校（http://p-kai.com）。アトリエ自遊楽校で子どもの造形・表現活動に携わっている。学校法人三幸学園非常勤講師。社会福祉法人遊創の森理事長。

● Book Design　　　　　ハヤカワデザイン　早川いくを　高瀬はるか
● カバーイラスト　　　　はった あい
● 紙面デザイン・DTP　　BUCH⁺

福祉教科書

保育士 出る！出る！一問一答 2025 年版

2024 年 9 月 19 日　初版第 1 刷発行

著　　者　　保育士試験対策委員会
発 行 人　　佐々木 幹夫
発 行 所　　株式会社 翔泳社（https://www.shoeisha.co.jp）
印刷・製本　　日経印刷 株式会社

©2024 yoshiko shirakawa, kenichi shibata, chikayo kouzaki, tenji nagano, fumito kamata, fumie tanii, miyuki kobayashi, kaoru hayashi, maho sasaki, hiromi matsumura

本書へのお問い合わせについては、vi ページに記載の内容をお読みください。

造本には細心の注意を払っておりますが、万一、乱丁（ページの順序違い）や落丁（ページの抜け）がございましたら、お取り替えいたします。03-5362-3705 までご連絡ください。

ISBN978-4-7981-8736-5　　　　　　　　　　　　Printed in Japan